東京の鉄道発達史

地図で解明!

今尾恵介

JTBパブリッシング

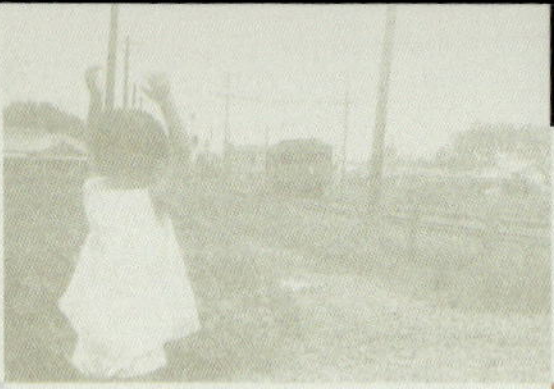

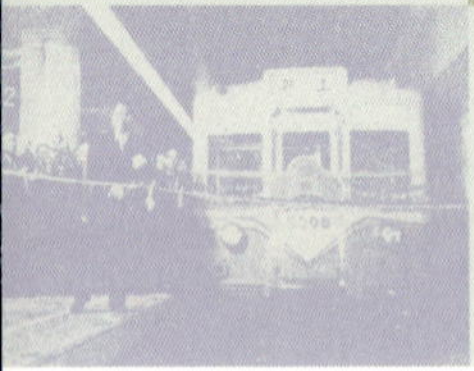

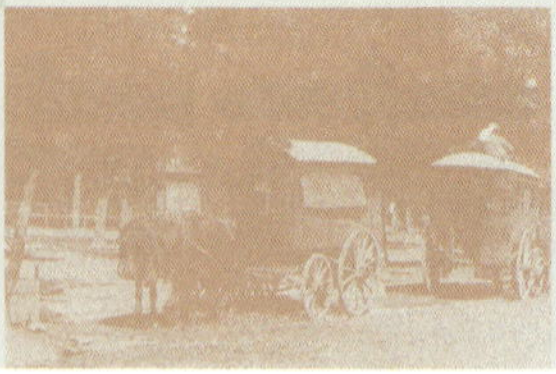

目次

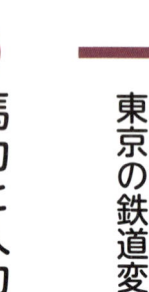

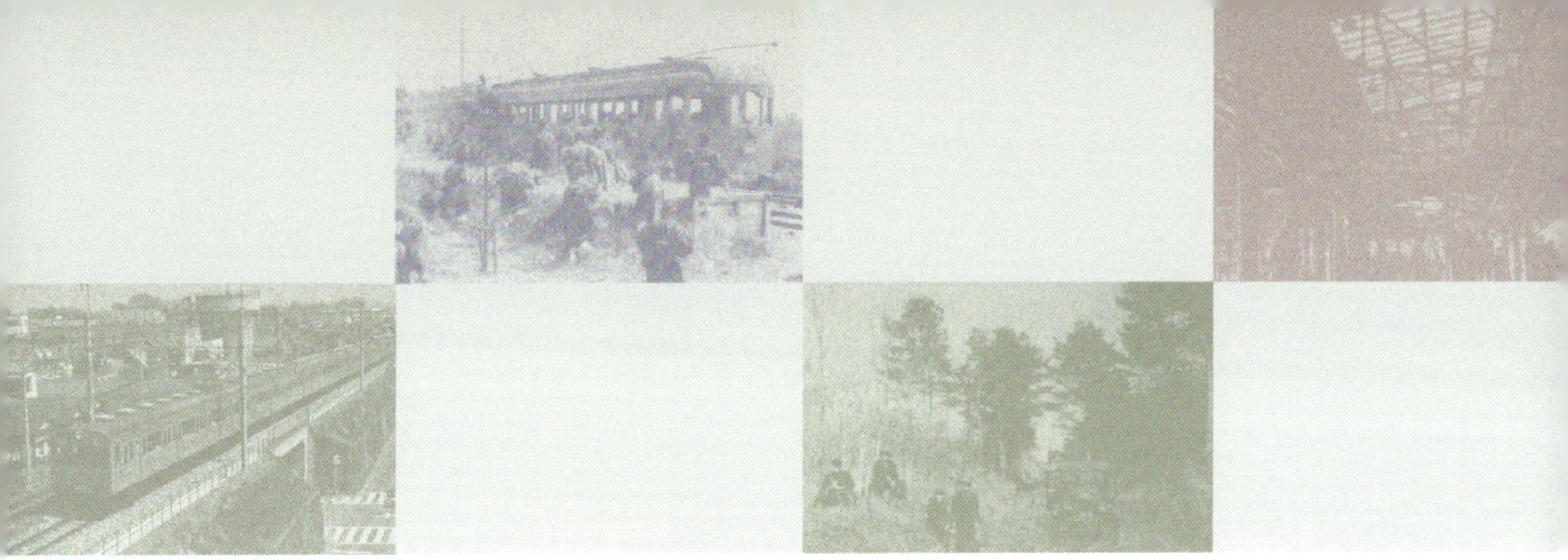

駅名こぼれ話

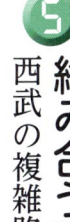

東京の鉄道網変遷地図①

大正3年（1914）

鉄道国有法により、日本鉄道、甲武鉄道などは国有化され、東北本線、中央本線などとなった。私鉄では、蒸気鉄道の東武鉄道、川越鉄道（現西武新宿線など）など、電気鉄道の京浜電気鉄道（現京急）、玉川電気鉄道、京成電気軌道、京王電気軌道などが開通。鉄道空白地帯には馬車鉄道も健在。

＊横浜線は当時横浜鉄道の所有ですが、明治43年（1910）から鉄道院が借り上げ、大正4年（1915）の時刻表等にも「官有鉄道」とあるので、ここでは国鉄扱いとしました。

1：200,000 帝国図「東京」
大正3年製版　71%

東京の鉄道網変遷地図①～⑤凡例

・国鉄・JRは赤色、私鉄は青色で表示。
・掲載した路線は貨物専用線を含む鉄道（モノレール、新交通システムを含む）および軌道。
・地下鉄（東京メトロ、都交通局、横浜市交通局）の地下部分は原則として省略し、トンネルは主要なもののみを表示。
・軌道のうち東京市電（都電）・川崎市電・横浜市電は省略。後に東京市電（都電）となる王子電気軌道、城東電気軌道、西武軌道（各後身会社を含む）、渋谷以東の玉川電気鉄道も同様。
・貨物専用線・工場等の専用線・専用鉄道は主要なもののみを掲載。
・掲載した駅名は主要なものを当時の名称にて掲載。路線名は当時のもの（一部略称・通称等）。距離が短い路線は一部省略。
・東海道新幹線、東北・上越新幹線が在来線と重なる部分は一部省略。

明治22年（1889）の東京の鉄道網：新橋起点の官営鉄道（現東海道本線）、上野起点の日本鉄道（現東北本線など）とその支線の山ノ手線（現山手線など）、そして開通したばかりの新宿～八王子間の甲武鉄道（現中央本線）のみだった。1:200,000輯製図「東京」明治21年輯製

1：200,000 帝国図「東京」
昭和９年修正　71%

東京の鉄道網変遷地図②

昭和9年（1934）

中央・東北・総武の各線はそれぞれ都心まで延伸。京王や京成は郊外電車として発展。武蔵野鉄道（現西武池袋線）、池上電鉄（現東急池上線）、目黒蒲田電鉄（現東急目黒線など）、東京横浜電鉄（現東急東横線）、小田急、西武村山線（現新宿線）などが開通。蒸気鉄道の電化など高速電車化が進む。

川越久保町
川越
川越西町
武蔵野鉄道
吾野
高麗川
西武鉄道
豊岡町
入間川
東飯能
飯能
鶴瀬
八高線
御嶽
青梅
青梅電気鉄道
村山貯水池際
所沢
箱根ヶ崎
村山貯水池前
東村山
羽村
村山貯水池(仮)
多摩湖鉄道
武蔵岩井
小平
西武鉄道
拝島
五日市鉄道
武蔵五日市
立川
国分寺
五日市鉄道
東八王子
西武鉄道
日野
府中
武蔵中央電気鉄道
御陵前
八王子
高幡
下河原(貨)
東京競馬場前(仮)
是政
多摩川原
中央本線
浅川
南武鉄道
高尾
清滝
高尾山
上野原
与瀬
小田原急行鉄道
橋本
柿生
横浜線
新原町田
原町田
長津田
上溝
相模鉄道
神中鉄道
大和
西大和
相模厚木
厚木
海老名国分
二俣川
下社
追分

1: 200,000 地勢図「東京」
昭和 34 年修正　71%

東京の鉄道網変遷地図③

昭和34年（1959）

戦前には川越線などが開通。戦前から戦中にかけて私鉄の廃止、統合が進む。戦時買収などによって、鶴見臨港鉄道、青梅電気鉄道、南武鉄道、五日市鉄道、相模鉄道（相模線）が、鶴見線、青梅線、南武線、五日市線、相模線となる。戦後には旧鉄道聯隊線を活用した新京成電鉄などが開通。

吾野
西武池袋線
高麗川
本川越
川越
西武新宿線
飯能
東飯能
豊岡町
入間川
氷川
御嶽
青梅
青梅線
八高線
滝本
御岳山
箱根ケ崎
狭山湖
西武園
所沢
西武池袋線
多摩湖
東村山
武蔵岩井
羽村
西武国分寺線
小川
小平
田無
玉川上水
五日市線
拝島
武蔵五日市
立川
国分寺
東八王子
日野
府中
多摩川線
京王多摩川
八王子
高幡不動
府中競馬正門前
東京競馬場前
是政
南武線
中央本線
浅川
清滝
高尾山
上野原
相模湖
小田急小田原線
橋本
横浜線
新原町田
原町田
上溝
相模線
相模大野
長津田
中山
小田急江ノ島線
相模鉄道
大和
二俣川
本厚木
厚木
海老名

＊武蔵野線鶴見〜府中本町間（貨物線）は昭和51年（1976）開業。原図は発行年が同52年なので原図上では開業線扱いとなっているが、全体の整合性をとるため線をなぞっていない。

1：200,000 地勢図「東京」
昭和50年修正　71%

東京の鉄道網変遷地図④

昭和50年（1975）

東急田園都市線、京王高尾線・相模原線、西武拝島線・秩父線、小田急多摩線、相鉄いずみ野線などが観光・宅地開発に貢献。路面電車の東急玉川線は廃止され地下化工事中。地下鉄の新線開通が相次ぎ、地下鉄と国私鉄の相互直通運転も開始。東海道新幹線、東京モノレール、武蔵野線などが開通。

西武秩父線
吾野
日本セメント専用線
本川越
川越
高麗川
西武池袋線
西武新宿線
東武東上線
入間市
入間川
東飯能
飯能
奥多摩
御嶽
滝本
御岳山
青梅
青梅線
八高線
西武池袋線
所沢
秋津
新秋津
狭山湖
西武園
箱根ヶ崎
多摩湖
東村山
羽村
大久野(貨)
小平
玉川上水
田無
小川
武蔵五日市
五日市線
拝島
西武拝島線
立川
国分寺
京王八王子
日野
府中
高幡不動
府中本町
是政
高尾
八王子
中央本線
多摩動物公園
京王高尾線
高尾山
高尾山口
多摩センター
京王相模原線
小田急多摩線
上野原
相模湖
新百合ヶ丘
橋本
横浜線
新原町田
こどもの国
長津田
上溝
相模線
相模大野
原町田
東急田園都市線
小田急江ノ島線
つきみ野
中山
相模鉄道本線
大和
二俣川
本厚木
厚木
海老名
下社
追分
いずみ野
相鉄いずみ野線

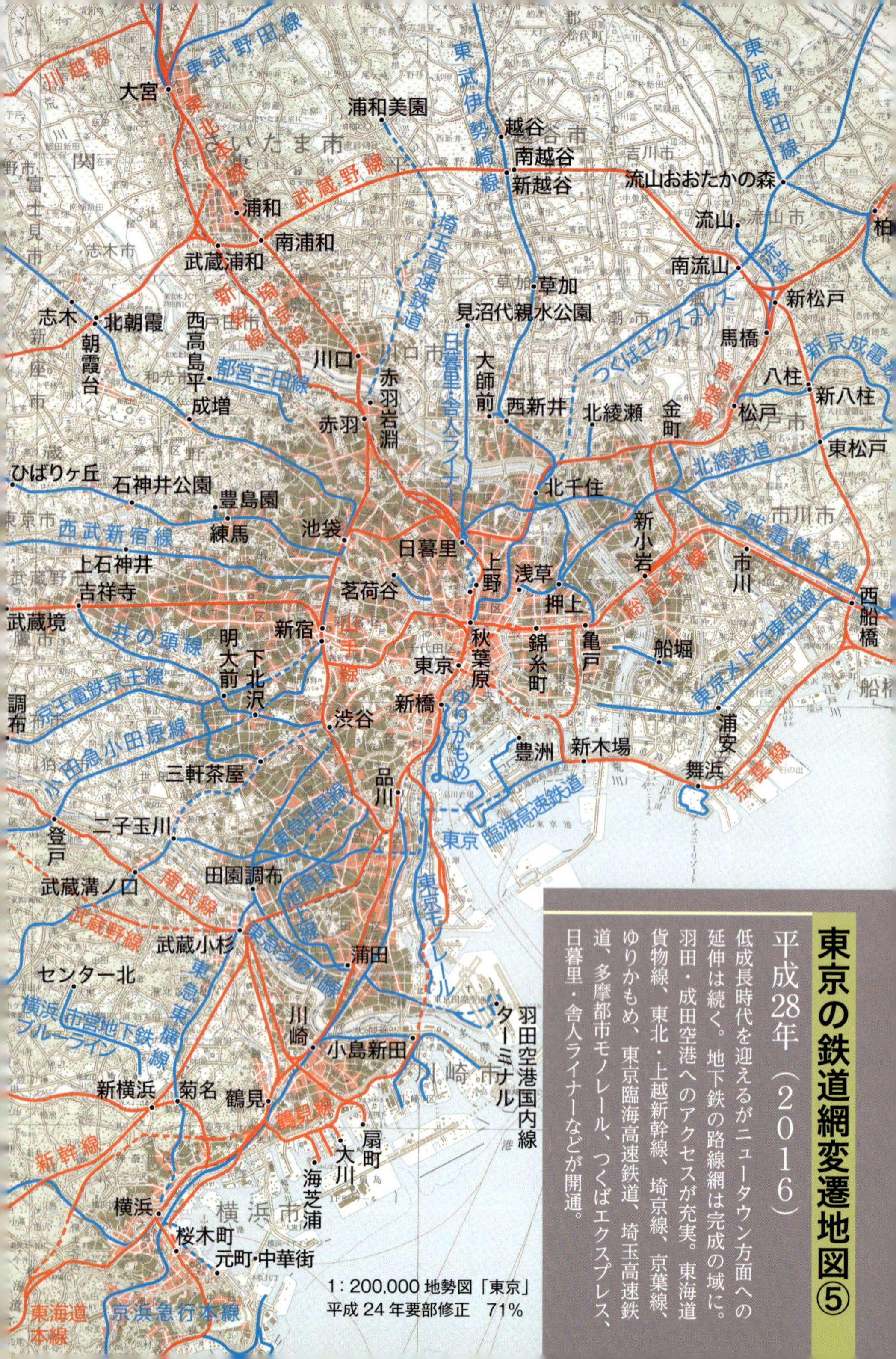

東京の鉄道網変遷地図⑤

平成28年（2016）

低成長時代を迎えるがニュータウン方面への延伸は続く。地下鉄の路線網は完成の域に。羽田・成田空港へのアクセスが充実。東海道貨物線、東北・上越新幹線、埼京線、京葉線、ゆりかもめ、東京臨海高速鉄道、埼玉高速鉄道、多摩都市モノレール、つくばエクスプレス、日暮里・舎人ライナーなどが開通。

1: 200,000 地勢図「東京」
平成 24 年要部修正　71%

東武越生線
西武秩父線
吾野
西武池袋線
高麗川
本川越
川越
西武新宿線
東武東上線
入間市
狭山市
東飯能
飯能
奥多摩
八高線
西武池袋線
所沢市
滝本
御嶽
御岳山
青梅
青梅線
箱根ヶ崎
西武球場前
西武園
所沢
秋津
新秋津
羽村
西武遊園地
東村山
上北台
玉川上水
小川
小平
田無
武蔵五日市
五日市線
拝島
西武拝島線
立川
国分寺
西武多摩川線
京王八王子
日野
府中
高幡不動
府中本町
是政
八王子
高尾
中央本線
京王高尾線
多摩動物公園
多摩都市モノレール
高尾山
高尾山口
京王相模原線
上野原
相模湖
唐木田
多摩センター
小田急多摩線
新百合ヶ丘
橋本
横浜線
こどもの国
町田
長津田
上溝
相模線
相模大野
東急田園都市線
中山
中央林間
相模鉄道本線
大和
二俣川
小田急江ノ島線
本厚木
厚木
海老名
阿夫利神社
大山ケーブル
いずみ野
相鉄いずみ野線

1

馬力と人力から始まった鉄道

首都東京の都市交通事始め

日本初の新橋～横浜間の鉄道開業は明治5年。ところが都心部に電車が走るのは明治36年と意外に遅いのである。この30年もの空白はいったい何を意味しているのだろうか。

日本最古の私鉄はどこか

日本で初めて鉄道が新橋～横浜間で営業を始めたのは明治5年（1872）旧暦9月12日（開業式挙行）、新暦に直せば鉄道記念日の10月14日である。細かいことを言えば品川～横浜間で旧暦5月7日に仮開業しているのだが、それはともかく、日本最古の私鉄といえばどの会社だろうか。

関東で最も先に電車を走らせた京浜急行の前身、大師《だいし》電気鉄道は明治32年（1899）1月21日の開業だが、蒸気機関車を用いた私鉄なら西武鉄道の前身である川越《かわごえ》鉄道（国分寺《こくぶんじ》～久米《くめ》川《がわ》〔現・東村山《ひがしむらやま》〕間）がさらに早くて明治27年（1894）。後に国有化されたものを含めれば東北本線や高崎線などの前身である日本鉄道が上野─熊《くま》谷《がや》間を開業したのが同16年ではるかに古い。関西では明治28年（1895）、日本初の営業用水力発電所の電力で京都電気鉄道が日本初の営業用電車として走り始めているが、汽車ならそれより10年早い明治18年（1885）に南海電気鉄道の前身である阪堺《はんかい》鉄道が開業した。

それでは東京の都心部がどうなっていたかといえば、電車が走り始めたのは明治36年（1903）8月の東京電車鉄道と9月の東京市街鉄道（いずれも都電の前身）である。これは京都や名古屋などよりだいぶ遅れてのスタートだったが、その理由は東京初の路面軌道の動力が馬だったからである。その名も東京馬車鉄道。開通は明治15年（1882）と、さすがに他都市より早かった。

話は元に戻るが、日本最古の私鉄がどこであるかを「認定」するのは意外

明治中頃　新橋駅と鉄道馬車：新橋～横浜間に日本初の鉄道が開業した明治５年（1872）から10年後の明治15年（1882）には、東京馬車鉄道が新橋～日本橋間で開業。新橋駅近くに車庫が設けられ、新橋駅前には馬車鉄道が登場した。『日本国有鉄道百年写真史』より

明治中頃　堺駅構内：阪堺鉄道は合併などを繰り返しながら現在の南海電気鉄道に至っている。大阪の商人が立ち上げた会社であり、実質的に現存する日本最古の私鉄といえる。『阪堺鉄道経歴史』より

明治末頃　上野駅：明治維新後に官有地となっていた上野台地下の寛永寺の僧坊跡地が上野停車場の用地となった。写真提供：国立国会図書館

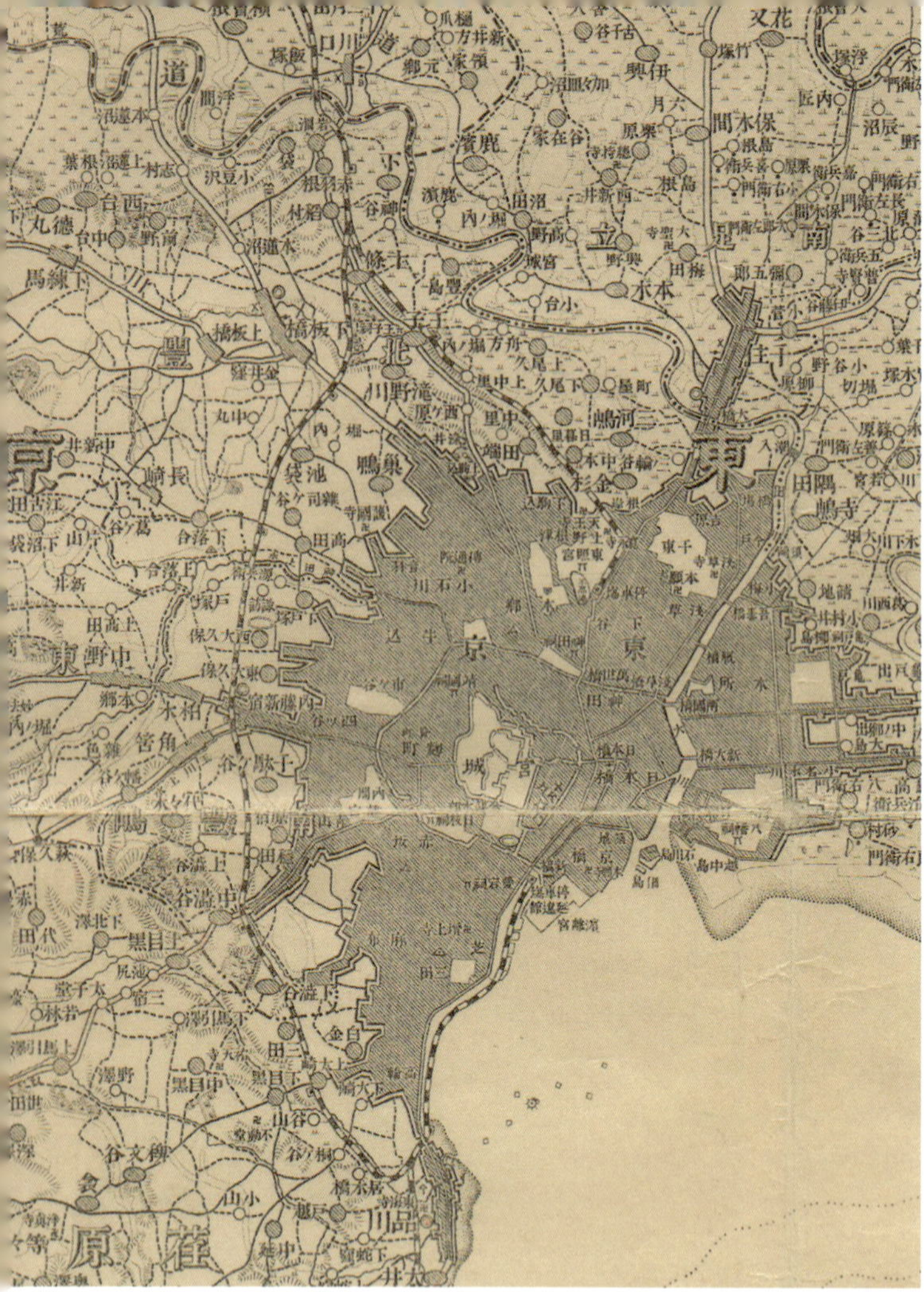

明治 21 年（1888）東京市とその周辺の鉄道網：新橋起点の官営鉄道（現東海道線）と日本鉄道の中仙道線（現東北線・高崎線）のほかは、明治 18 年（1885）に日本鉄道の山ノ手線（現山手線品川～池袋間と赤羽線〔埼京線電車が通る線路のうち、池袋～赤羽間の戸籍上の名称〕）が開通したのみだった。1:200,000 輯製図「東京」明治 21 年　120%

に難しい。候補は次の3社である。

東京馬車鉄道　明治15年（1882）6月25日開業　新橋～日本橋《にほんばし》　約2・5キロ

日本鉄道　明治16年（1883）7月28日開業　上野～熊谷　38マイル★（61・2キロ）

阪堺鉄道　明治18年（1885）12月29日開業　難波《なんば》～大和川《やまとがわ》　4マイル60チェーン★（7・6キロ）

半官半民の日本鉄道

このうち日本鉄道は後の東北本線のほぼ全線にあたる上野～青森間をはじめ、常磐《じょうばん》線、高崎線、両毛《りょうもう》線、水戸線の前身にあたる大規模な路線網を誇った鉄道会社だ。しかしこの会社は純然たる私鉄ではない。当時の新政府はまだ樹立されて日が浅く、深刻な内戦となった西南戦争もあり、体制は盤石とは言い難かった。しかし近代国家として新たに着手すべきことは各分野に山積していた。そんな中で資金不足が深刻な新政府に代わり、これからの交通インフラの主軸である鉄道を整備していくために立ち上げられたのが半官半民の日本鉄道であった。

＊マイル、チェーンはヤード・ポンド法における距離の単位。初期の日本の鉄道で使用された。1 マイル＝ 80 チェーン＝ 1609.344 メートル

明治18年（1885）頃　上野駅とその周辺： この頃、開化絵が盛んに描かれたが、赤レンガで造られた駅と蒸気機関車はまさに文明開化の象徴であった。上野の山の名所と人々の風俗も描かれている。
「上野ステイーシヨヲ繁栄ノ図」より
写真提供：国立国会図書館

同社は右大臣・岩倉具視《いわくらともみ》の主導の下に元大名家の資産などを元手に設立されたもので、列車の運行こそ会社が行ったけれど、本来は国が運営すべき鉄道という位置づけで、路線のルート決定や建設工事などは官主導で行ったものだからである。加えて8パーセントという収支利益の保障まで与えられた。これほどの好条件でお膳立てされた鉄道は、やはり純粋な私鉄とは言えないだろう。

ついでながら、上野〜熊谷間が開業した翌年10月から翌月にかけて埼玉県秩父《ちちぶ》郡方面で起きたのが「秩父事件」だ。いわゆる松方《まつかた》デフレによって生糸の価格暴落が生じ、困窮を極めた秩父の養蚕《ようさん》農民が中心となった武装蜂起である。政府はこの鎮圧のため、さっそく開通したばかりのこの鉄道を使って警官隊や東京鎮台《ちんだい》の兵士を送った。鉄道による軍事輸送の初の事例であろう。

明治5年（1872）　岩倉具視： 使節団で訪問したワシントンで撮影されたもの
写真提供：国立国会図書館

3つ目の阪堺鉄道は文字通り大阪と堺《さかい》を結ぶ鉄道で、この中では最も新しいが純粋に民間資本で敷設された。設立の中心となった松本重太郎《まつもとじゅうたろう》は関西財界の重鎮として知られ、西南戦争に際しては軍用羅紗の商いで巨利を得て、直後の明治11年（1878）に第百三十銀行を設立している。鉄道は蒸気機関車が牽引するものであったが、その車両は官営釜石《かまいし》鉱山の専用鉄道で使われていたものの払い下げを受けたものだ。

明治 30 年（1897）上野停車場とその周辺：停車場から南へ伸びるのは明治 23 年（1890）に開通した秋葉原までの貨物線で、神田川の水運との接続を意図した。「東北鉄道」は正式名称ではなく、当時の迅速図らしい通称表記である。1:20,000 迅速測図「下谷駅」明治 30 年再修　93%

この鉄道は明治13年（1880）に工部省が釜石鉱山（大橋）から製鉄所を結んで敷設したもので、製鉄所が諸般の事情で早々に操業停止に追い込まれたため同15年末に廃止されていた。払い下げはやはり阪堺鉄道の発起人の1人であった藤田伝三郎《ふじたでんざぶろう》（藤田組の創立者）が政府に働きかけたもので、このため軌間も鉱山鉄道と同じ838ミリ（2フィート9インチ）が用いられている。ちなみにこの軌間は日本では非常に珍しく、その後はおそらくどこにも採用されていないのではないだろうか。

それはともかく、阪堺鉄道は大阪と堺という有力な商都どうしを結び、さらに途中に住吉大社があることから利用者は多く経営は好調で、難波〜住吉《すみよし》間は早くも明治25年（1892）に複線化している。後に松本重太郎は堺から和歌山を目指す南海鉄道の発起人となり、南海鉄道は明治31年（1898）

明治 20 年（1887）阪堺鉄道の運賃表と難波停車場：運賃表は「大阪堺間」と題しているが、内容はまだ堺まで延伸される前のもの（難波～大和川間）。『南海鉄道開通五十年』より

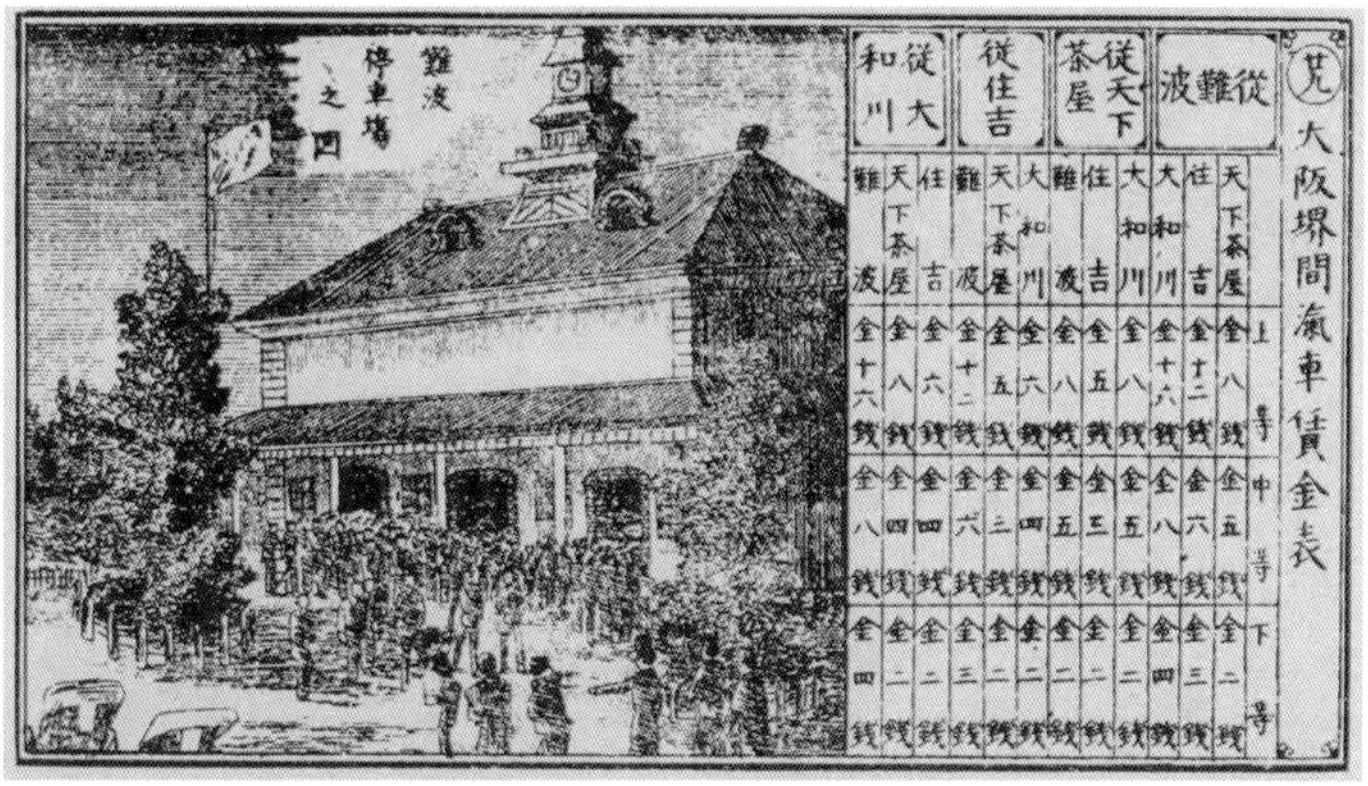

明治 31 年（1898）堺停車場とその周辺：阪堺鉄道が大和川から堺停車場まで延伸されたのは明治 21 年（1888）。その翌年、従来の区制から市制施行により堺区から堺市へと行政名が変更されたが、この地図ではまだ反映されていない。1:20,000 仮製地形図「堺」明治 31 年修正　91％

に阪堺鉄道を統合した。この時に軌間も官営鉄道と同じ1067ミリに統一して現在の南海電気鉄道に至っている。

短い日本の馬車史

さて、この3者のうちでは最も古い東京馬車鉄道が誕生したいきさつを見ていこう。

そもそも馬車は世界史的に見れば「四大文明」あたりまで遡るものだ。長い歴史の中で馬車にもさまざまなタイプが生まれたが、その呼び名は自動車時代になっても引き継がれ、たとえば2頭立て以上の4輪荷馬車を示すワゴン、2人乗りの4輪箱形馬車のクーペといった用語として生き続けている。ベビーカーの代名詞になった感のある「バギー」も、もとは「1頭立ての軽装馬車」という。

しかし日本では不思議なことに馬車が普及しなかった。もちろん背に乗るものとしての歴史は長いのだが、車を

文久元年（1861）横浜外国人居留地：横浜開港２年後に描かれたもの。米国旗を先頭に米国人楽隊、アメリカ領事が乗車した馬車とそれに続く行列が描かれている。左手の二階建ては商館として発展した英一番館。「横浜外国人行烈之図」より　写真提供：国立国会図書館

明治26年（1893）万世橋の乗合馬車停車場：万世橋は中仙道（中山道）の高崎および前橋方面への乗合馬車の起点となっていた。写真提供：国立国会図書館

牽かせるといえば、もっぱら牛がその任に当たった。馬車が普及しなかった理由としては、江戸時代に戦略的な理由で馬の使用についての厳しい規制があったことに加え、馬車が普及したヨーロッパなどと比べて山がちの国土で道の状態が馬車の走行に適していなかったことも挙げられるようだ。

そんなわけで、日本における馬車の歴史は幕末の外国人居留地《きょりゅうち》に始まる。横浜が開港場となったのが安政《あんせい》6年（1859）で、その2年ほど経った万延《まんえん》年間らしい。最初は居留地内の乗用に用いられていたが、江戸の公使館との連絡のために使われるようになり、慶応《けいおう》3年（1867）には横浜居留地37番館「ゴウブ馬車会社」に営業が許可されているという。

その後は日本人による馬車会社も設立され、中距離、遠距離の路線が開設されていく。鉄道が次々と敷設されていく明治20年代頃までが全盛期という短命の「つなぎ交通機関」であったが、『東京馬車鉄道』（東京都史紀要33）には八王子《はちおうじ》往復馬車の時刻が記載されていて興味深い。これによれば東京の神《かん》田《だ》鎌倉河岸《かまくらがし》から甲州《こうしゅう》街道を通って八王子までの区間に1日5往復運転されており、神田発の時刻は午前7時、8時、10時、午後2時、4時。それぞれ4時間半かかっている。道路ならおおむね45キロの距離だから、停車時分も含めた表定時速は約10キロだ。現在の中央特快なら神田〜八王子間を48分程度で走る。

馬車をレールに載せた、いわゆる馬車鉄道は「駅馬車の国」アメリカ合衆国のニューヨークに始まった。1832年、日本でいえば文化文政《ぶんかぶんせい》が終わった直後の天保《てんぽう》3年にあたるが、事故が多発したようで早々に撤去されている。しかし1852年にはニューヨークで復活、その後は全米各都市に急速に普及したという。

人力車夫を過酷な労働から解放？

東京馬車鉄道の開業はニューヨークでの復活からちょうど30年目にあたる。先行して開業した道路を走る馬車の危険性などが問題となり、当初はなかなか許可が下りなかったが、近代国家の首都としての面目を一新するための「市区改正」に取り組んでいた東京府知事の松田道之《まつだみちゆき》は馬車鉄道を積極的に評価し、これを市街交通の中軸に位置づけたのが追い風となった。

薩摩《さつま》出身の種田誠一《たねだせいいち》と谷元道之《たにもとみちゆき》が、同郷で財界の重鎮であった五代友厚《ごだいともあつ》の応援を得て計画した東京馬車鉄道敷設の願書には、馬車鉄道がすでに欧米の主要都市で多く普及していること、一般の馬車（尋常馬車）に比べて費用対効果が高いことをはじめ、いかに優れているかをアピールしているが、次のような一節が印象的だ（『東京馬車鉄道』からの孫引き）。

此鉄路ヲ設クルヤ、其費用汽車鉄路ヲ起スノ費金三分ノ一ニシテ築造スヘク、而《しこう》シテ其便益タル殆ント汽車鉄路ニ及バントス。（中略）鉄路タル平滑ニシテ馬車ノ行進捷快《しょうかい》ナル、尋常馬車ニ比シテ幾倍ノ馬力ヲ減殺《げんさい》スルヲ得。而シテ其減殺セル馬力ハ以テ他ニ大用スルヲ得ベシ。又尋常馬車ノ如キ縦横馳突《ちとつ》シ、動《やや》モスレハ衝傷ノ患アリ。今該鉄路タル、馬車ニ軌道アリ、行進ニ定度アリ、故ニ衝突ノ憂ナキナリ。尋常馬車ノ馳走スルヤ時間ニ定期ナシ。今該鉄路タル馬車ノ行進時間ヲ一定シ、乗客ヲシテ時間ヲ誤マラシメザルナリ。（後略）

レールの上を走るので小さな馬力で大きな運搬力を有し、道を外れないので事故が減少するであろうこと、定時性が高いので乗客も移動時間が読めることなどを説明している。この後に続いて、当時激増していた人力車の過酷な労働についても言及した。本来なら人力車夫たちのエネルギーは工場労働や農地開墾など百般の業に振り向けられるべきなのに、現状は「一牛馬ノ労ノミニシテ一日ノ饑渇《きかつ》ヲ免レンカ為《た》メ此賤業ヲ甘マンシ」、としている。これは実に「醜体視ルニ忍ビザル」ものではないか、というのである。彼らをこの奴隷的労働から解放する（人車ノ賤業ヲ漸次消滅救済スル）ためにもぜひ馬車鉄道を敷設すべき、という主張である。

かくして日本初の馬車鉄道は建設が認められ、明治15年（1882）6月25日に新橋停車場前から日本橋までの間に開業した。その後は万世橋《まんせいばし》や上野、浅草方面に路線を伸ばし、利用者数はうなぎ登りに急増していく。開業当初は物珍しい乗り物であることから見物人が多く、馭者も不慣れであったことから事故が多かったという。

願書に言う「救済の対象」であった

明治末頃 新橋駅前を行き交う人力車：明治に入り、人力車は従来の駕籠に代わる公共輸送機関となった。所蔵：東京都立中央図書館

明治33年（1900）日本橋を行く馬車鉄道：日本橋は江戸の五街道の基点となって以来、交通の要衝として栄えた。橋のほとりの魚河岸は江戸・東京の台所として活況を呈したが、関東大震災後に築地に移転した。写真提供：国立国会図書館

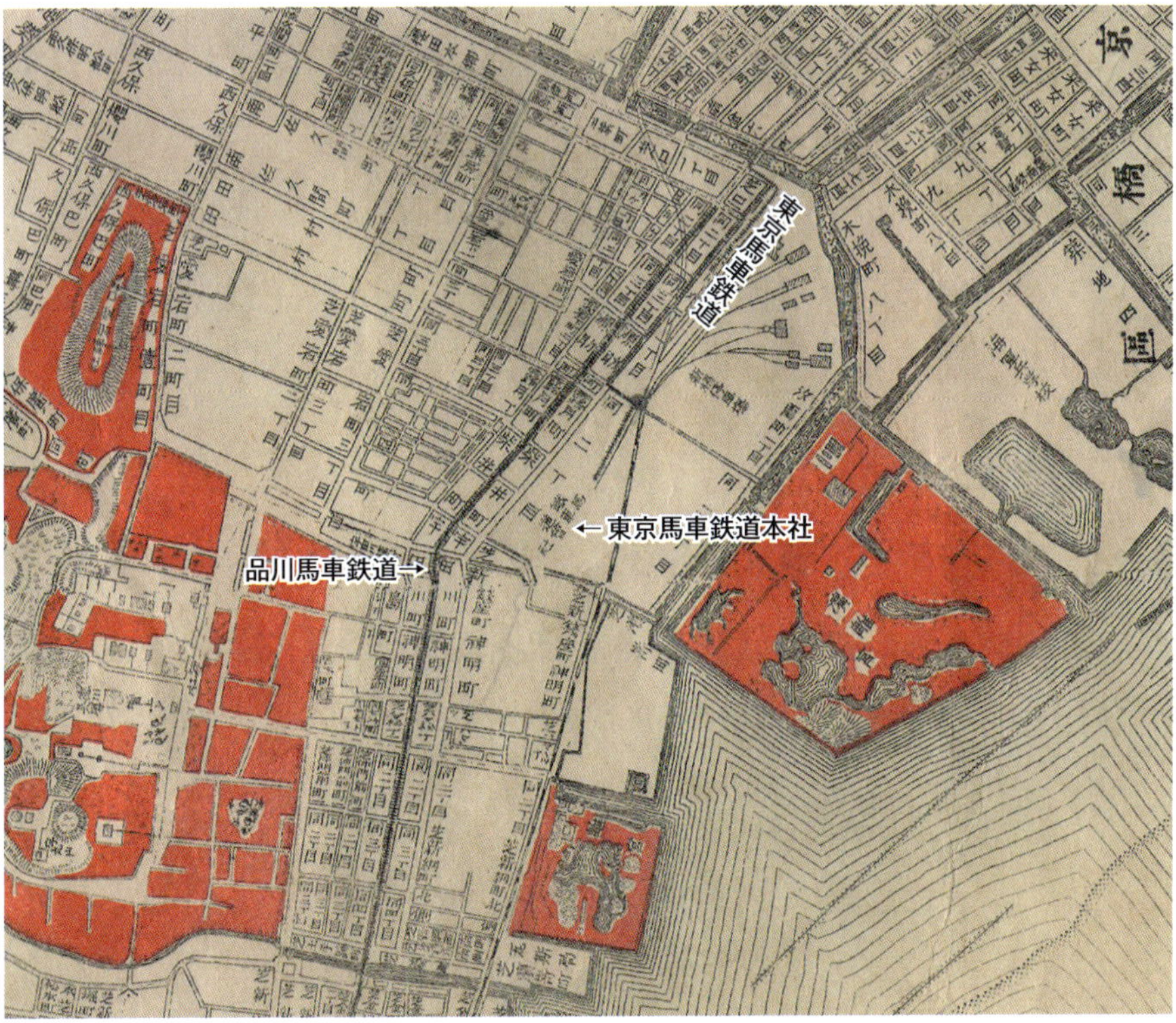

明治32年（1899）東京の市街図：新橋停車場の南には東京馬車鉄道本社があった。新橋から南下する品川馬車鉄道（明治30年開業）は軌間が2フィート5インチ（737ミリ）と狭いため、東京馬車鉄道とは線路がつながっていなかった。嵯峨野彦太郎「東京全図」（明治32年再版発行）より

はずの人力車夫たちであるが、当然ながら客は馬車鉄道に奪われて減少したため、線路の溝に石を詰めて転覆を企むなどの運行妨害が相次いだ。しかし人力車の実数は馬車鉄道開業後にむしろ急増しており、開業時である明治15年（1882）の2・5万台からピークとなった同33年（1900）の4・4万台まで大きな伸びを示している。人力車数が激減するのはその後、馬車鉄道が電車化された同36年頃からだ。

明治26年（1893）上野広小路：広小路とは、江戸時代に幕府が上野や両国に設けた火災の類焼を防ぐ火除地（ひよけち）。写真提供：国立国会図書館

馬車軌間1372ミリの謎

さて、東京馬車鉄道の軌間は4フィート6インチ（1372ミリ）が採用されている。前掲書の巻末に掲載されている参考資料のうち、明治13年（1880）11月24日付「馬車鉄路築造并《ならびに》営業ヲ認許スルニ付命令書」では、軌間について「但鉄軌ノ横幅ハ内法《うちの》リ凡《およ》ソ四尺五寸ヲ以テ定限トスヘシ」とある。これはインチではなく尺貫法なので換算すれば1364ミリで8ミリ狭い。

ただ、開業にあたってレールから車両などの製品はすべて英国から直輸入したものであり、「四尺五寸」を近似値に読み替えて「四呎六吋（4フィート半）」としたのかもしれない。明治29年（1896）の浅草延伸時の軌間は「軌道ノ幅員ハ内法四呎六吋トス」と明確に定めている。もちろん馬車鉄道が開業した時代にはまだ軌間3フィート6インチ（1067ミリ）の官営鉄道と前述の釜石鉱山専用鉄道（838ミリ）のみであったから、この軌間の採用は国内では初めてであった。

現在この1372ミリは世界でも日本独自の軌間となっている（世界中のどこにもないとは断言できないが）。具体的には都電荒川《あらかわ》線と東急世田谷《せたがや》線、京王電鉄（井《い》の頭《かしら》線を除く）とそれが直通する都営地下鉄新宿線、東京馬車鉄道に技術指導を受けた関係からこの軌間を有する函館《はこだて》市電（当初は亀函《きかん》馬車鉄道）だけである。京王（旧京王電気軌道）と東急世田谷線（旧玉川《たまがわ》電気鉄道）はいずれも東京市電（およびその前身の東京鉄道）の時代に開業し、直通を意図したことによるものだ。

この軌間はかつて英国のスコットランド中部の炭鉱鉄道に多く用いられたため「スコッチゲージ」などとも呼ばれているが、1846年の英国の「軌間取締法」によって新設が認められなくなり、また直通の便のため標準軌（1435ミリ＝4フィート8インチ半）に統一されたため、1860年代には消滅しているようだ。

一旦消えた軌間が遠く離れた東京で復活した理由は謎であるが、スコットランドのこれらの鉄道はおおむね馬が牽引しており、東京馬車鉄道が開業時に用意した馬車31両はいずれも英国製（1等車はオールドバリー社製、2等車はスターバック社製）であったことから関連がないとは言えないだろう。このうちスターバック社はStarbuck Car and Wagon Company で、リヴァプールのマージー川の対岸に位置するバーケンヘッド Birkenhead にあった。スコットランドから離れているとはいえ、同社がたとえばスコットランドへ馬車を多く納入した実績があったと仮定すれば、忘れた頃にやってきた日本からの注文に、昔ながらの規格で馬車を製造したことは考えられない話ではない。

いずれにせよ、その馬車の4フィート半軌間が東京馬車鉄道に導入され、それが後に東京市電として路線網を拡げていくと、周辺の私鉄は乗り入れを前提に軌間を合わせる流れが広まった。京成や京浜急行など、かつてはこの軌間を採用しながらも、その後の事情で標準軌（1435ミリ）に改める会社もあったが、本家スコットランドではとっくの昔に消滅した世界的に珍しい軌間のレールの上を、特に高速鉄道に脱皮した京王電鉄の電車が今日も走っているのは、なかなか感慨深いものがある。

東京馬車鉄道と同じ 1372 ミリ軌間の鉄道：
都電荒川線（右上／向原／平成 25 年）、東急世田谷線（左上／三軒茶屋／平成 26 年）、京王電鉄（下／相模原線若葉台／平成 25 年）。写真撮影：村多正

東京府初の人車鉄道

人力車が4万台を超えていた明治32年（1899）12月17日、東京市から少し北東に外れた常磐線（日本鉄道海岸線・土浦《つちうら》線）金町《かなまち》停車場から南へ、長さ60チェーン（約1・2キロ）の線

明治末頃 柴又停留場から見る帝釈天：帝釈人車鉄道は、60日毎の庚申の日には乗客が1万人を越したが、普段は100人にも満たなかった。写真提供：葛飾区郷土と天文の博物館

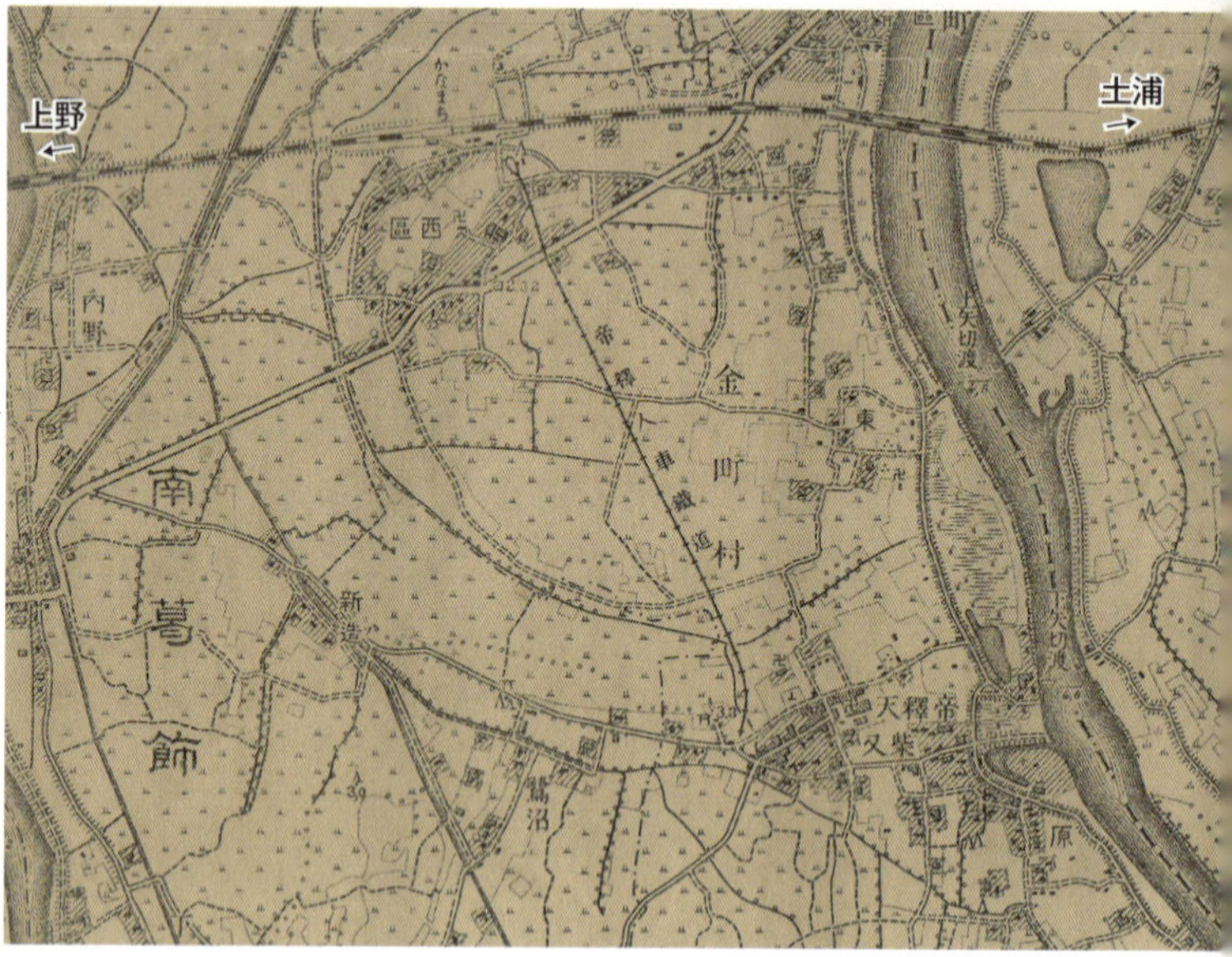

明治42年（1909）帝釈人車鉄道：金町駅前のはずれでループとなり、その南側で水戸街道の旧道と交差した。記号から複線であったことがわかる。1:20,000「千住」明治42年測図　75%

路が敷設された。動力は蒸気機関でも馬でもなく、人力。10人乗りの小さな客車を「押夫」が後押しして動かす原始的な交通機関である。目的地は南葛飾《かつしか》郡金町村大字柴又《しばまた》にある題経寺《だいきょうじ》、いわゆる柴又帝釈天《たいしゃくてん》で、その年最後の縁日（庚申《こうしん》の日）にあたる開業日は多くの人出で賑わった。

当初は20両でスタートしたが、明治34年（1901）には64両を擁するまでに増備されている。同37年の秋季皇《こう》霊祭《れいさい》（秋分の日）は好天に恵まれたため1万1千人という開業以来最大の利用者を記録している。10人乗り換算なら1100回（片道550回）ということで、平均して約2分間隔の計算になる。人車鉄道としては珍しく複線であったというから対応できたのだろう。庚申の日に動員される臨時雇いの押夫たちが大挙して応援に駆けつけたようだ。ちなみに軌間は馬鉄の半分以下の610ミリで、これはちょうど2

明治末頃 吉浜（現神奈川県湯河原町）を行く豆相人車鉄道：上り坂では客も降りて車夫の加勢をすることもあったが、下り坂では車夫が踏み台に飛び乗り駆け下った。所蔵：横浜開港資料館

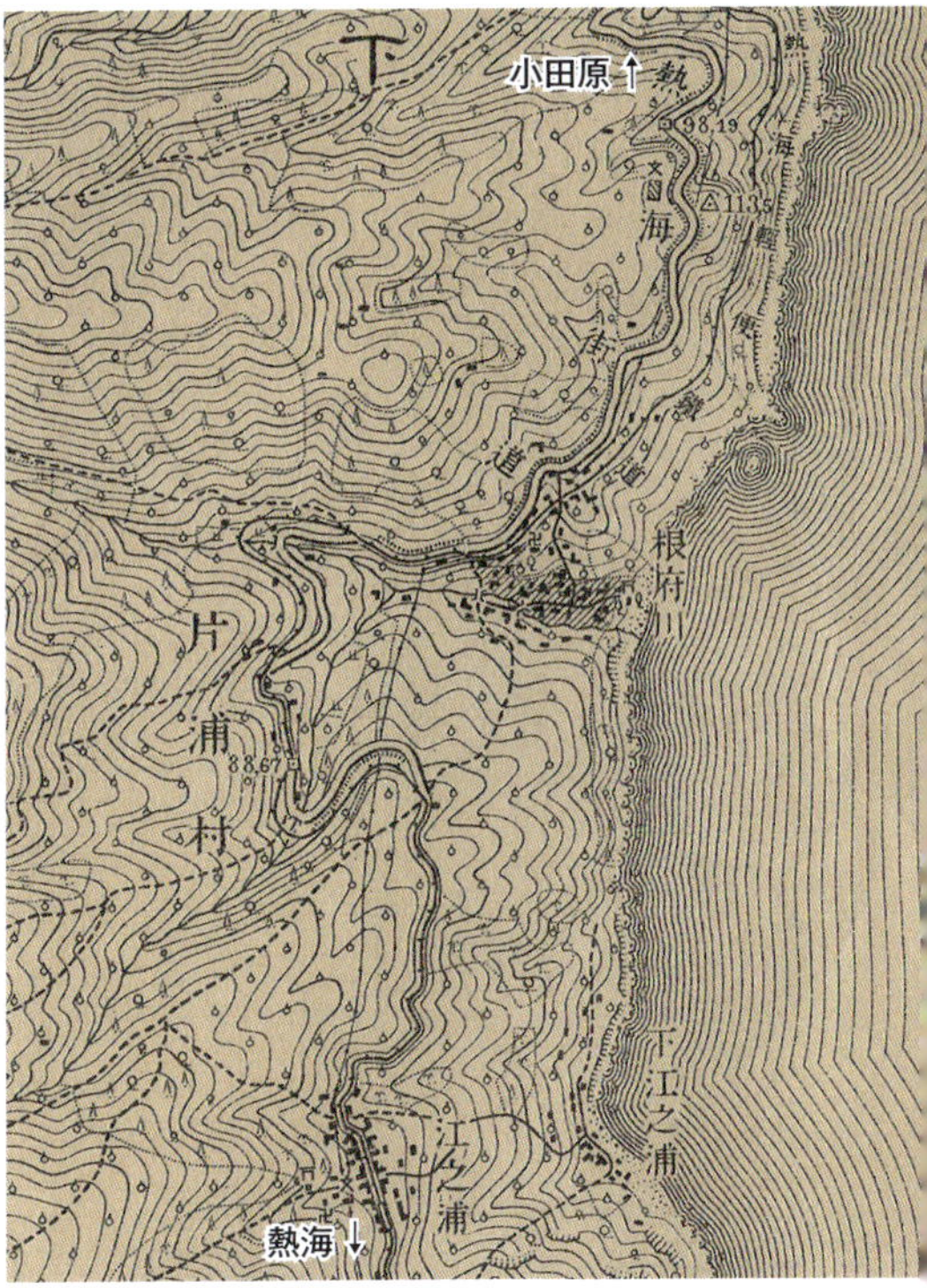

大正５年（1916）熱海軽便鉄道：豆相人車鉄道は、明治40年（1907）小さな蒸気機関車が牽引する軽便鉄道（熱海鉄道→大日本軌道小田原支社→熱海軌道組合）となったが、大正11年（1922）末に国鉄熱海線（現東海道本線）の真鶴延伸により廃止。その翌年の関東大震災で図中の根府川集落は津波で壊滅、周囲の山が崩壊し熱海線の列車を海まで押し流す惨事となった。1:25,000「小田原」大正５年測図　104%

フィートにあたる。この軌間は国内ではもっぱら鉱山軌道などに用いられてきたが、現存するものとしては、国土交通省の立山《たてやま》砂防工事専用軌道が知られている。

この帝釈人車鉄道（明治40年に社名を帝釈人車軌道に変更）が開業前に参考にしたのが、小田原《おだわら》と熱海《あたみ》を結んでいた豆相《ずそう》人車鉄道であった。『帝

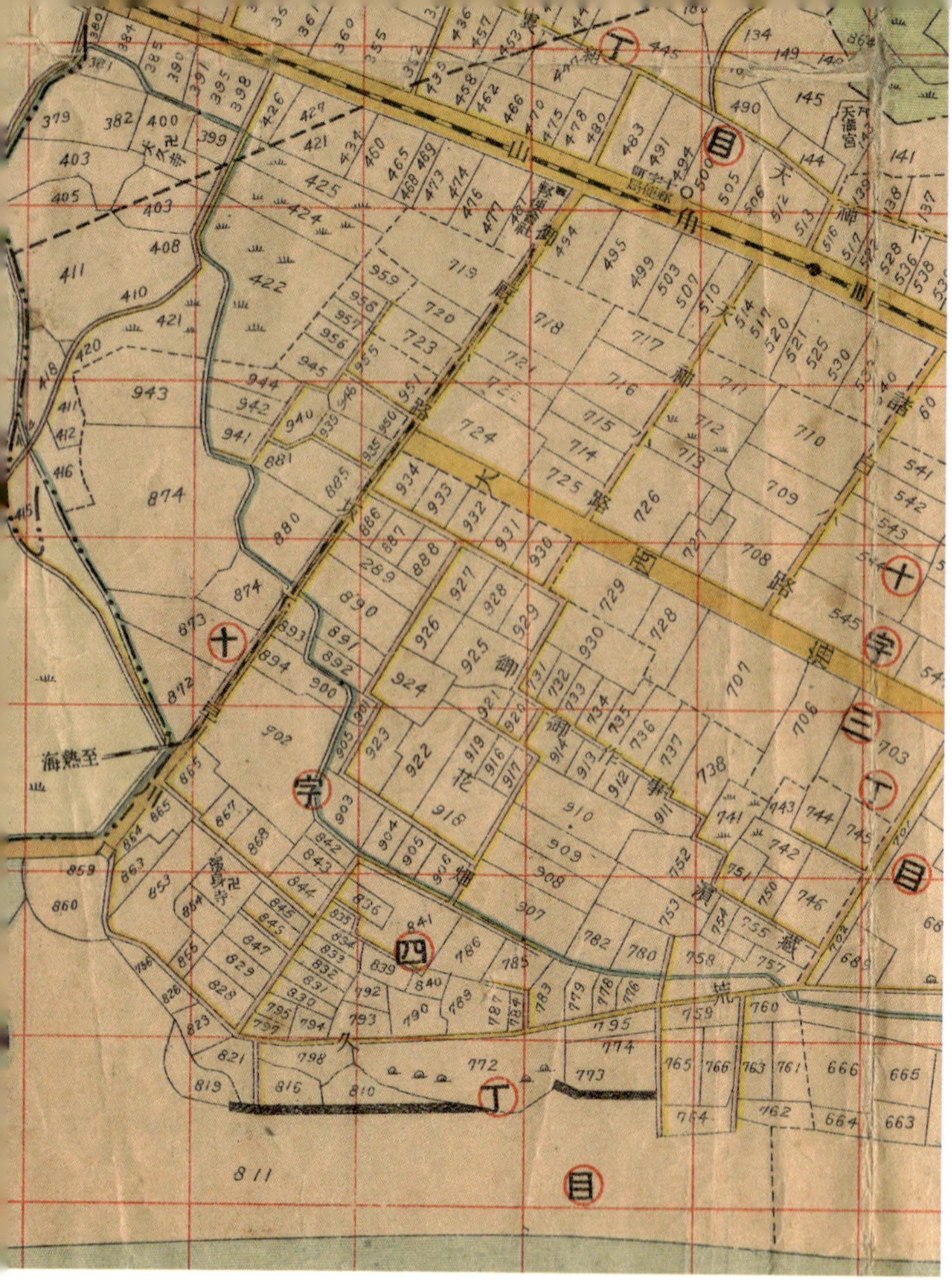

大正９年（1920）小田原の早川口にあった人車鉄道の乗り場：軽便鉄道化後の地図だが、東西に走る小田原電気鉄道の路面軌道が連絡していたことがうかがえる。左上の破線は建設中だった国鉄熱海線（現東海道本線）のルート。1:4,000　文林堂書店「小田原町全図」（大正９年）より

釈人車鉄道』（葛飾区郷土と天文の博物館）にはコラムとして明治32年（1899）に行われた視察旅行のことが記されている。一行3人は金町から上野まで汽車、そこから車（人力車であろう）で新橋へ出て再び汽車で国《こ》府津《うづ》駅へ向かい、そこから小田原馬車鉄道（箱根登山鉄道の前身）に乗り、小田原の早川口《はやかわぐち》で人車鉄道に乗り換えた。客車は中等（90銭）と下等（60銭）を利用したという。

豆相人車鉄道は明治28年（1895）にまず吉浜《よしはま》（現・湯河原《ゆがわら》町）〜熱海間の6マイル40チェーン（約10・5キロ）を開業、同29年には小田原の町に達し、同33年には小田原馬車鉄道（早川口）に接続して全線15マイル66チェーン（約25・5キロ）を開業している。

明治31年（1898）8月発行の時刻表『汽車汽船旅行案内』（庚寅《こういん》新誌社）に掲載された豆相人車鉄道の広告には、人車の安全性、景色の良さ、熱

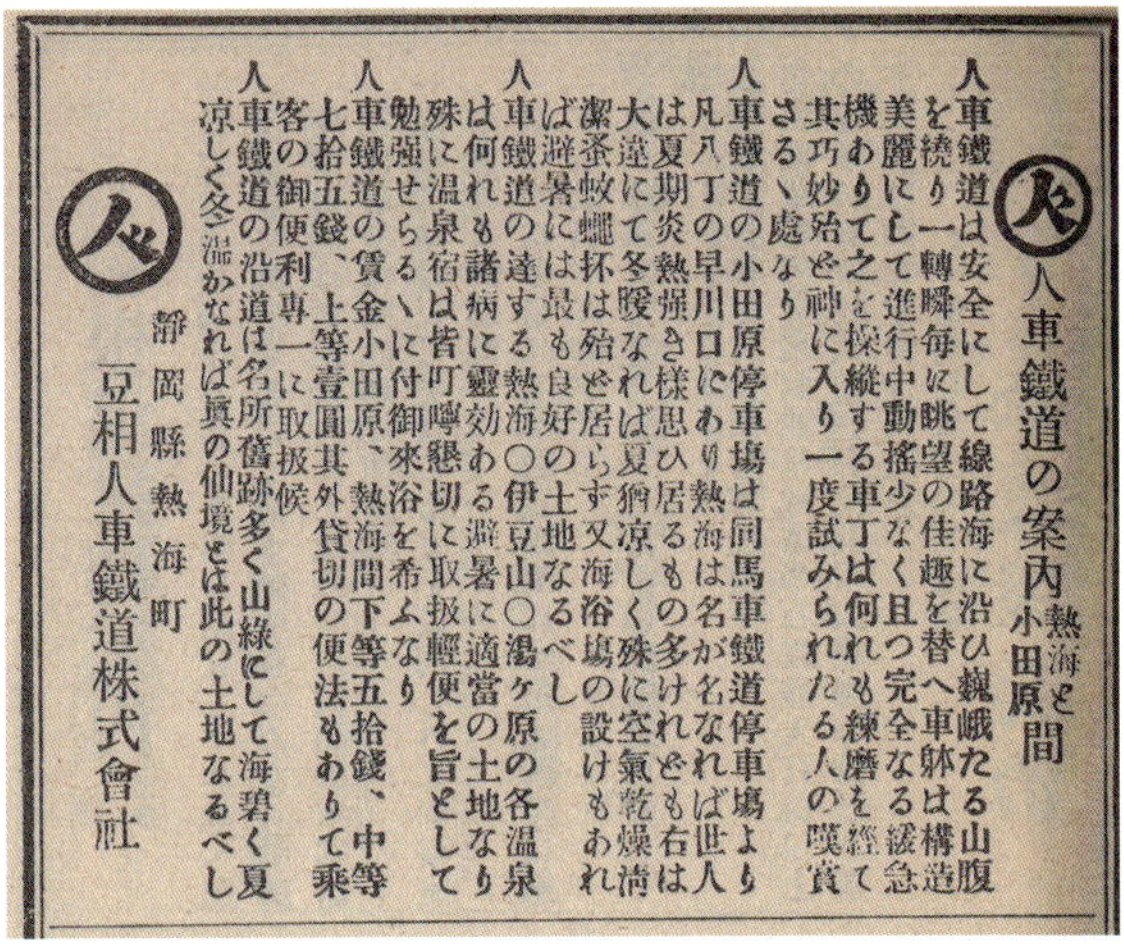

人車鐵道の案内 熱海と小田原間

人車鐵道は安全にして線路海に沿ひ巍峨たる山腹を繞り一轉瞬毎に眺望の佳趣を替へ車躰は構造美麗にして進行中動搖少なく且つ完全なる緩急機ありて之を操縦する車丁は何れも練磨を經て其巧妙殆ど神に入り一度試みられたる人の嘆賞さるゝ處なり

人車鐵道の小田原停車場は同馬車鐵道停車場より凡八丁の早川口にあり熱海は名が名なれば世人は夏期炎熱强き樣思ひ居るもの多けれども右は大違にて冬暖なれば夏猶涼しく殊に空氣乾燥清潔蚤蚊蠅抔は殆ど居らず又海浴場の設けもあれば避暑には最も良好の土地なるべし

人車鐵道の達する熱海○伊豆山○湯ヶ原の各温泉は何れも諸病に靈効ある避暑に適當の土地なり殊に温泉宿は皆叮嚀懇切に取扱輕便を旨として勉强せらるゝに付御來浴を希ふなり

人車鐵道の賃金小田原、熱海間下等五拾錢、中等七拾五錢、上等壹圓其外貸切の便法もありて乘客の御便利專一に取扱候

人車鐵道の沿道は名所舊跡多く山線にして海碧く夏凉しく冬温かなれば眞の仙境とは此の土地なるべし

静岡縣熱海町
豆相人車鐵道株式會社

明治31年（1898）豆相人車鉄道の広告：運賃も上・中・下等の区別があった。『汽車汽船旅行案内』明治31年8月号より

海の保養地としての過ごしやすさ、沿線にある温泉の効能などが述べられていて興味深い。

特に人車については「車体は構造美麗にして進行中動揺少なく且つ完全なる緩急機［ブレーキ］ありて之を操縦する車丁《しゃてい》は何れも練磨を経て其巧妙殆《ほとん》ど神に入り」と最大限にアピールしている。実際には急坂や急カーブが多く、たびたび脱線したというが、車両が軽いのでひょいと持ち上げて線路に戻し、即座に運行を再開したらしい。

その時刻表によれば、この距離を1日6往復、それぞれ4時間5～10分で結んでいたので、表定時速は6・2キロにも及ぶ。かなりの早足を25・5キロ続けるという信じ難いスピードであるが、下り坂ではひらりと飛び乗って駆け下ったというから、まあ納得できる所要時間だ。それでも上りの急勾配で人車を押し上げるのは相当な重労働であったに違いない。

時代の主役は人馬から電車へ

視察一行が利用した小田原馬車鉄道は、旅行の翌年にあたる明治33年（1900）に電化して小田原電気鉄道となった。この年の5月に出版された空前の大ヒットとなった『鉄道唱歌』（大和田建樹《おおわだたけき》作詞）の初版では「国府津おるれば馬車ありて　酒匂《さかわ》小田原とおからず」と詠われていたのを、電化を受けて重版の際に「国府津おるれば電車あり……」と修正している。これに象徴される如く、明治28年（1895）に日本初の電車が京都～伏見《ふしみ》間で営業を始めて以来、軌道の世界では馬車や人車から電車の時代へと急速に移り変わりつつあった。

明治30年代以降は数々の電気軌道計画が、都市部だけでなく中小都市や有力寺社などを幹線鉄道と結びつける形で数多く計画されたが、このうち東京と新勝寺《しんしょうじ》の門前町である成田を結

明治末頃 箱根三枚橋付近を走る小田原電気鉄道：この路線は大正２年（1913）に変更され、現在の箱根登山鉄道は、早川対岸の七軒家の裏を通っている。所蔵：横浜開港資料館

明治末～大正頃 国府津駅前：右端の茶屋の前が小田原電気鉄道の停留場。大正９年（1920）国鉄熱海線の開業により国府津～小田原間が廃止された。所蔵：横浜開港資料館

大正元年（1912）中川鉄橋上の京成電気軌道1号形電車：開業用に新造され、長さ14メートル、定員90人、出入口3か所の大型車両だった。写真提供：葛飾区郷土と天文の博物館

ぼうとしたのが京成電気軌道である。東京と成田の間にはすでに総武《そうぶ》鉄道（現・総武本線など）と成田鉄道（現・成田線）という2ルートがあり、成田鉄道などは食堂車のハシリである喫茶室を連結して客の争奪戦を行っていたほどだ。

そこへ第三の参入者として電気軌道を敷設しようとする意気込みは良かったのだが、とにかく成田は60キロ近い長距離であるから、路線は徐々に開通させつつ実績を積み上げていくしかなかった。京成が大正元年（1912）11月に最初に開業したのは、東京市の東端に近い押上《おしあげ》から江戸川の西側の「市川《いちかわ》」停留場（現・江戸川《えどがわ》駅付近）まで、それに曲金《まがりかね》（現・京成高砂《たかさご》）で分岐して柴又までの区間であった。成田まで延伸するためにも帝釈天のある柴又への立ち寄りは必須だったのである。

京成が押上から柴又まで直通するとなれば、都心からの客は必然的にこちらに移ると予想した帝釈人車軌道は会社を京成電気軌道に譲渡することを決め、大正元年（1912）8月に解散した。京成ではこの路線を改軌、電化して電車を走らせることにしたが、しばらくの間は京成として人車の運行を続けている。電車が走り始めたのは翌2年10月21日のことだ。

京成が走り始めたのは日本が急速に工業国として発展する契機となった第一次大戦前の時代であり、東京でも「電車通勤客」はそれほど多くなかった。

大正3年（1914）高砂駅付近：右側が本線、左側が金町線。大正2年（1913）曲金から改称し、さらに昭和6年（1931）京成高砂へと改称。写真提供：葛飾区郷土と天文の博物館

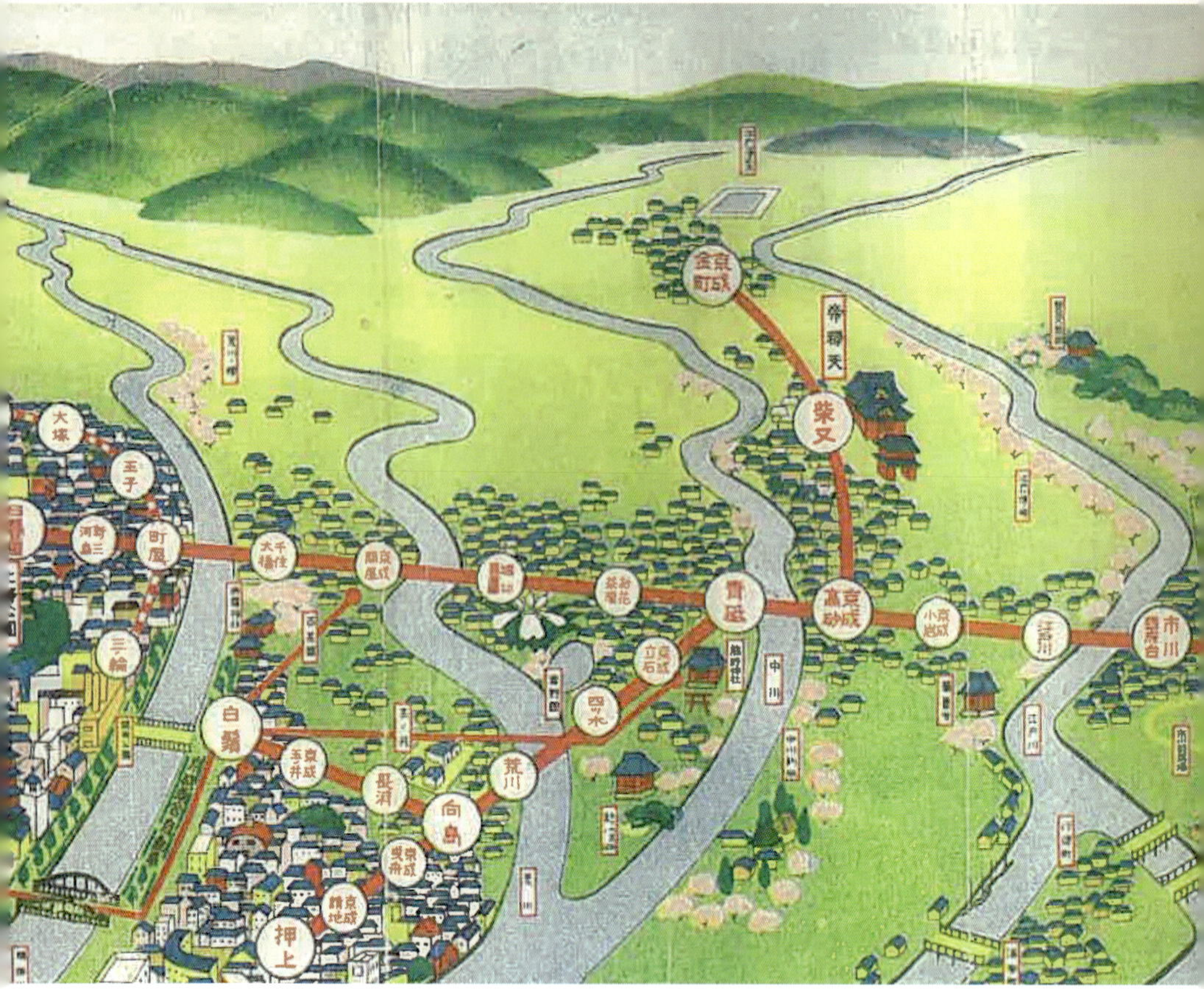

昭和７年（1932）頃「京成電車沿線案内」部分：開業時の起点は押上だったが、昭和６年（1931）に日暮里、その２年後に上野まで延伸し、そちらに移った。今はなき白鬚線（向島～白鬚。昭和11年廃止）も描かれている。「京成電車沿線案内」より。資料提供：岩堀雅己

この頃の列車ダイヤを見ると、平日でも特に朝の本数は昼間と同程度であり、ラッシュらしい目立った混み方はなかったように見受けられる。

大正6年（1917）7月25日付の鉄道院監督局による京成電気軌道の運転状況調査の復命書（国立公文書館蔵）によれば、船橋《ふなばし》（現・京成船橋）まで開通していた当時の京成電気軌道の保有車両はボギー車（八輪車）9両、四輪車4両、附随貨車1両で、通常は定員の多いボギー車を押上～船橋間に投入、高砂～金町の支線に四輪車を配置、それぞれ16分間隔で運転していた。これが帝釈天の縁日になると押上～柴又にボギー車の大半を投入して倍増の8分間隔、それ以外の高砂～船橋、柴又～金町を四輪車とする「参詣者特別輸送体制」の運用を行っていいた。当時の私鉄経営において神社仏閣への参詣者がいかに重要な意味を持っていたかが理解できる文書である。

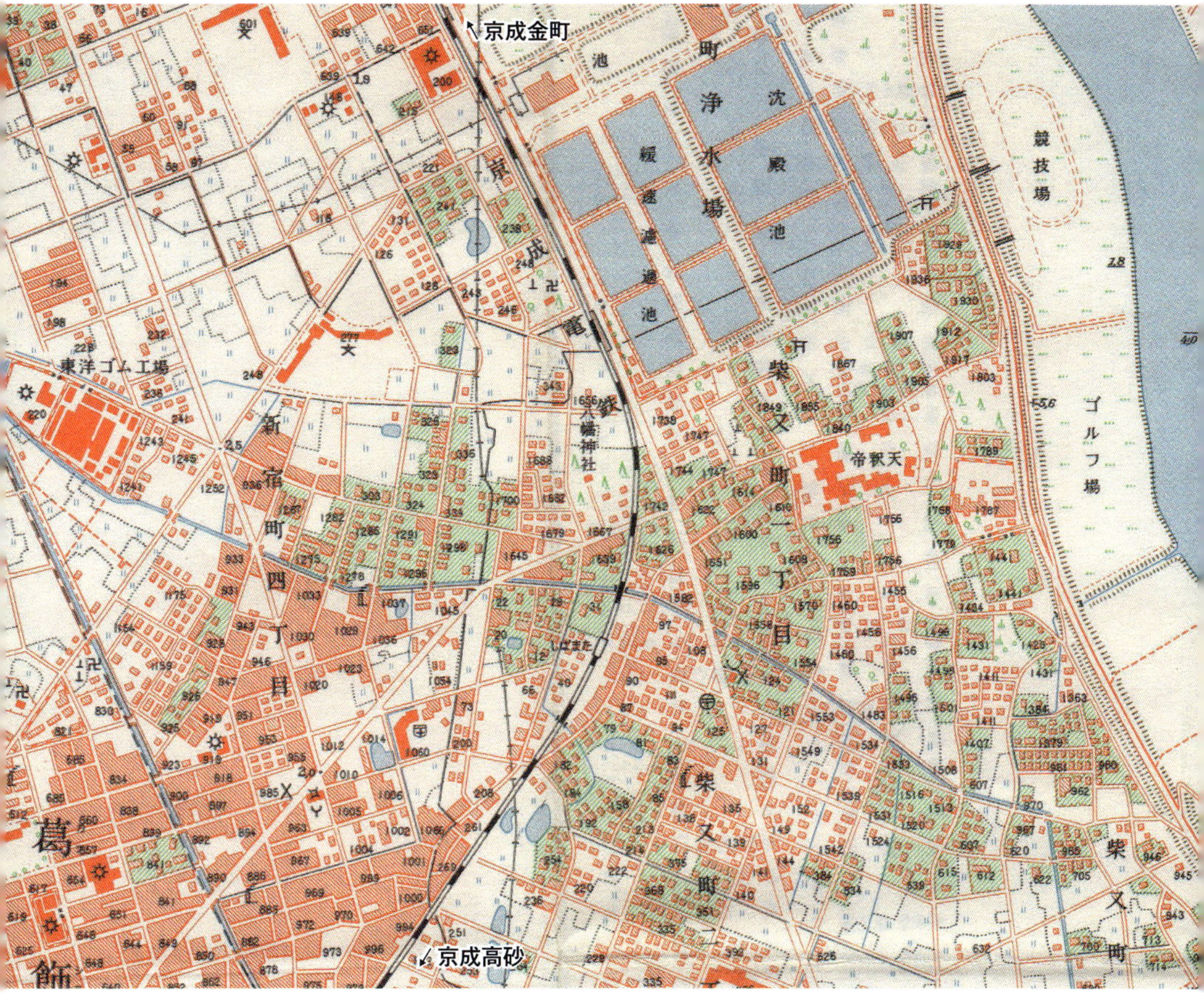

昭和33年（1958）柴又駅と帝釈天付近：まだところどころに水田なども見える。**北側に見える**金町浄水場は大正15年（1926）の竣工。1:10,000「金町」昭和33年修正　原寸

駅名こぼれ話

日本初のターミナルが「新橋」になった理由

鉄道唱歌の冒頭に「汽笛一声新橋を……」とあるように、東京駅ができるまで東海道本線の起点は新橋駅であった。明治5年（1872）に最初に開通した官営鉄道のその他の停車場は品川や川崎、横浜などいずれも宿場や開港場の地名であるのに対して、起点だけ都市名の「東京」ではなく純粋に橋の名前（当時「新橋」はまだ町名でない）が採用されたのは、鉄道システムを英国から直輸入する際に首都の駅名のつけ方も彼の地に倣ったからではないだろうか。ロンドン駅は存在せず、ヴィクトリアやロンドンブリッジなど地区名や橋名などが各方面ごとのターミナル駅名となっている。すでに上野や両国橋（現両国）などの出現を予想していたのかもしれない。

2

街に通すのではなく通す街を創る

東急電鉄と新しい街

東急電鉄の前身にあたる目黒蒲田電鉄の開業が大正12年。それから数年で東京南西部には高密度な鉄道網が形成された。短期間で鉄道路線の開通が相次いだ理由は何だろうか。

大規模宅地造成のための鉄道

鉄道会社によって、そのルーツはさまざまである。たとえば大手私鉄で最古の南海《なんかい》電気鉄道は大阪と堺の2つの都市を結ぶことを目的としたものであり、日本初のインターアーバン（都市間高速電鉄）の栄誉を担う阪神《はんしん》電気鉄道も文字通り大阪と神戸の間に頻繁に電車を走らせて官営鉄道の客を小気味よいほどごっそり奪った。半年ほど遅れて京浜《けいひん》間（品川《しながわ》〔現北品川付近〕～神奈川）を結んだ京浜電気鉄道（現京浜急行電鉄）は、当初こそ川崎大師《かわさきだいし》の参詣客を運ぶ『大師電気鉄道』であったが、ほどなく大都市間の便利な連絡を目指していく。

蒸気機関車が牽く列車でスタートした東武《とうぶ》鉄道は、上毛《じょうもう》地方の織物を東京へ運ぶ産業への貢献が大目的であり、一方で東武と似た大規模な鉄道路線網を抱える名古屋鉄道（名鉄《めいてつ》）の場合は、「主流」のルーツをたどれば名古屋市内の路面電車である。

大手私鉄をざっと見渡してみれば、東急《とうきゅう》は遅めのスタートであるが、自らが新しく開発する住宅地の住民の足として始まった。参拝電車でも都市間連絡でもない、新しいタイプの私鉄の登

大正12年（1923）頃　目黒蒲田電鉄丸子（現沼部）駅の建設工事：中原街道が多摩川にかかる丸子の渡し際の駅。まず目黒からここまでが開通した。写真提供：東急電鉄

大正12年（1923）目黒蒲田電鉄開業後の重役陣の視察：丸子多摩川（現多摩川）駅付近でモハ1形車両の前に並ぶ五島慶太専務取締役（左端）ら重役陣。写真提供：東急電鉄

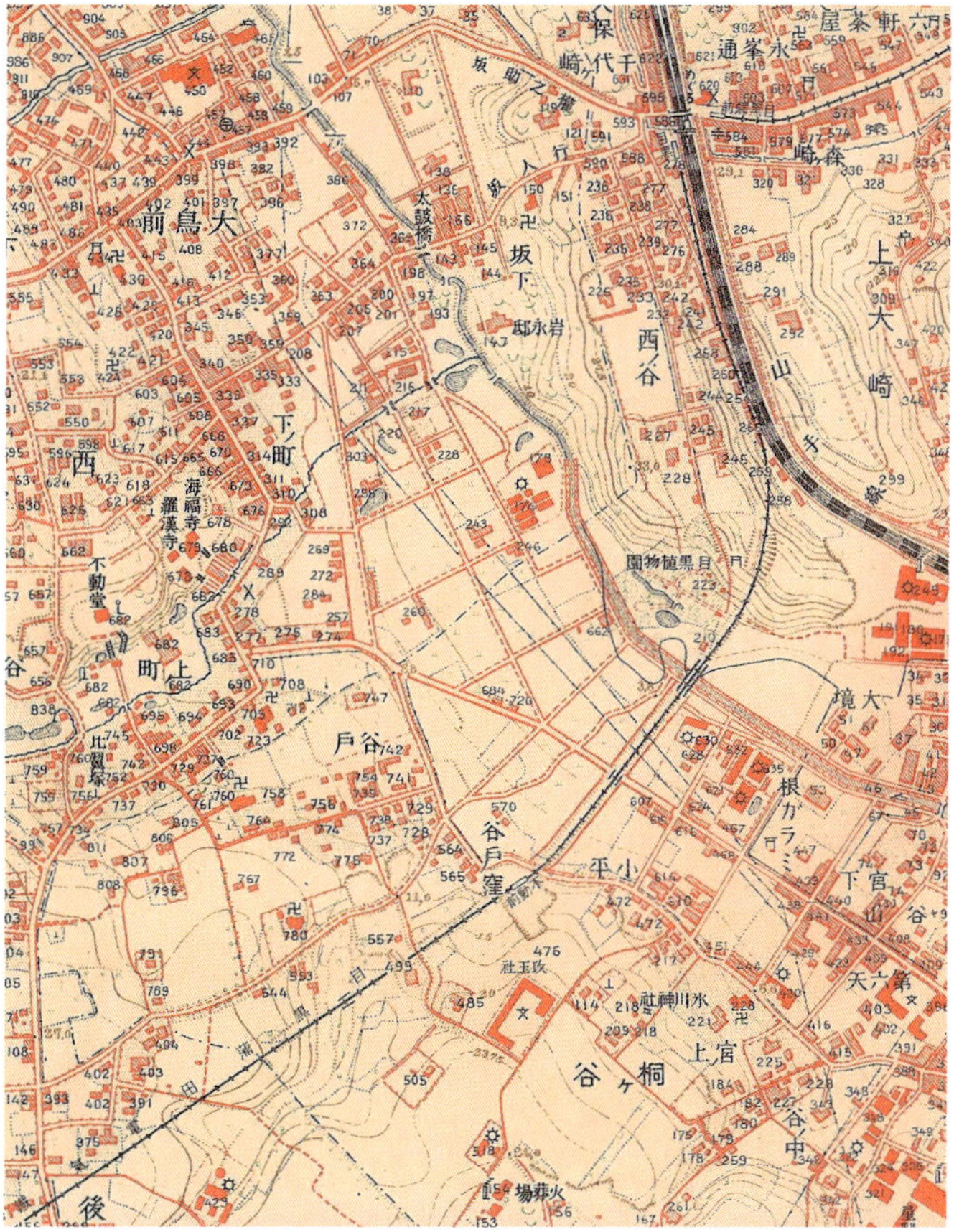

大正14年（1925）目黒蒲田電鉄開業後の目黒駅周辺：目黒蒲田電鉄（現東急）目黒駅は山手線目黒駅から南西方向にある頭端式の地上駅だった。平成9年（1997）からは、地下鉄と乗り入れる通過式の地下駅となっている。1:10,000「品川」大正14年部分修正　80%

場である。その前身である目黒蒲田電《めぐろかまた》鉄は、まず目黒から丸子《まるこ》（現沼部《ぬまべ》）に至る路線を大正12年（1923）3月に開業した。

この新しい電鉄会社は、イギリスで提唱されて注目を集めていた「ガーデンシティ」を日本に実現させるために明治日本を代表する実業家の渋沢栄一《しぶさわえいいち》が立ち上げた田園都市株式会社（以下田園都市会社）が、子会社として設立したものである。

大正頃　渋沢栄一：約500の企業の創設・育成に関わり、日本の近代経済社会の基礎を築いた。東京馬車鉄道の創立など、鉄道事業の関わりも多い。写真提供：国立国会図書館

英国発祥の田園都市を「輸入」

世界に先駆けて産業革命を実現させた英国では、その首都ロンドンやマンチェスターなどの大都市で大気や水質の汚染など、過度の人口や産業の集中がもたらす悪影響が19世紀末にもなると顕在化していた。そんな時代に注目されたのがエベネザー・ハワード（1850～1928）の提唱した「ガーデンシティ」である。彼はいわゆるインテリ層の出身ではない。ロンドンのパン屋の息子に生まれ、初等教育を終えた後は10代で速記者の仕事を得ながら渡米し、そこで農場を経営するなどの過程を経て独学で都市計画を学んだ。

彼は1898年（明治31年）に著書『明日の田園都市　Garden Cities of Tomorrow』を上梓、そこで「ガーデンシティ」を提唱して大きな反響を得た。良好な農村的環境の中で、かつ都市的利便性を享受《きょうじゅ》しつつ暮らすことができる、職住接近の自立した新しい街を作ろうとするもので、その第1号がロンドンの北方約60キロに建設された有名なレッチワースである。

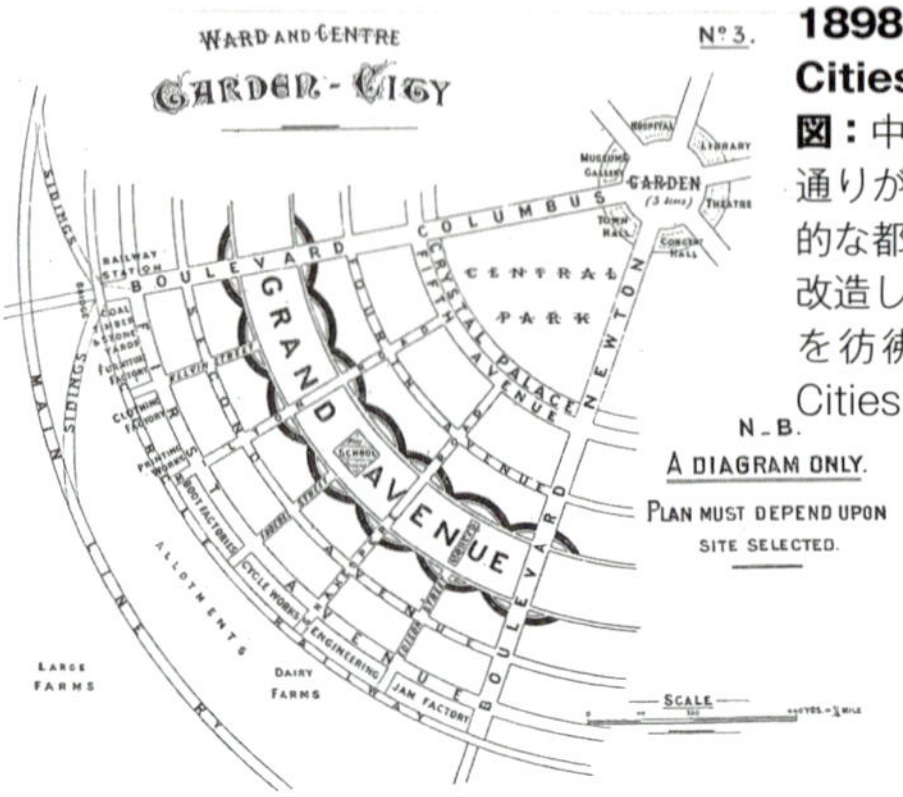

1898年（明治31）『Garden Cities of Tomorrow』挿図：中心の庭園から6本の大通りが放射状にのびる幾何学的な都市設計。オスマンが大改造した後のパリの都市構造を彷彿とさせる。『Garden Cities of Tomorrow』より

ガーデンシティは世界の都市政策に大きな影響を与えた。オーストラリアでは新首都キャンベラの設計にもそれが反映されたという。本来ハワーズの提唱したガーデンシティはあくまで「自立型」であり、ロンドンからの距離を見ても、大都市への通勤者が住むいわゆるベッドタウンとは本質的に異なる。いずれにせよ国や地域によってのさまざまな事情や発展段階の相違もあり、ハワーズの田園都市そのままの形はほとんど実現していないようだが、近代の新しい都市のあり方に一石を投じたことは間違いない。

渋沢栄一が設立した田園都市会社は、ハワーズが住宅を分譲せず賃貸とし、その賃料を公益に回すという趣旨であったのとは違い、東京市の郊外に中産階級向けの分譲住宅地を建設することを目的とした。そこから都心への住民の足として敷設されたのが目黒蒲田電鉄である。

第一次大戦と「勤め人」の急増

さて、田園都市会社が設立された大正7年（1918）といえば、まさに第一次世界大戦が終わった年であり、この遠方の戦争（ごく一部で「参戦」したが）で、日本の工業生産力は驚異的に伸びた。工場の近代化と大型化は劇的に進み、工場労働者やそれらの会社のホワイトカラー層に至るまでの「勤め人」の人口が、大戦前とは比べものにならないほど増えたのである。

大正頃　上野広小路交差点の夕刻の満員電車：電車の屋根の下、方向幕の右に赤い「満員」の札がぶら下がっている。大都市へと変貌した東京の交通事情は悪化し、混雑は限界を超え、「東京名物満員電車」として当時の流行歌にも謳われた。写真提供：中央区立京橋図書館

品川区西部の都市化

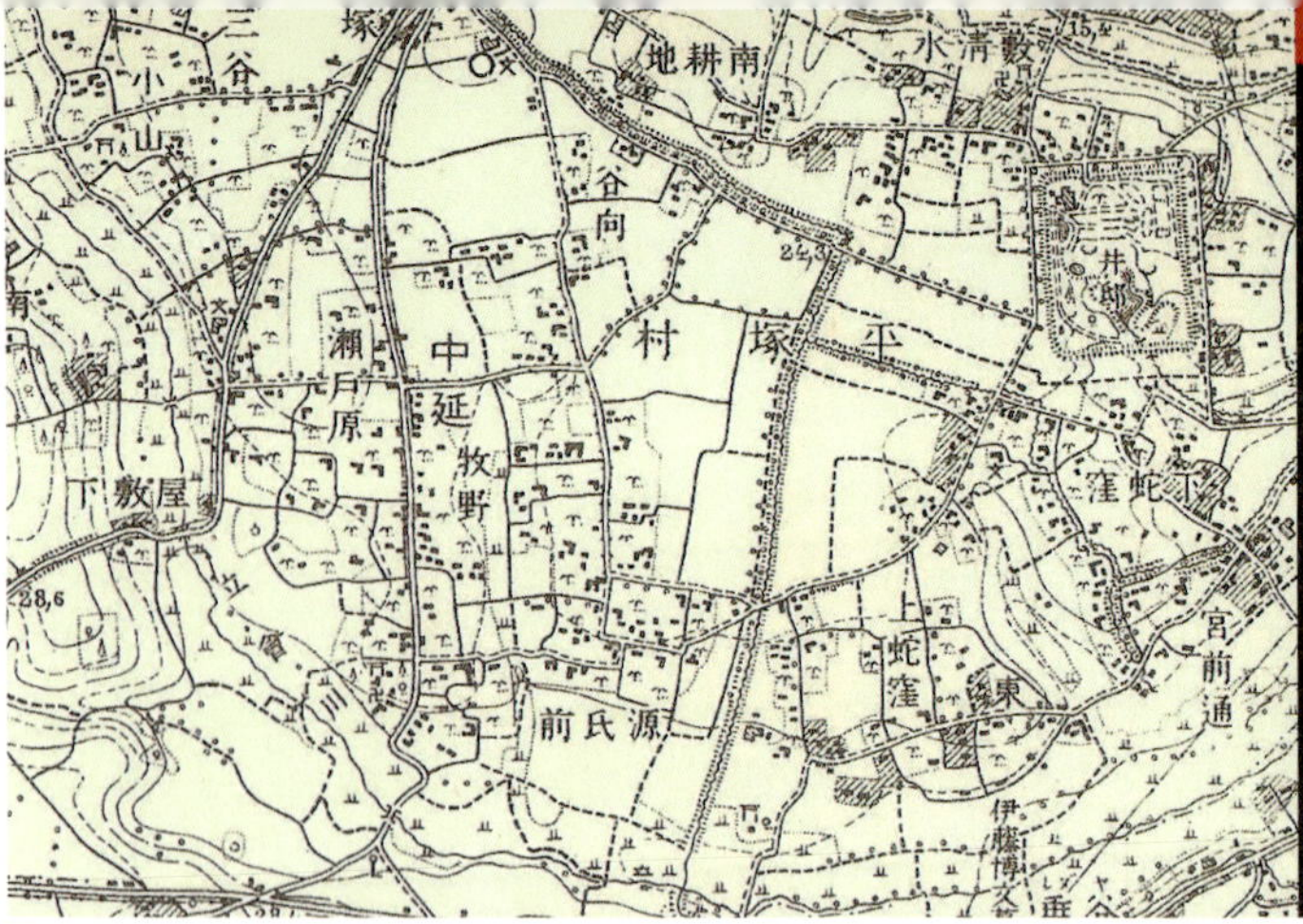

大正8年（1919）近郊農村の荏原郡平塚村：荏原郡は、現在の品川区・目黒区・大田区・世田谷区にまたがって存在した郡。平塚村という村名は、東急池上線の戸越銀座駅付近の町名として現存している。1:25,000「東京西南部」大正８年鉄道補入　原寸

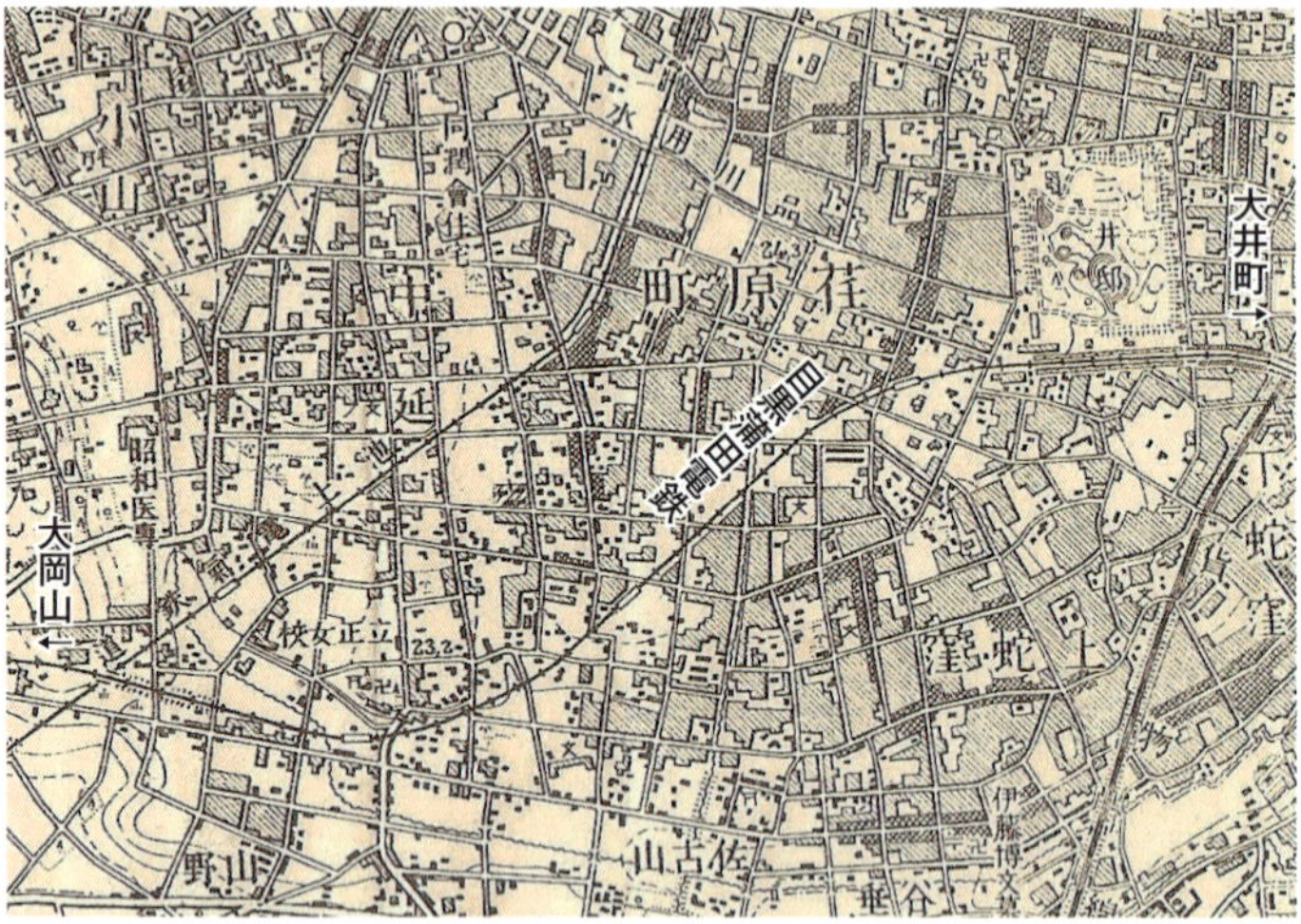

昭和4年（1929）人口急増中の荏原町：平塚村は大正15年（1925）に町制施行したが、翌年に郡名に由来する荏原町に改名。かつての畑が耕地（区画）整理され道路がしかれ、急速に都市化が進みつつあったことがわかる。1:25,000「東京西南部」昭和４年修正　原寸

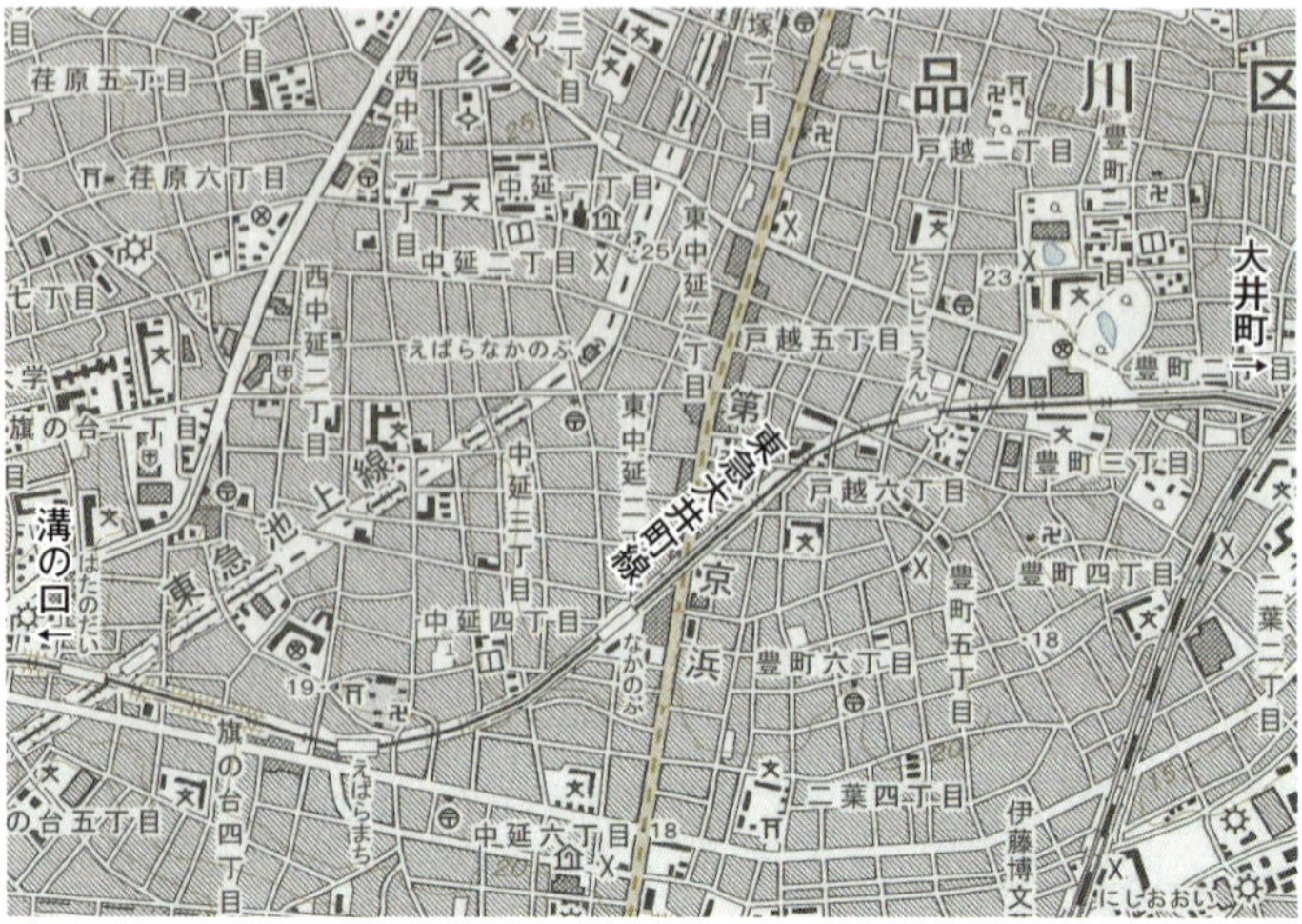

平成25年（2013）平塚村→荏原町の現在：品川区の西部。平塚村の人口は大正9年（1920）8,522人、大正14年に7万2,256人。荏原町になって昭和5年（1930）13万2,108人と急増。昭和7年に東京市に編入された。1:25,000「東京西南部」平成25年更新　原寸

『帝国鉄道年鑑』（昭和3年）によれば、目黒蒲田電鉄の起点である山手線目黒駅（荏原《えばら》郡大崎《おおさき》町）の乗車人数は、大正元年（明治45年）が58・3万人で同5年（1916）に59・0万人とほぼ横ばいであったのが、同6年から急増、同8年には106・6万人、同11年には前年より倍増して246・8万人、目黒蒲田電鉄が開業する大正12年（1923）には445・6万人に達している。

この激増ぶりは、倍率こそ地域差はあるものの各地にあてはまるもので、大正元年と同12年を比べてみると、常磐《じょうばん》線の三河島《みかわしま》駅（北豊島《としま》郡三河島村。同9年から三河島町）が2・0万人から37・0万人（18・5倍）、有楽《ゆうらく》町《ちょう》駅（東京市麹町《こうじまち》区）が27・1万人から457・3万人（16・9倍）、品川駅（東京市芝《しば》区）が122・6万人から550・4万人（4・5倍）という具合だ。確かに同時期の東京府全体の人口もかなり増えてはいるが、276万人から386万人への1・4倍の増加にとどまっており、鉄道利用率の伸び方の大きさは明白である。

産業全体の高度化の進展は、専門知識や技能を身につける需要も増大させ、高等教育の普及も目立つようになった。中学校（旧制）や各種実業学校、師範《しはん》学校、さらには専門学校や大学に至るまでの学校の増加に伴う電車通学者の増加も、この数字を押し上げる一因になっているのは間違いない。このような背景を考えれば、田園都市会社が郊外で良好な環境の住宅地を分譲する動きは、まさに時宜に適ったものであった。『東京急行電鉄50年史』（昭和47年）に掲載されている田園都市会社の設立趣意書の一部を引用する（適宜改行した）。

要は黄塵万丈《こうじんばんじょう》たる帝都の巷《ちまた》に棲息《せいそく》して生計上・衛生上・風紀上の各方面より圧迫を蒙《こうむ》りつつある中流階級の人士《じんし》を空気清澄なる郊外の域に移して以って健康を保全し、且つ諸般の設備を整えて生活上の便利を得せしめんとするにあり。田園都市の目的実に斯くの如し。而《しこう》して吾人《ごじん》は東京市の実状に鑑《かんが》みて其の必要に迫れるを覚《さと》り、地を東京府下《ふか》荏原郡玉川《たまがわ》村及洗足池《せんぞくいけ》付近に相し、地積42万坪［＝約1・39平方キロ］を撰定し、株式会社を組織して以てこれが経営を為《な》さんとす。

右の予定地は品川・大崎・目黒附近における都市境界線を去ること西南約20町［＝約218メートル］乃至《ないし》1里余の中に在りて、土地高燥地味肥沃近く多摩川の清流を俯瞰《ふかん》し、遠く富岳《ふがく》の秀容と武相《ぶそう》遠近の邱岳を眺望し、風光の明媚《めいび》なる宛然《えんぜん》一幅の活画図なり。且《か》つ其《その》附近には歴史的の名所旧跡各所に散在して、遊覧行楽の境亦《また》従って鮮《すく》なからず、田園都市建設地として洵《まこと》に無二の好適地なりとす。（以下略）

田園調布の黎明

荏原郡調布《ちょうふ》村大字下沼部《しもぬまべ》字旭野《あさひの》。起伏する畑の中に雑木林が点在する台地のまん中に、震災の半年前にあたる大正12年（1923）3月11日、目黒蒲田電鉄の新線開業とともに瀟洒《しょうしゃ》な洋館の「調布駅」が設置された。この駅の西側には後に放射状と環状を組み合わせた幾何学的な街路が整然と整備され、駅の東側を含むエリアにゆとりをもって区画された住宅地が誕生した。田園都市会社がその年の8月から分譲を始めた「多摩川台《たまがわだい》住宅」である。

ちなみに駅名は「調布（村）の田園都市」ということから、大正15年（1926）に現在の田園調布に改められているが、大正2年（1913）に開業した京王《けいおう》電気軌道（現京王電鉄）調布駅との混同を避ける目的があったのかもしれない。

多摩川台住宅が現在のいわゆる田園調布（現在の住居表示の町名「田園調布」はさらに広い）であるが、大正末から昭和はじめにかけての目黒蒲田電鉄と東京横浜電鉄の沿線案内などを見てもわかる通り、田園都市会社が分譲する「田園都市」は他にも洗足、尾山《おやま》台《だい》、等々力《とどろき》、奥沢《おくさわ》などの東京府内だけではなく、神奈川県橘樹《たちばな》郡日吉《ひよし》村の日吉台（現横浜市港北《こうほく》区）など多数にのぼった。

大正12年（1923）調布駅（現田園調布駅）：モダンな駅舎は、平成12年（2000）に駅の地下化の際の工事で一旦取り壊されたが、現在は元の位置に復元されている。写真提供：東急電鉄

昭和初め頃　高級住宅が建ちはじめた田園調布：住宅の建築にあたって、美観と環境の悪化を防ぐ目的で、建物は3階建て以下、建物敷地は宅地の50%以下、建築物と道路の間隔は道路幅の2分の1以上などの条件が求められた。写真提供：東急電鉄

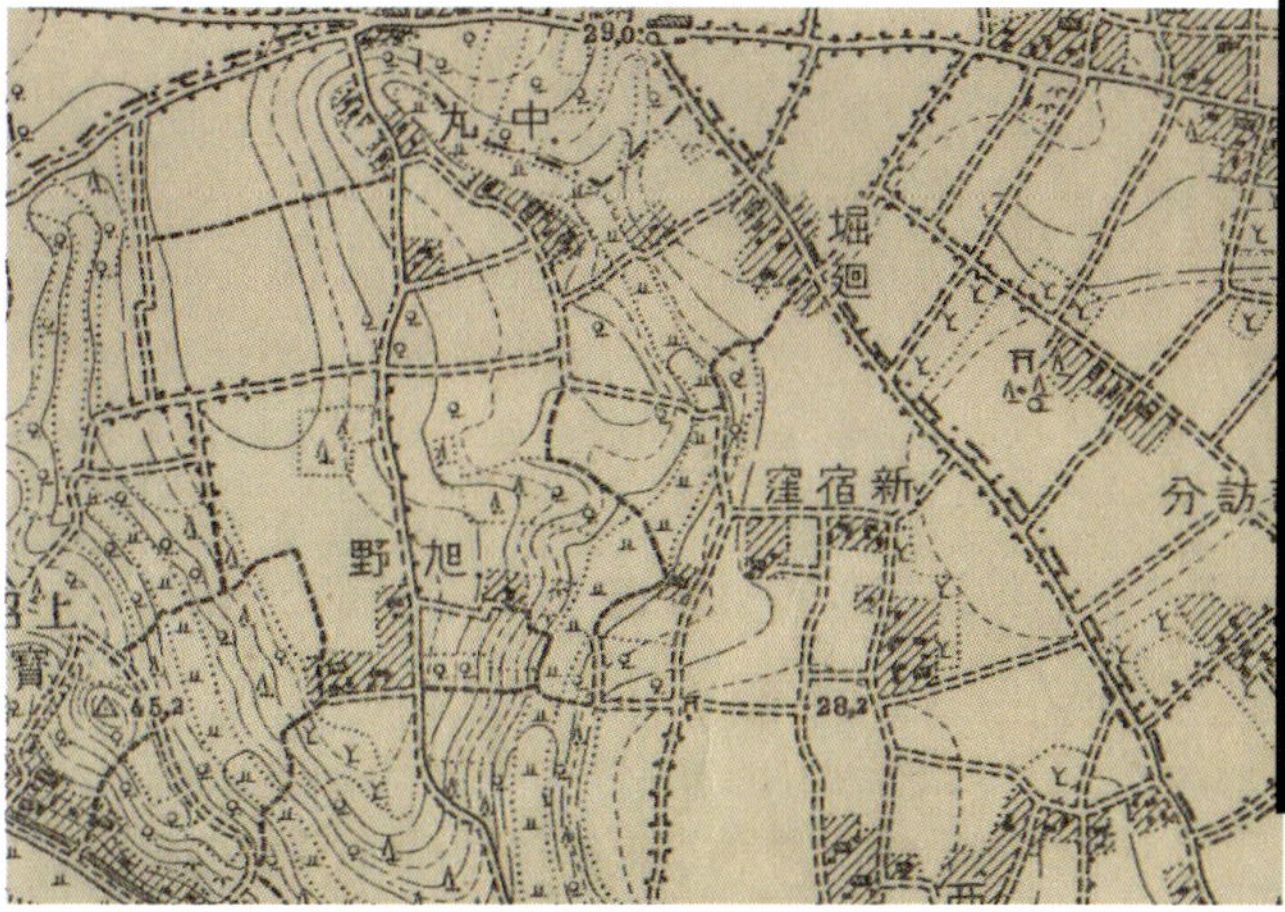

明治39年（1906）荏原郡調布村：等高線からは起伏に富んだ台地であることが、地図記号からは畑の中に雑木林が点在することがわかる。左下の三角点は4世紀築造の大型前方後円墳の宝莱山古墳で多摩川台公園西北端に現存。1:20,000「溝口」明治39年測図　128%

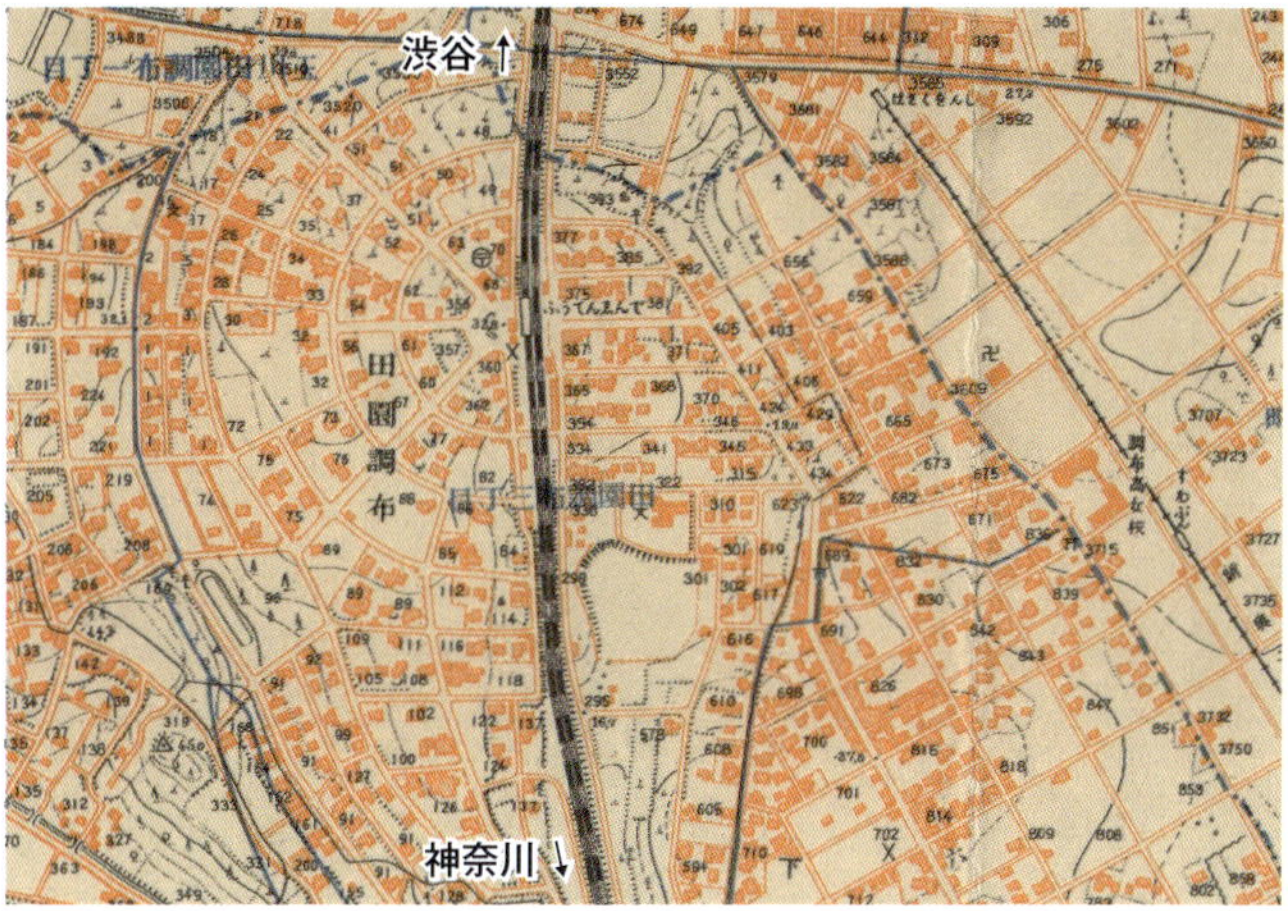

昭和4年（1929）多摩川台住宅とその周辺：調布村は昭和3年に町制がしかれ東調布町となった。しかし、この地図の発行は昭和7年で、昭和5年東京市編入時の大森区（現大田区）田園調布という新町名が記載されている。1:10,000「田園調布」昭和4年測図　64%

大正12年（1923）9月1日、関東大震災が東京府・神奈川県を中心に大きな被害を与える。東京市では特に下町の火災による被害が甚大で、犠牲者は10万人以上に及んだ。田園都市会社では、その前年に売り出し第1号として洗足田園都市を分譲していたが、目立った被害はほとんどなく、土地の評価はこれを機に高まっていく。

渋沢栄一の四男である渋沢秀雄《ひでお》は若くして田園都市会社の取締役となったが、軽井沢《かるいざわ》・万平《まんぺい》ホテルに滞在中に震災の報に接し、荒川《あらかわ》の鉄橋が落ちるなど各所で不通になっていた交通機関をやりくりしながら分譲地に急行した。その時の様子が『東京急行電鉄50年史』に「わが町」からの引用として次のように掲載されている。

翌（9月）4日午前、私は自転車で洗足の会社へ行った。東京市内の地獄絵みたいな無残さ、惨たらしさとはうらはら

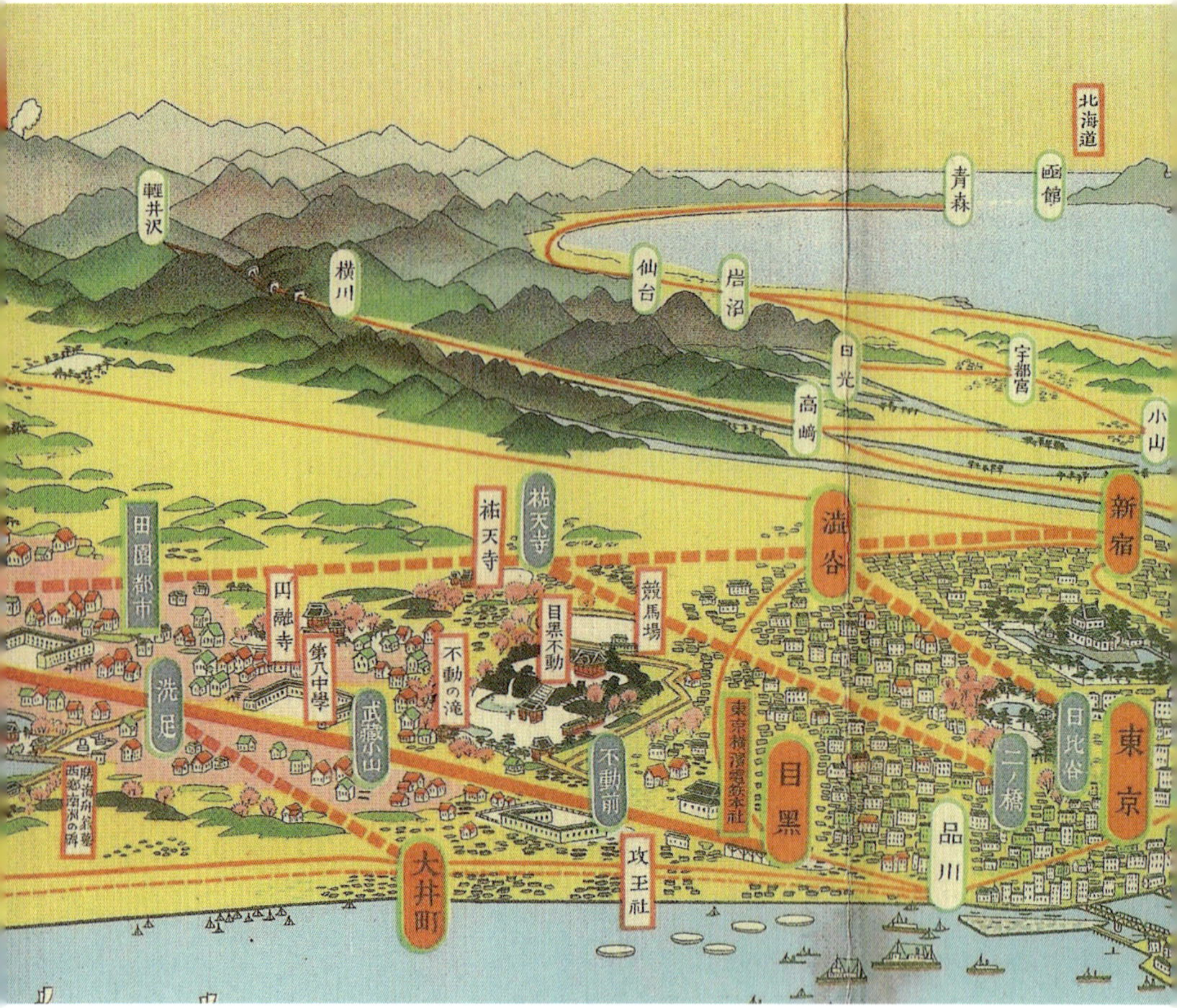

大正12年（1923）関東大震災直後の日本橋付近：村井銀行（現日本橋御幸ビル）屋上から焼け野原と化した神田方面を望む。倒壊を免れたビルがわずかに残る。写真提供：中央区立京橋図書館

大正 15 年（1926）「目黒蒲田電鉄 東京横浜電鉄　沿線名所案内」部分：翌年延伸の渋谷や翌々年延伸の大井町までが破線となっている。当時は渋谷から新宿・日比谷、祐天寺から二ノ橋（麻布）への延伸計画もあり、いくつも破線が引かれている。所蔵：横浜都市発展記念館

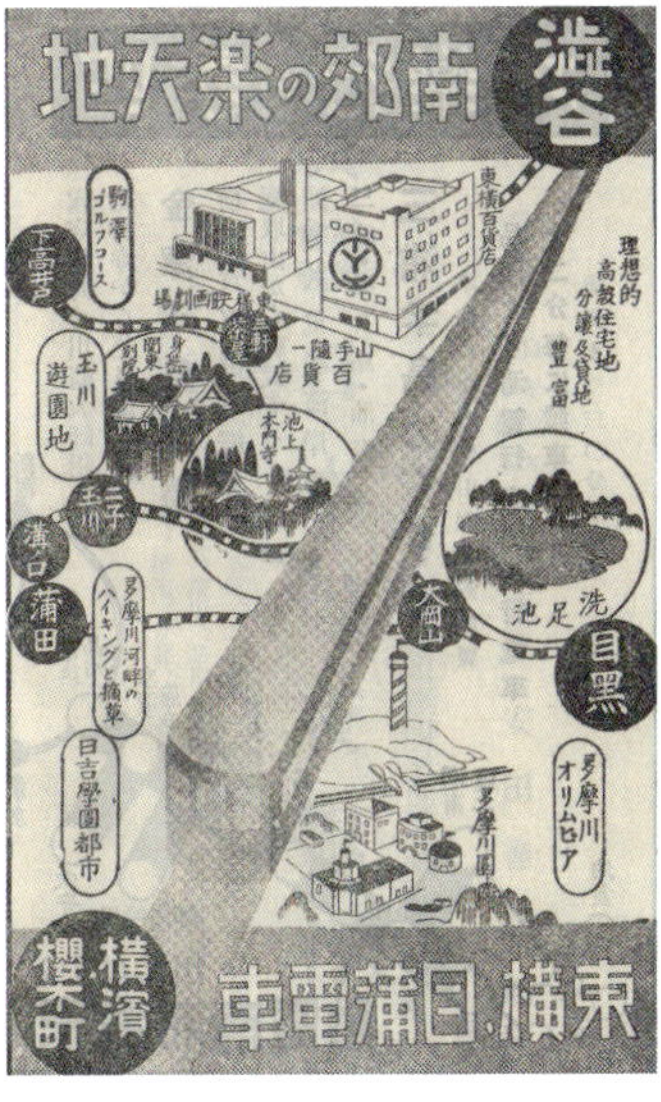

昭和 11 年（1936）目黒蒲田電鉄・東京横浜電鉄の広告：「理想的高級住宅地分譲及貸地豊富」とアピール。両社の経営戦略がよくわかる。『旅窓に学ぶ 東日本篇』より

に、洗足地区は何と美しかったろう。緑の森に日は輝き、小鳥は平和を歌っている。まさに天国と地獄だった。私は40軒あまりの住宅を一つ一つ見舞って歩いた。最大の被害でも壁に亀裂がはいり、煉瓦がズレ落ちた程度だった。ほとんど全部の家の奥さんがたが、「いいときに土地を売って下さいました。もとのウチは焼けております。本当にありがとうございました」とお礼をいわれた。私は商売冥利《みょうり》を感じ、そのとき味わった地獄極楽の体験を土地分譲の新聞広告に書きそえた（以下略）。

昭和3年（1928）池上電気鉄道五反田駅：工事中の山手貨物線（現在、埼京線と湘南新宿ラインの電車などが走行する線路）から撮影。池上電気鉄道は、山手線を高架で跨ぎ白金方面への延伸を目指したが、それは叶わず現在に至っている。写真提供：東急電鉄

耕地整理と電鉄の相次ぐ開通

第一次世界大戦による「勤め人」の急増を受けた宅地需要の拡大を、関東大震災は大きな力で後押しすることとなった。住宅をこれから受け入れるべき郊外の町村も、ここで手を拱《こまぬ》いていたわけではない。当然ながら宅地開発を手がけたのは田園都市会社だけでなく、地元の町村の全部または一部を対象とする「耕地整理組合」も、街路の整備に各地で着手した。耕地整理は、当初は米作より高い収入が得られる蔬《そ》菜《さい》中心の農地に転換するための手段などとして用いられていたが、東京の郊外では都市化傾向が顕著になるにつれて、宅地や工場用地の受け入れ目的に変わっていく。

特に荏原郡の台地エリアでは近郊住宅地に変貌することを見越しての耕地整理が進んだ。大正9年（1920）施行の都市計画法に基づく土地区画整理が本来は進められるべきところであるが、今ひとつ進まなかったのは、耕地整理の方が低利で融資を受けられること、また補助金や減歩《げんぶ》手続で有利であったためだという。

現在の東急沿線の耕地整理は震災後に着手されたものが多いが、ざっと挙げてみても大正11年（1922）から上沼部《かみぬまべ》、同12年からは矢口《やぐち》、徳持《とくもち》（現池上《いけがみ》付近）、上沼部第二、同13年から

昭和6年（1931）目黒蒲田電鉄鵜ノ木（現鵜の木）～下丸子間：線路の脇での田植え風景は、昭和30年代まで見られた。『写真でみる郷土のうつりかわり（風景編）』より。写真提供：大田区立郷土博物館

昭和12年（1937）東京横浜電鉄青山師範（現学芸大学）〜府立高等（現都立大学）間：碑文谷公園（現存）近くにあった踏切付近で、今か今かと待っていた電車が通りバンザイする女の子。この区間は現在では高架線となっている。写真提供：めぐろ歴史資料館

千束《せんぞく》、同14年から嶺《みね》、同15年に池上西部、昭和2年（1927）から鵜ノ木《うのき》などが次々に着手されている。

急速な宅地の供給増に伴う人口増は、目黒蒲田電鉄およびライバル・池上電気鉄道（現東急池上線）の相次ぐ新線開業に支えられて加速した。日本では大正9年（1920）に第1回の国勢調査が行われるが、その10年後の第3回調査の昭和5年（1930）の数値と比較すると、荏原郡内では空前絶後のレベルで人口が増加したことがわかる。それぞれの実数の伸びを挙げてみよう（カッコ内は現在の区）。

目黒町（目黒区）は1・8万人から6・7万人、荏原町（旧平塚《ひらづか》村・品川区）が0・85万人から13・2万人、碑《ひ》衾《ぶすま》町（目黒区）が0・4万人から4・1万人、玉川村（世田谷《せたがや》区）が0・8万人から1・7万人、東調布町（旧調布村・大田区）が0・3万人から1・2万人、矢口町（大田区）が0・3万人から1・8万人、大井《おおい》町（品川区）が3・7万人から7・0万人、蒲田町（大田区）が0・6万人から4・4万人といずれも驚異的な伸びを示している。荏原郡全体の人口も25・4万人から79・9万人と3倍以上である。ちなみに町村の中で最高の伸び率を示したのは荏原町の15・5倍であった。

この間の鉄道の開通状況は実に目まぐるしいので年表にまとめてみたが、毎年のようにどこかで新線開業が行われる状況であった。

このうち池上の新奥沢支線だけが現存しないが、この路線は国分寺《こくぶんじ》に至る計画であったという。ルートは一部が大井町《おおいまち》線の自由ヶ丘《じゆうがおか》（現自由が丘）〜二子玉川《ふたこたまがわ》間と競合するが、目黒蒲田電鉄ではこの区間にあたる荏原郡玉川村の耕地整理組合と提携して線路用地を確保、池上が割り込む隙はなかった。結局は昭和9年（1934）に本線も含めて池上電気鉄道は目黒蒲田電鉄に

大正末～昭和初めの東京南部の鉄道開通状況（現東急の路線）

開通年月日		会社*	開通区間 ※ ( ) 内は現駅名あるいは廃止駅のあった位置	現在の東急路線名
大正 11 年 (1922)	10 月 6 日	池上	蒲田～池上	池上線
大正 12 年 (1923)	3 月 11 日	目蒲	目黒～丸子 (沼部)	目黒線＋多摩川線
	5 月 4 日	池上	池上～雪ヶ谷 (雪が谷大塚)	池上線
	11 月 1 日	目蒲	丸子 (沼部) ～蒲田	多摩川線
大正 15 年 (1926)	2 月 14 日	東横	丸子多摩川 (多摩川) ～神奈川 (廃止 / 反町～横浜間)	東横線
昭和 2 年 (1927)	7 月 6 日	目蒲	大井町～大岡山	大井町線
	8 月 28 日	東横	渋谷～丸子多摩川 (多摩川)	東横線
	8 月 28 日	池上	雪ヶ谷 (雪が谷大塚) ～桐ヶ谷 (廃止 / 戸越銀座～大崎広小路間)	池上線
	10 月 9 日	池上	桐ヶ谷 (廃止 / 戸越銀座～大崎広小路間) ～大崎広小路	池上線
昭和 3 年 (1928)	6 月 17 日	池上	大崎広小路～五反田	池上線
	10 月 5 日	池上	雪ヶ谷 (雪が谷大塚) ～新奥沢 (廃止)	新奥沢線（廃線）
昭和 4 年 (1929)	11 月 1 日	目蒲	自由ヶ丘 (自由が丘) ～二子玉川	大井町線
	12 月 25 日	目蒲	大岡山～自由ヶ丘 (自由が丘)	大井町線

* 会社名の略称は次の通り：池上＝池上電気鉄道、目蒲＝目黒蒲田電鉄、東横＝東京横浜電鉄

吸収合併されてしまう。目蒲にとって「目障り」だった新奥沢支線は「行き止まり線」ゆえに旅客数は伸びず、将来的にも利用価値が見込めなかったため翌10年には廃止となった。

電鉄会社による大学誘致

関東大震災では都心部にあった多くの学校も被災している。このうち東京高等工業学校（現東京工業大学）は浅《あさ》草《くさ》区御蔵前片町《おくらまえかたまち》（現台東区蔵前一丁目）で被災し、再建地を求めていた。そこへ目黒蒲田電鉄が蔵前の旧キャンパス4ヘクタールと、目黒蒲田電鉄大《おお》岡山《おかやま》駅の南北に広がる田園都市会社保有の30ヘクタールの等価交換を提案、実現の運びとなったのである。新校地での開校は大正13年（1924）4月21日であった。当初の所在地は荏原郡馬込《まごめ》村の北西部と一部が碑衾《ひぶすま》村大字衾《ふすま》にまたがる土地で、開校以前の地形図を見る限り、畑が広がる高台であった。

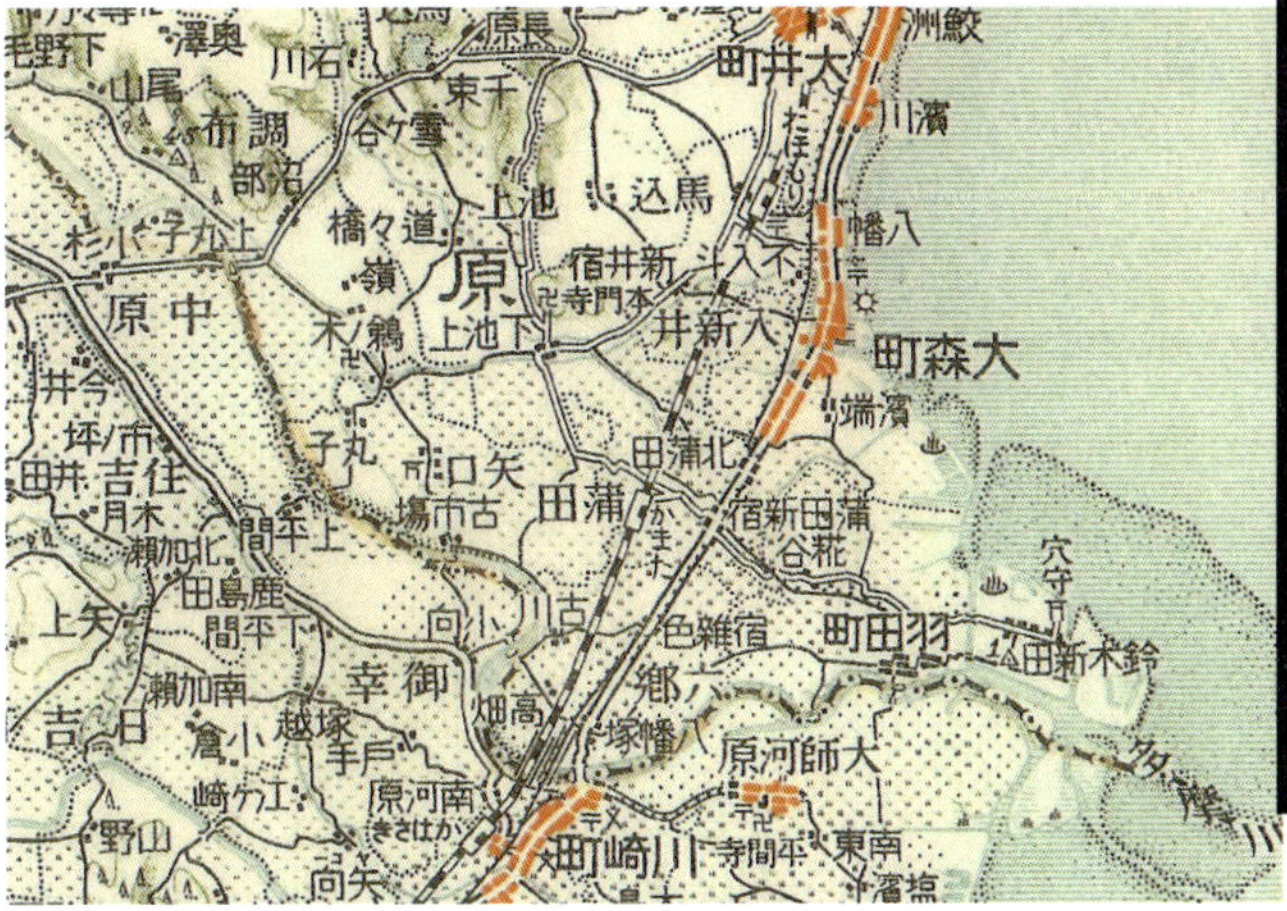

大正3年（1914）都市化が進む以前の荏原郡南部：この頃の荏原郡南部にはのどかな田園地帯が広がっていた。目黒駅の利用者が急増するのは目黒蒲田電鉄の開業以降のことである。1:200,000帝国図「東京」大正3年製版 130%

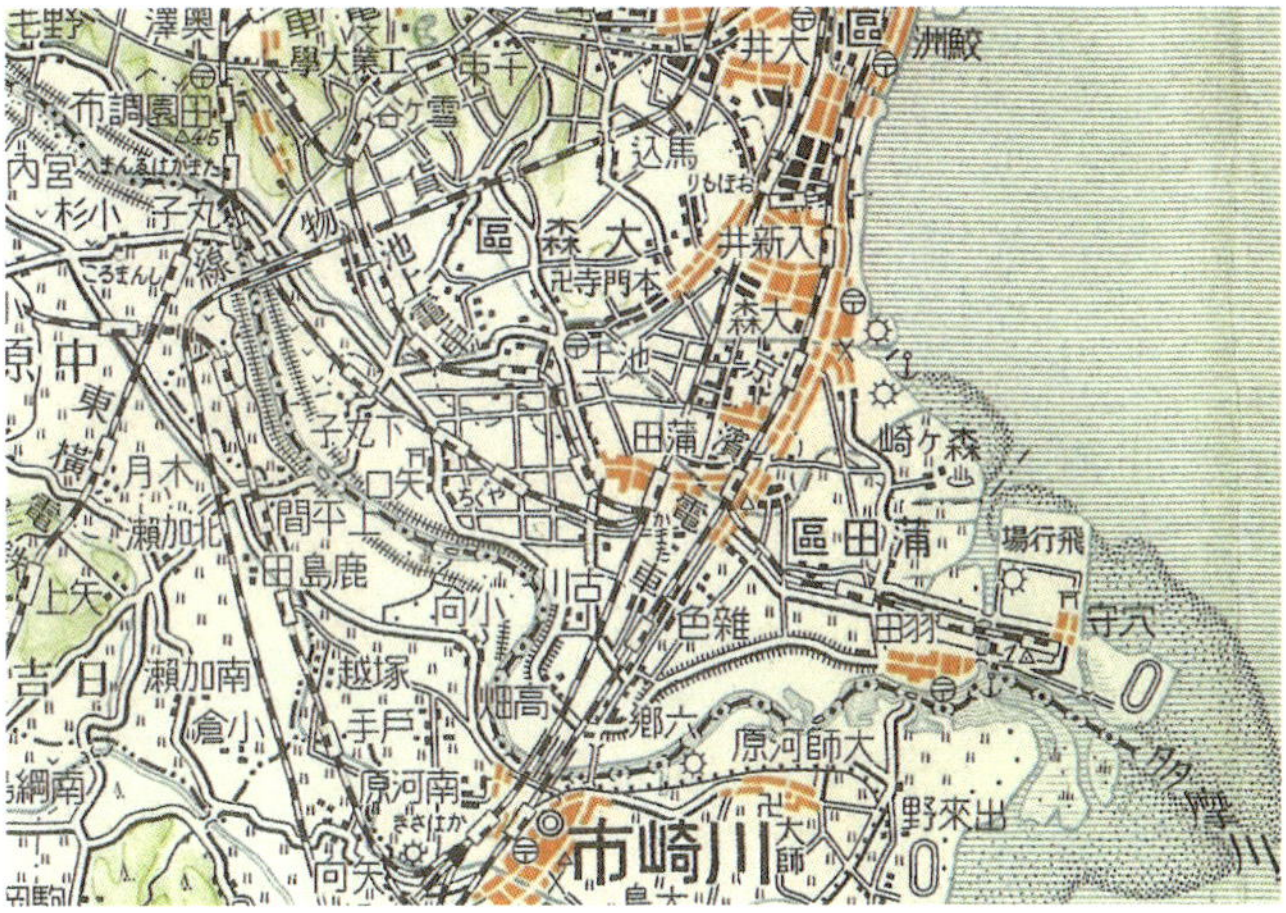

昭和9年（1934）東京市大森区・蒲田区（現大田区）：大正11年の池上電気鉄道蒲田～池上間の開業を皮切りに、昭和4年（1929）までのわずか7年間に新線開業が相次いだ。1:200,000帝国図「東京」昭和9年修正 130%

昭和4年（1929）頃　目黒蒲田電鉄大岡山駅：ちょうど東京工業大学祭の日ということもあって、大学の最寄りにある大岡山駅周辺も賑わっている。写真提供：東急電鉄

ここに大規模キャンパスが移転してきたのだから、大岡山駅の乗降客数が急増するのは当然である。

　慶應義塾大学でも動きがあった。芝区三田《みた》での震災復旧工事にあたって図書館を含む拡張工事を行うのに伴い、予科を郊外へ移転することを昭和3年（1928）6月の評議員会が決議、そこへ目黒蒲田電鉄と東京横浜電鉄の両者が日吉台における共同経営地の中から、必要とする約43ヘクタールのうち23・8ヘクタールを無償で寄付した

のである。寄付した土地は時価で72万円に及ぶが、これは東京横浜電鉄の昭和4年（1929）上半期の旅客収入約40万円を超える莫大なものであったが、慶應が日吉に来ることによる宅地の値上がりは大きく、結局は寄付額を補って余りある利益を生み出すこととなった。

宅地と都心を結ぶ私鉄の悩みは、朝の上りと夕方の下り電車のみが混雑し、日中や休日の電車が閑古鳥《かんこどり》という状態である。車両の利用率を平準化するためには逆方向の乗客、それに休日の乗客を開拓する知恵が必要であった。沿線の郊外に大学など高等教育機関を誘致すれば、朝に都心から郊外への逆方向の需要を創出することになり、また住宅地を一体化して開発することによりイメージアップの効果も大きくなった。

大正 15 年（1926）頃　開業当時の日吉駅： 駅前の整備も終わらずに閑散としている。駅から真っ直ぐに伸びる坂道の先の建物は田園都市会社の現地事務所。写真提供：東急電鉄

昭和 29 年（1954）東京急行電鉄発行の「沿線案内」（部分）： 駅名となった学芸大・都立大のほかにも、大岡山駅には東京工大、日吉駅には慶應大、元住吉駅には法政大、旗の台駅には昭和医大（現昭和大）と、東急沿線に大学が目立つ。「沿線案内」（昭和 29 年）より

日吉駅周辺の発展

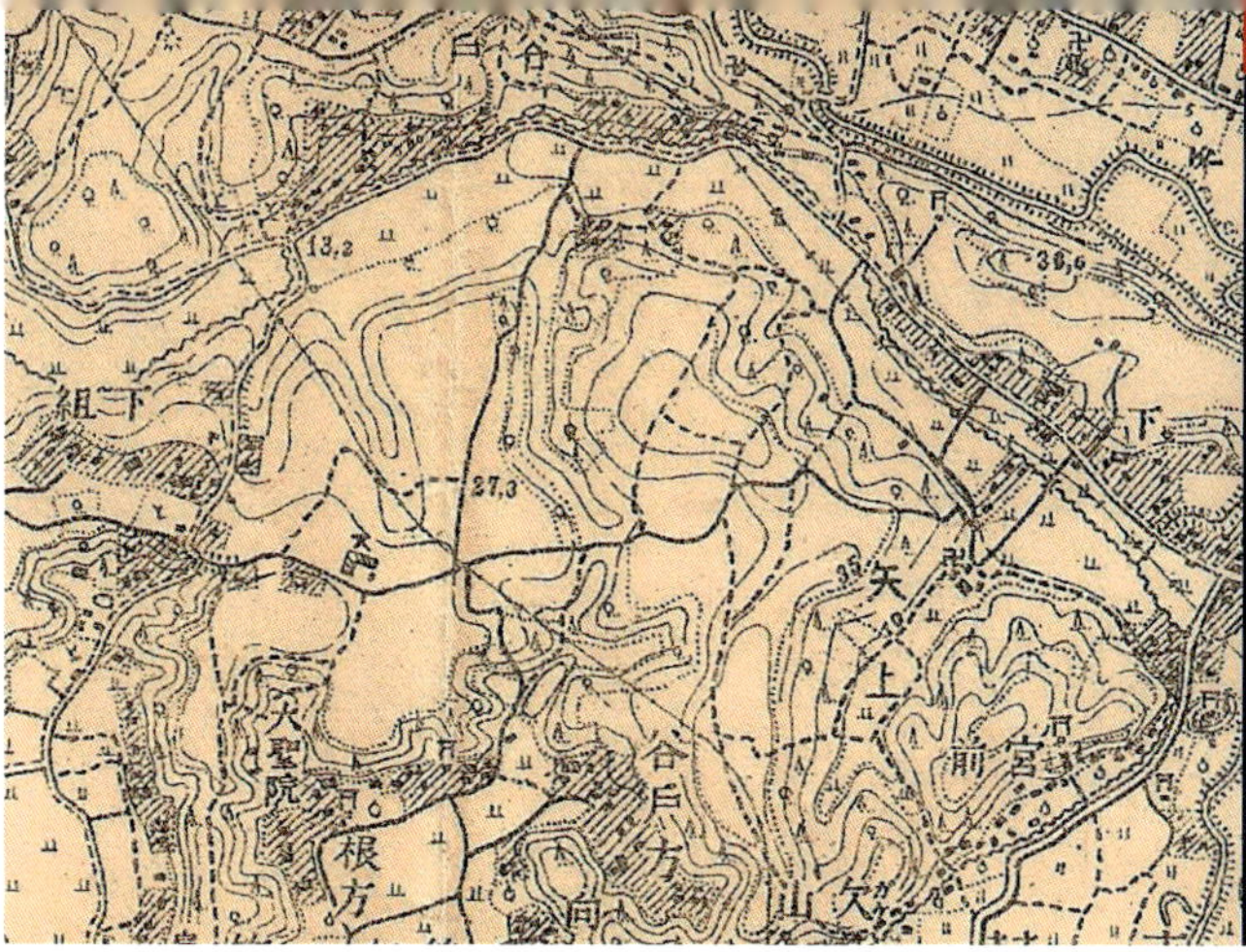

大正 11 年（1922）橘樹郡日吉村：橘樹郡（たちばなぐん）は、現在の横浜市港北区・神奈川区・鶴見区から川崎市などにまたがって存在した郡。日吉村は、現在の日吉駅の周辺から横須賀線新川崎駅・南武線鹿島田駅の周辺にかけて存在した村。1:25,000「川崎」大正 11 年修正　120%

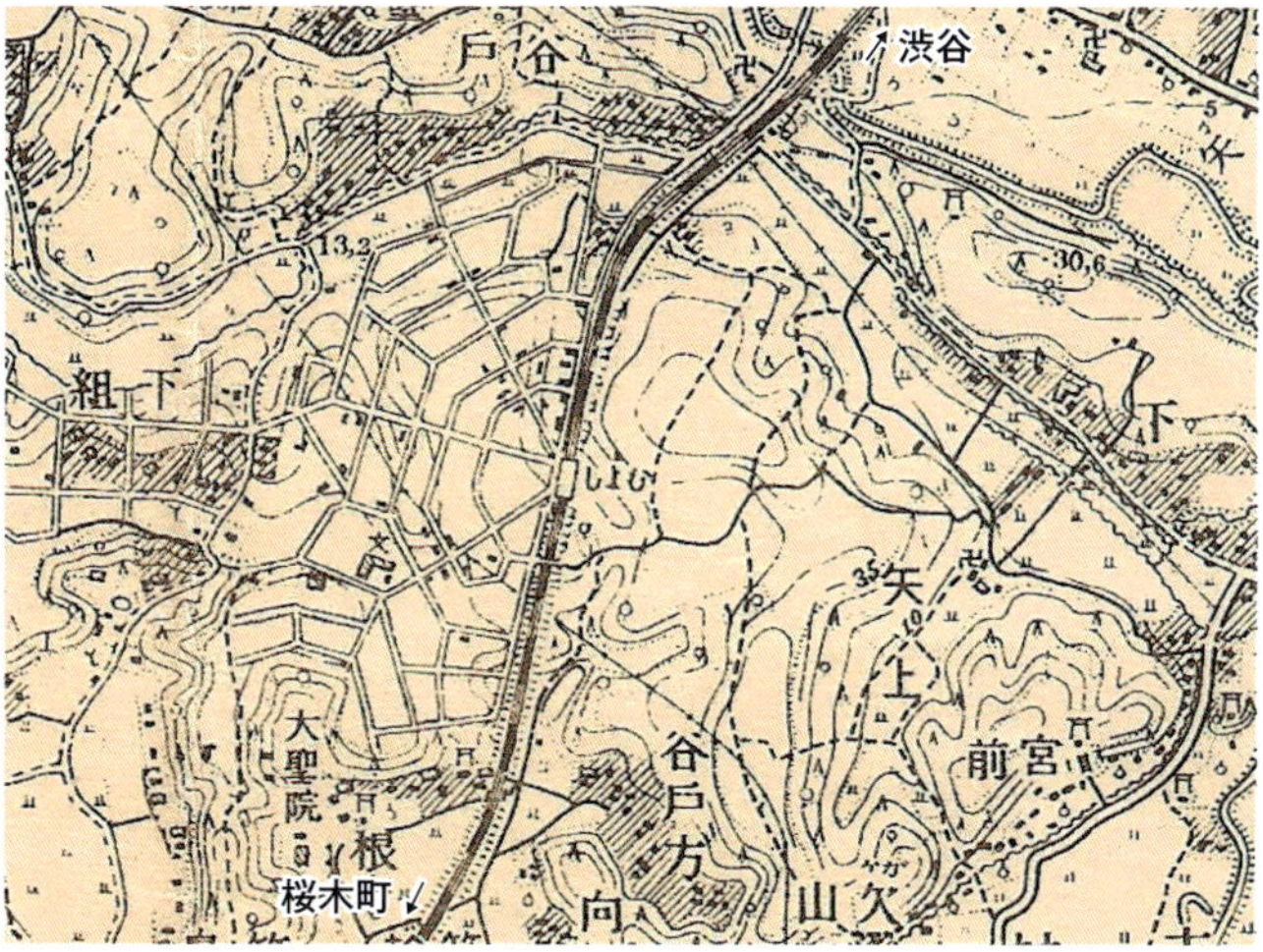

昭和 7 年（1932）慶應予科誘致前の日吉駅とその周辺：大正 15 年（1926）に東京横浜電鉄が開通し、日吉駅が開業。駅の西側は放射状に都市計画されている一方で、駅の東側は上の大正 11 年の地図とほとんど変わらない。1:25,000「川崎」昭和 7 年要部修正　120%

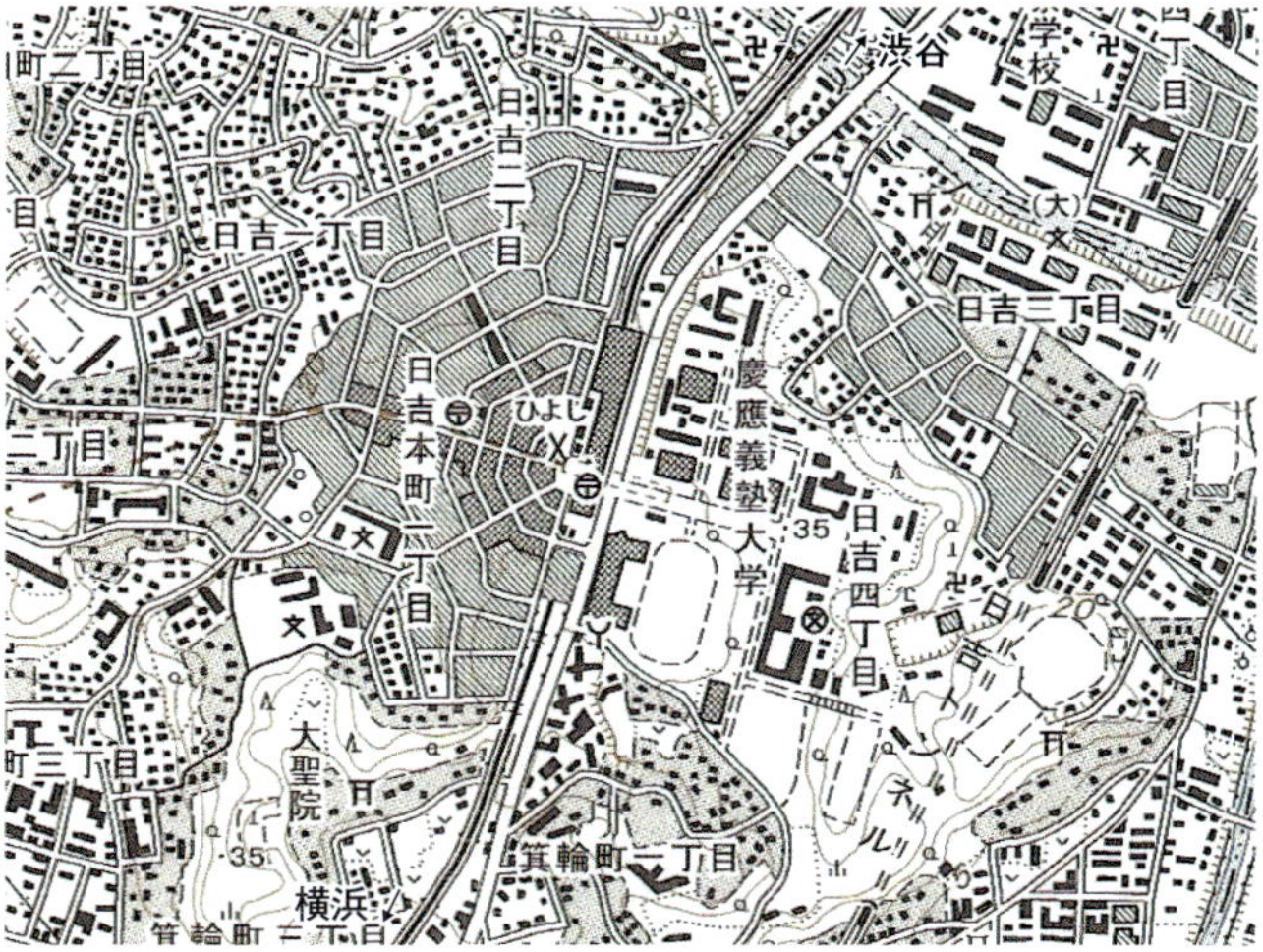

平成 20 年（2008）現在の日吉駅とその周辺：昭和 12 年（1937）に日吉村が２つに分村され、それぞれ横浜市と川崎市に編入された。横浜市となった日吉駅周辺は、学生街と住宅街の２つの特徴をもつ町として発展していった。1:25,000「川崎」平成 20 年更新　120%

慶應の日吉キャンパスが開校したのは昭和9年（1934）であったが、その影響もあって東京横浜電鉄の輸送人員は『東京急行電鉄50年史』によれば、昭和5年下期の550万人に対して同10年下期には1000万人とほぼ倍増している。

五島慶太《ごとうけいた》率いる目黒蒲田・東京横浜の両電鉄は、全国の私鉄の中でもとりわけ学校誘致に熱心であった。他にも青山《あおやま》師範学校（現学芸大学）と東京府立高等学校（後の都立大学。現首都大学東京）の誘致を行い、それぞれの移転に伴って東京横浜電鉄の駅名は昭和6年（1931）に柿ノ木坂《かきのきざか》駅を「府立高等前」に、同11年には碑文谷《ひもんや》駅を「青山師範」にそれぞれ改称している。他にも武蔵小山《むさしこやま》駅前に東京府立第八中学校（現小山台高校）を誘致し、東横の元住吉《もとすみよし》駅の近くの川崎市木月《きづき》（現中《なか》原《はら》区）の土地を法政大学予科のために寄付するなど、この電鉄の関わった学校は数多い。

従って東横線の駅名が学芸大学・都立大学と連続しているのは偶然ではないのである。戦後になると両大学ともにさらに郊外へ移転したため、今ではどちらも大学の最寄り駅ではなくなったが、両駅名はもはや「ブランド地名」と化しており、平成11年（1999）に駅名を地元の地名に改称する是非をアンケート調査した結果、住民の中に改称を望む声があまり多くなかったので断念したという。このことは、まさに大学誘致による宅地の価値上昇の証拠である。

国立学園都市と林間都市

他に東京の学園都市を挙げるとすれば、最も有名なのは国立《くにたち》であろう。一橋《ひとつばし》大学の前身である東京商科大学も、関東大震災で神田《かんだ》区一ツ橋通町《とおりちょう》にあった校舎が焼失したため、移転地として選んだのが谷保《やほ》村大字谷保の、広大な雑木林《ぞうきばやし》と畑が混在する土地であった。ここに東京商大を誘致して学園都市の建設を目論んだのが箱根《はこね》土地株式会社（後のコクド）である。会社の設立は田園都市会社の2年後の大正9年（1920）で、当初は社名の通り箱根や軽井沢の別荘地開発などを手がけていた。

箱根土地会社はこの学園都市実現のため、谷保村の山林を中心に100万坪（約3・3平方キロ）に及ぶ広大な土地を買収、大学を中心とした整然たる街区を建設した。その玄関口として、中央本線の国分寺〜立川《たちかわ》間6・1キロのほぼ中間地点に大正15年（1926）4月1日に国立駅を設置したが、当時から高架化まで長らく親しまれた三角屋根の駅舎は、箱根土地が鉄道省に寄付したものである。

駅名は両隣の国分寺と立川の頭文字を繋げたとされるが、「この地から新しい国が立つ」という願いも込められ

昭和2年（1927）頃　国立大学町の空撮写真：住宅がほとんどない一面の雑木林の中に東京高等音楽学院（右上）や、東京商科大学のグランド・兼松大講堂など（左上）が見える。駅から通りに向かって右手の目立つ建物は箱根土地の本社。写真提供：くにたち郷土文化館

たという（国立市ホームページ）。駅開業の年から宅地の分譲が始まり、まず同年に東京音楽学院（現国立音楽大学）が富士見《ふじみ》通り沿いに移転、翌昭和2年（1927）には東京商科大学も移転してきた。ちなみに富士見通りは直交座標型の街区に2本だけある「斜線」の1本で、駅からほぼ南西にまっすぐ伸びる通りの延長線上には、その名の通り富士山が望める。

昭和初め頃　国立駅前の通学風景：人がまばらだった通りに学生がやって来て、楽譜を抱えた音楽学院生と学生服姿の商大生がぞろぞろ歩くようになった。写真提供：くにたち郷土文化館

大学を中心とした住宅地ではないが、小田原《おだわら》急行鉄道（現小田急電鉄）は戦前に「林間都市」を分譲した。これは目黒蒲田電鉄の「田園都市」をだいぶ意識したネーミングのようで、昭和4年（1929）に開業した江ノ島《えのしま》線の高座《こうざ》郡大野《おおの》村（現相模原《さがみはら》市南区）から大和村（現大和市）にかけて買収した100万坪（3・3平方キロ）のうち80万坪を利用したものである。やはり整然たる街区を建設して分譲した。

とにかく今とは桁違いに人口が希薄だった県央地区を貫いて走る小田急としては、乗客の確保が喫緊の課題だったのである。当初は大野側から中和《なかわ》田《だ》・公所《ぐぞ》・相模ヶ丘《さがみがおか》に内定していた駅名を、林間都市構想にちなんで東林間都市・中央林間都市・南林間都市に急遽変更した。しかし当時としては東京に通勤する35キロ前後の距離は長すぎたようで土地はあまり売れず、駅ができて10年後の昭和14年（1939）夏になっても売約済みはわずか2割という惨状を呈したという。

その後は太平洋戦争が始まってそれどころではなくなり、日米開戦直前となる同16年10月には3駅から「都市」が外されて、現在の東林間・中央林間・南林間となった。ここに都市化の波が押し寄せるのは、皮肉にも都市を外してから20年ほど経過した戦後の高度成長期のことである。

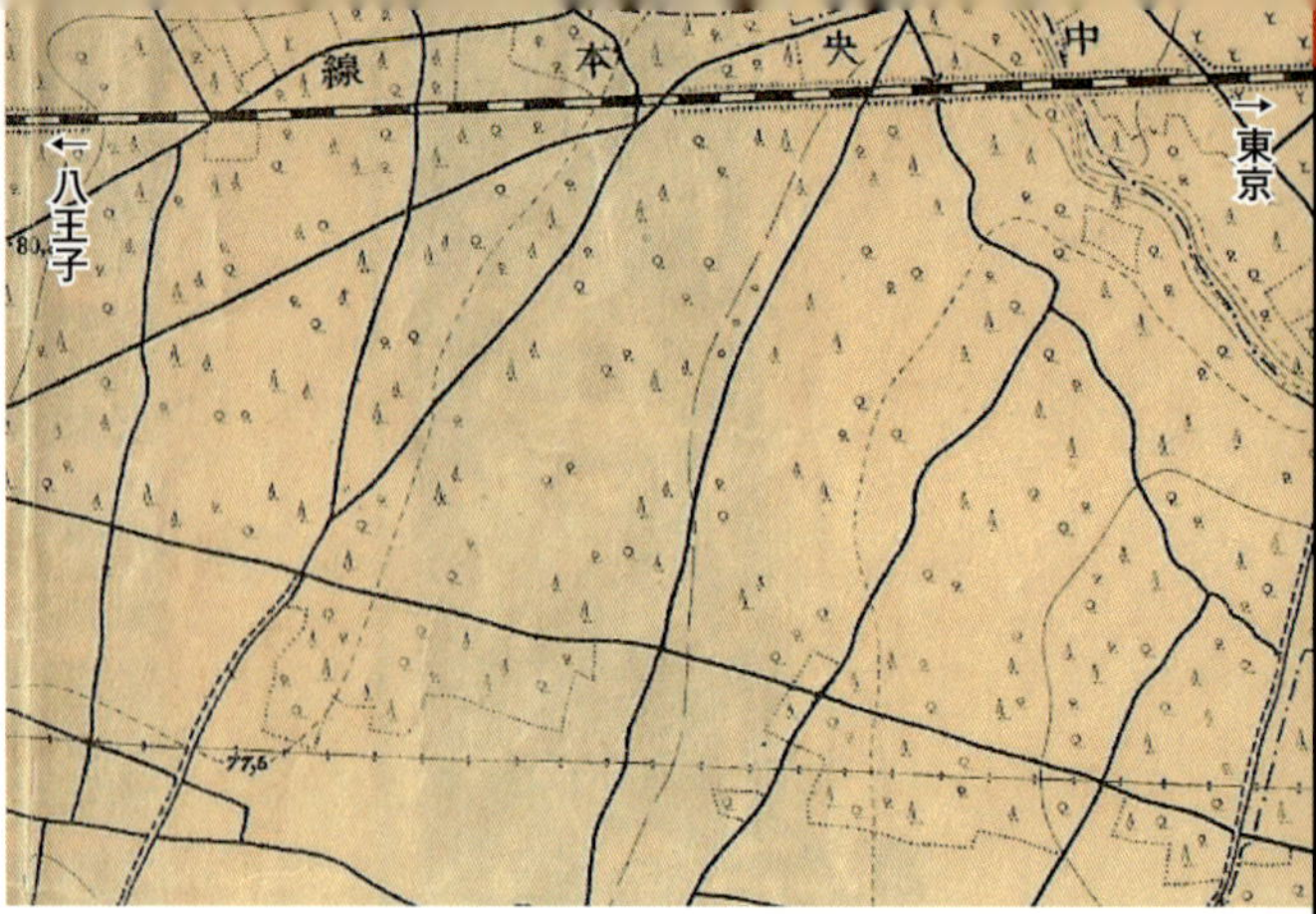

大正10年（1921）雑木林が広がっていた谷保村北部：クヌギ・クリ・アカマツなどの山林で人家は一軒もなかったが、村の南部の農家の人々にとっては、堆肥となる落ち葉や薪になる枝を集めるなど、生活を支える場所だった。1:25,000「府中」大正10年測図　原寸

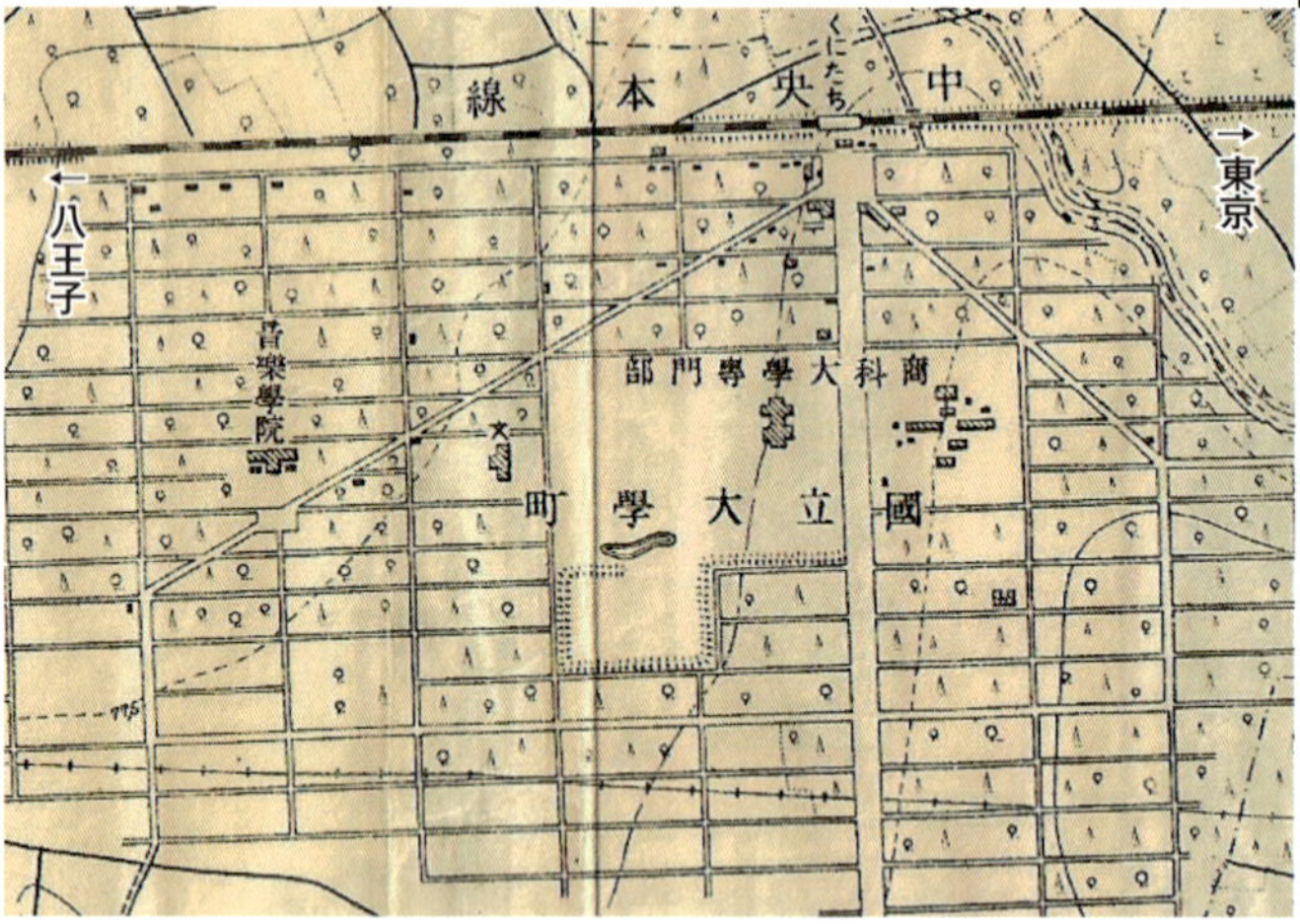

昭和5年（1930）区画整理が完成した国立大学町：大正15年（1926）の完成時点は景気が悪く、さらに昭和2年の金融恐慌やその後の昭和恐慌などが追い打ちをかけ、土地分譲はなかなか進まず苦しい状況だった。1:25,000「府中」昭和5年部分修正　原寸

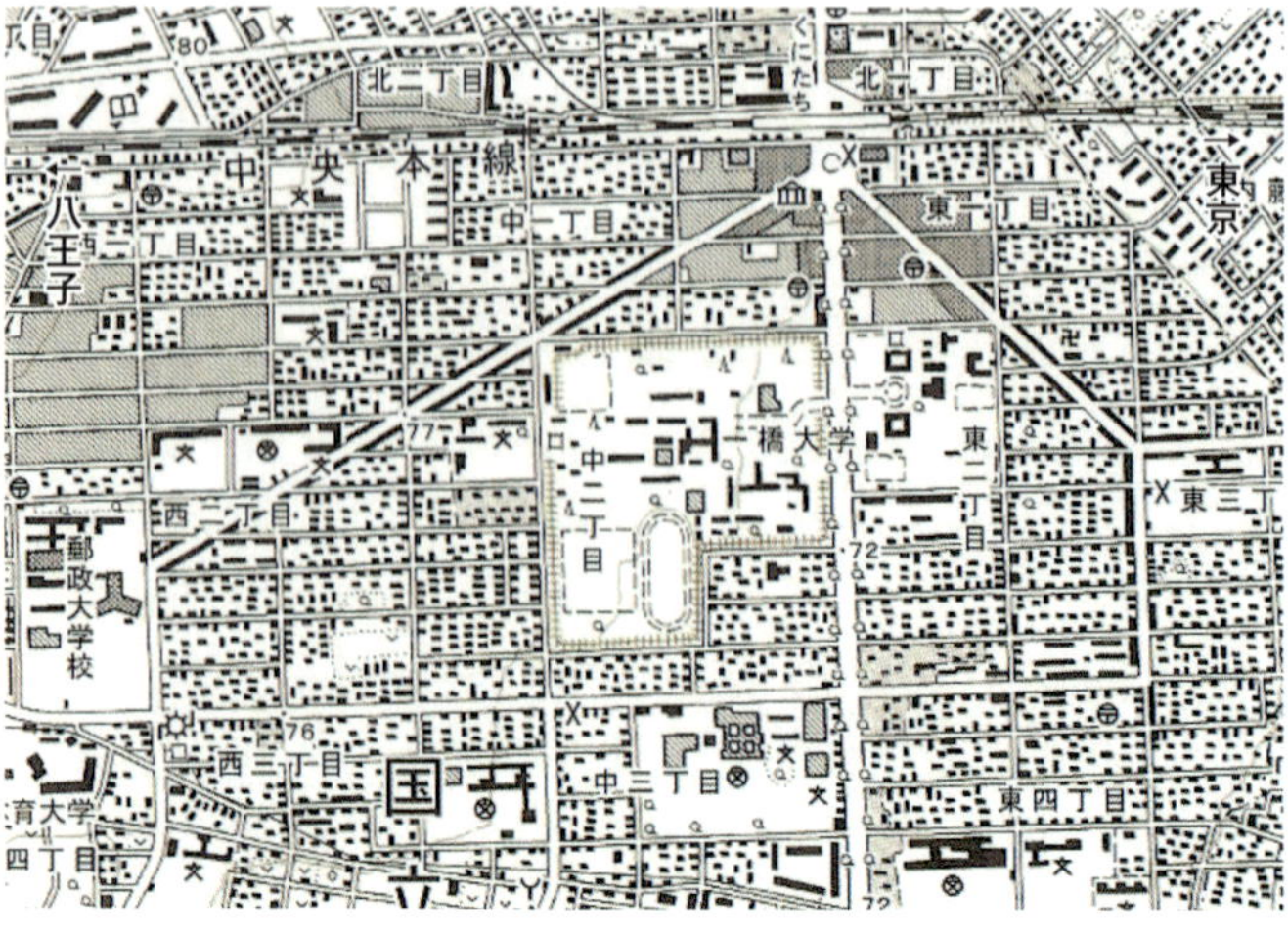

平成18年（2006）学園都市に定着した国立市：戦中の疎開と戦後の住宅復興で人口は急増。昭和26年（1951）に谷保村から国立町、昭和42年に国立市となった。昭和27年には国と都から「文教地区」の指定を受けている。1:25,000「立川」平成18年更新　原寸

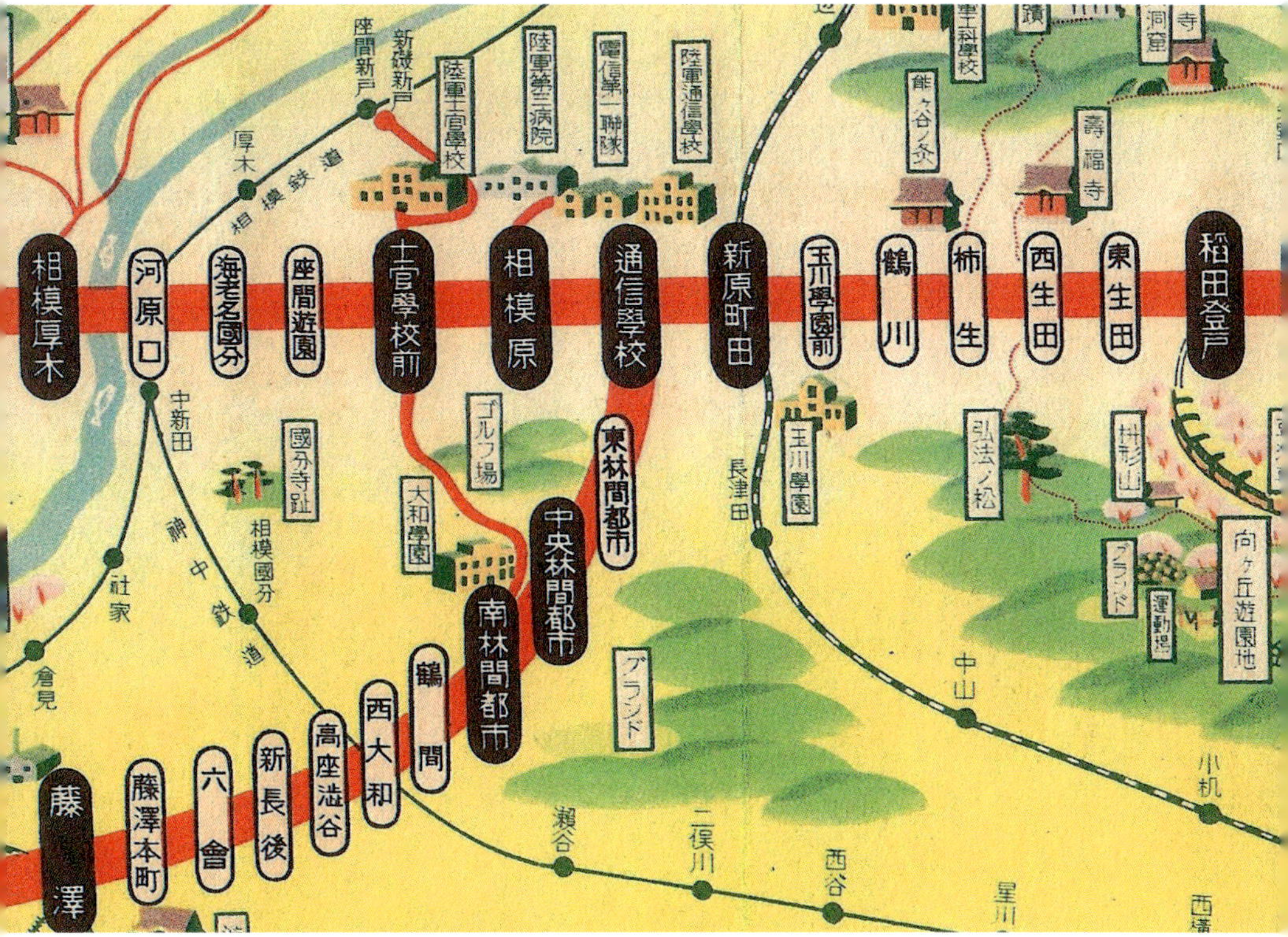

昭和 14 年（1939）小田原急行鉄道発行の「沿線案内」（部分）：
中央林間都市駅・南林間都市駅の右（東）に「グランド」。スポーツ都市建設地として、野球場はじめ、テニスコート、ラグビー場などが配置されたのも林間都市の特色だった。「小田急沿線案内」より

駅名こぼれ話

駅名を大学名に変更しながら元に戻した駅

東急東横線の学芸大学・都立大学の両駅は、校舎が遠くへ移転した後も「ブランド駅名」として健在である。このように大口利用者のある大学を駅名に採用する事例は多いが、かつて日大前という駅が京王線にあった。もとは下高井戸駅で、日本大学の予科が昭和12年（1937）に近所に設置された翌年に日大前と改称している。ところが東京横浜電鉄玉川線（現東急世田谷線）は下高井戸のまま。両線は同じホームで乗り換えができただけに利用者には不親切だったに違いないが、戦時中の同19年に京王電気軌道が東急に組み込まれた際に京王側が下高井戸に戻されて今に至っている。もし戦争がなければ今も明大前の隣で日大前を名乗っていただろうか。

3

都心を目指した私鉄の夢と現実

越えられない「万里の長城」

東京の私鉄は山手線から外側に路線網を広げている。山手線の内側になると私鉄路線がなくなり、地下鉄路線に代わる。外側と内側の棲み分けはどこから生まれたのだろうか。

幻の「東急日比谷線」に乗る

高架の渋谷《しぶや》駅を出た電車はすぐに20パーミルの下り坂でトンネルに入る。青山《あおやま》学院の南東あたりで地上に少し顔を出してすぐまたトンネルで、抜けるとほどなく西麻布《にしあざぶ》交差点付近にある高架の霞町《かすみちょう》駅（渋谷起点2・1キロ）だ。笄《こうがい》川の谷間に開けた霞町や笄町の甍《いらか》の波を少し俯瞰《ふかん》して再びトンネル。今の六本木《ろっぽんぎ》交差点の下は通過してアークヒルズの直下あたりの谷町《たにまち》駅（同3・8キロ）に着く。そのまま地下で外堀通りに合流して東へ緩く折れ、虎ノ門《とらのもん》駅の東側にある桜田《さくらだ》駅（同5・2キロ）。西新橋《にししんばし》の交差点の手前から緩く左カーブして日比谷《ひびや》公園の東縁を北上すれば日比谷交差点下の終点・日比谷駅（同6・2キロ）である。

溜池《ためいけ》交差点あたりまで六本木通りをほぼなぞる形なので線形は良好、駅も

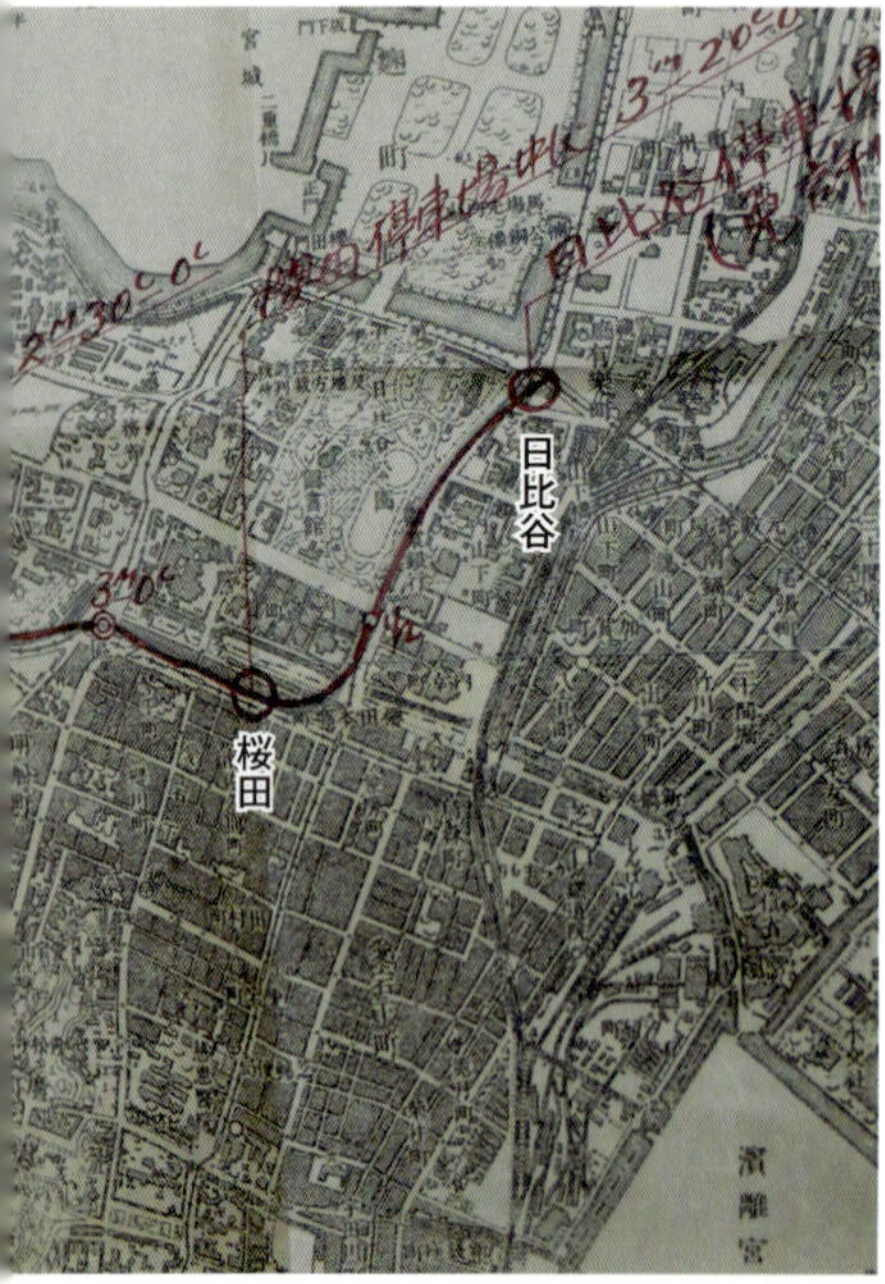

大正13年（1924）幻の「東急日比谷線」計画：武蔵電気鉄道（現東急電鉄）が申請した東京市内線延長敷設免許申請書に添付されていた線路図。鉄道省文書「鉄道免許・東京横浜電鉄（元武蔵電気鉄道）（東京急行電鉄）3　大正13～14年」（国立公文書館蔵）より

昭和初め頃　幻の「東急日比谷線」が目指した都心周辺： 左端が日比谷交差点、その上は皇居。❶朝日新聞社、❷日本映画劇場、❸帝国劇場、❹東京會舘、❺三菱銀行、❻丸ビル、❼海上ビル、❽東京中央郵便局。所蔵：東京都立中央図書館

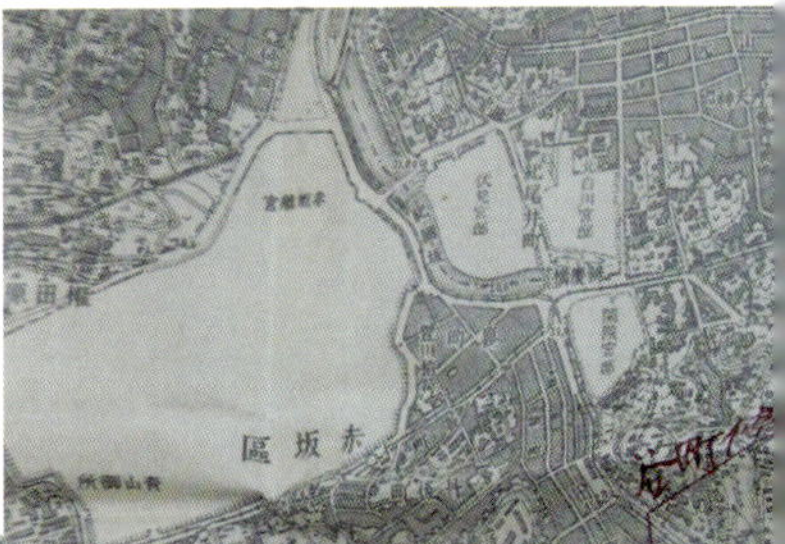
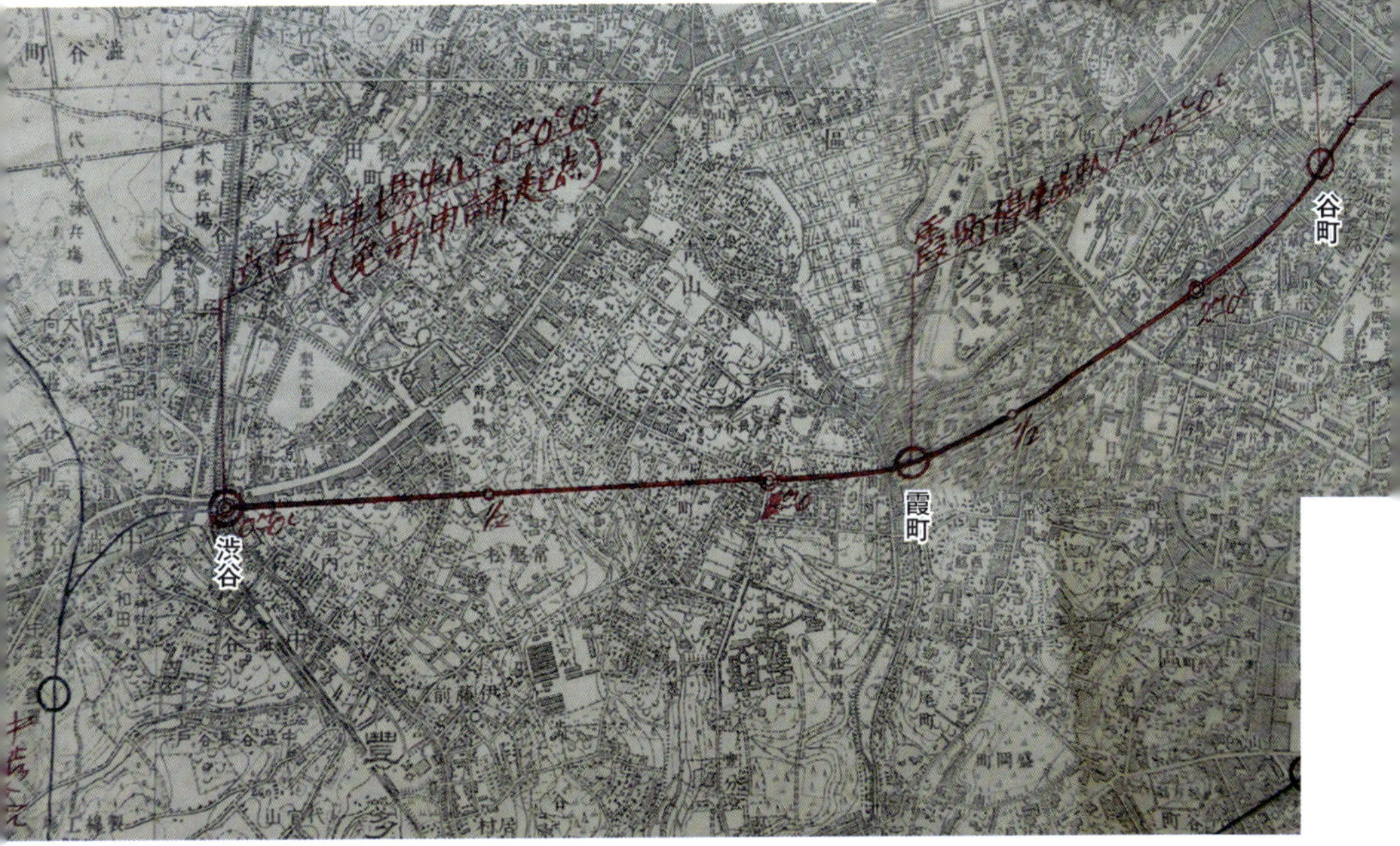

少ないのでスピードが出せそうだ。渋谷から日比谷の間はわずか9分ほどだろうか。実際にはこの区間、東京メトロ銀座《ぎんざ》線と千代田《ちよだ》線を乗り継いで13分はかかるので、六本木に駅がないのはともかく、こんな路線があったらきっと便利に違いない。

以上の「架空試乗記」は国立公文書《こうぶんしょ》館《かん》所蔵の計画路線図と線路縦断面図をもとに書いたものだが、この文書は大正13年（1924）8月に武蔵《むさし》電気鉄道が申請したものだ。同社は東急東横《とうよこ》線のルーツ・東京横浜電鉄のさらに前身にあたるが、明治41年（1908）に渋谷から平沼《ひらぬま》（横浜付近）までの仮免許を得ながらも着工にたどり着かないうち大正6年（1917）に免許が失効、後に目黒蒲田《めぐろかまた》電鉄（現東急）の社長となる五島慶太《ごとうけいた》がその事業計画を引き継いで実現させたのが東京横浜電鉄である。「日比谷線」は都心への便利なアクセスを狙ったものであった。

幻の「東京市営地下鉄」計画

しかしこの申請は当局によって却下されている。理由は「東京市営地下鉄」とのバッティングだ。申請の翌年にあたる大正14年（1925）4月18日付で東京府知事・宇佐美勝夫《うさみかつお》から鉄道大臣・仙石貢《せんごくみつぐ》に提出された意見書に、武蔵電気鉄道によるこの路線が「本区間ハ東京市出願地下鉄道中、左記路線ノ一部ト併行スルヲ以テ、其ノ併立経営ハ不可能ナルヘク被認候《みとめられそうろう》条、可然《しかるべく》御詮議相成度此段《あいなりたくこのだん》意見及《および》具申候也《なり》」（引用者が読点を追加）とある。「左記路線」とは目黒町から板橋《いたばし》町に至る「第三線」および渋谷町から京橋《きょうばし》区月《つき》島《しま》に至る「第四線」で、要するに「東京市営地下鉄の並行線」となるので認可しないよう求めているのだ。首都に計画されている公営地下鉄の並行線であれば、鉄道省もさすがに認可するわけにはいかない。

武蔵電気鉄道が地下線による都心延伸を企てた大正13年（1924）の時点で日本に地下鉄は存在しなかったが、世界を見渡せば、20世紀に入る頃から、欧米では急速に地下鉄の建設が相次いでいる（パリのメトロはちょうど1900年、ベルリンは1902年の開業）。思えば明治14年（1881）にベルリン近郊で世界初の電気鉄道が営業を開始してから14年後に京都電気鉄道が開業するなど、欧米に急速に追い付きつつあった日本で、大正半ばに地下鉄が存在しなかったのはむしろ意外だ。

さて平成26年（2014）3月3日付の「東京新聞」夕刊で、大正期に計画された東京市営地下鉄に関連する公文書が発見されたことが報じられた。これによればまさに同じ大正14年（1925）1月に東京市電気局（現都交通局）が敷設免許の申請を行った路線のリストが掲載されている。概略は次の通り。
①築地《つきじ》―人形町《にんぎょうちょう》―浅草橋《あさくさばし》―小村井《おむらい》
②平塚《ひらづか》（荏原《えばら》町）―新橋―上野―北千住《きたせんじゅ》
③恵比寿《えびす》―東京駅―巣鴨《すがも》―下板橋
④渋谷―赤坂見附《あかさかみつけ》―日比谷―月島
⑤角筈《つのはず》（現西新宿）―東京駅―洲崎《すざき》（現東陽《とうよう》）―砂町《すなまち》
⑥池袋―飯田橋《いいだばし》―人形町―大島《おおじま》町

建設費の2億円は電気事業公債でまかなうために鉄道省に起債を申請したが、当時いわゆる護憲三派《ごけんさんぱ》内閣による緊縮財政のため認められず、その後は民間会社である東京高速鉄道に免許路線の一部を譲渡した（同鉄道は新橋～渋谷間の路線を開業、昭和16年には東京地下鉄道とともに帝都高速度交通営団〔現東京メトロ〕となる）。そんな経緯もあって「日本初の地下鉄」の登場はだいぶ遅れ、昭和2年（1927）の暮れも押し詰まった12月30日に開業した東京地下鉄道（東京メトロ銀座線の前身）の浅草～上野間となった。しかも本来なら新橋まで一挙開通のつもりが、大正12年（1923）の関東大震災のため急遽区間を短縮した。ちなみに大正14年（1925）に開業した宮城電気鉄道（現JR仙石《せんせき》線）の仙台駅付近の地下区間を「日本初の地下鉄」と位置づける向きもあるが、結果的に起点部分がトンネル内に入っただけなので除外すべきだろう。

実を言えば東京でも市営地下鉄計画以前、ベルリンの地下鉄が開業したわずか4年後の明治39年（1906）には「東京地下電気鉄道」が高輪《たかなわ》～浅草、銀座～新宿の路線を申請している。ところがこれは東京市の反対により結局認可されていない。

東京市が大正末期に立案した地下鉄網

大正14年（1925）「東京市営地下鉄」予定路線網：「東京市内の公共交通は市が担う」という都市政策は地下路線にも影響した。提供：共同通信社

「東京市内の公共交通は市が担う」という都市政策が影響したようだ。

　これは地下鉄だけのことでなく、かつて3社あった私鉄の市街電車（路面電車）が統合され、明治44年（1911）に東京市電気局（現都交通局）が一括経営するようになって以来ほぼ一貫して進められたもので、私鉄が市内に入ろうとすれば拒否されることが繰り返された。そんな市内と郡部の間にある見えない障壁を、私鉄各社は「万里《ばんり》の長城《ちょうじょう》」と評したという。実際にそのような文書があるかどうか知るところではないけれど。

昭和初め頃　東京地下鉄道のプラットホーム：東京地下鉄道は、関東大震災直後の建設でもあり、地震にも十分に耐えられるよう強固に造られた。所蔵：東京都立中央図書館

縄張りを分ける「万里の長城」

　次頁の図をご覧いただきたい。大正8年（1919）頃の路線案内図であるが、当時の東京市内が白地、郡部は薄緑で印刷されているので、市の内外がわかりやすい。これによれば、市電の錦糸堀《きんしぼり》終点に隣接して城東《じょうとう》電車（城東電気軌道）が小松川《こまつがわ》方面へ伸び、市郡界に面した終点のひとつ手前にある押上《おしあげ》から京成《けいせい》電車（京成電気軌道）、千住大橋終点の2つ手前の三輪橋《みのわばし》（三ノ輪）からは王子《おうじ》電車（王子電気軌道）、同じく大塚《おおつか》駅前終点でも王子電車が接続している。王子電車は昭和5年（1930）に早稲田《わせだ》でも市電に接

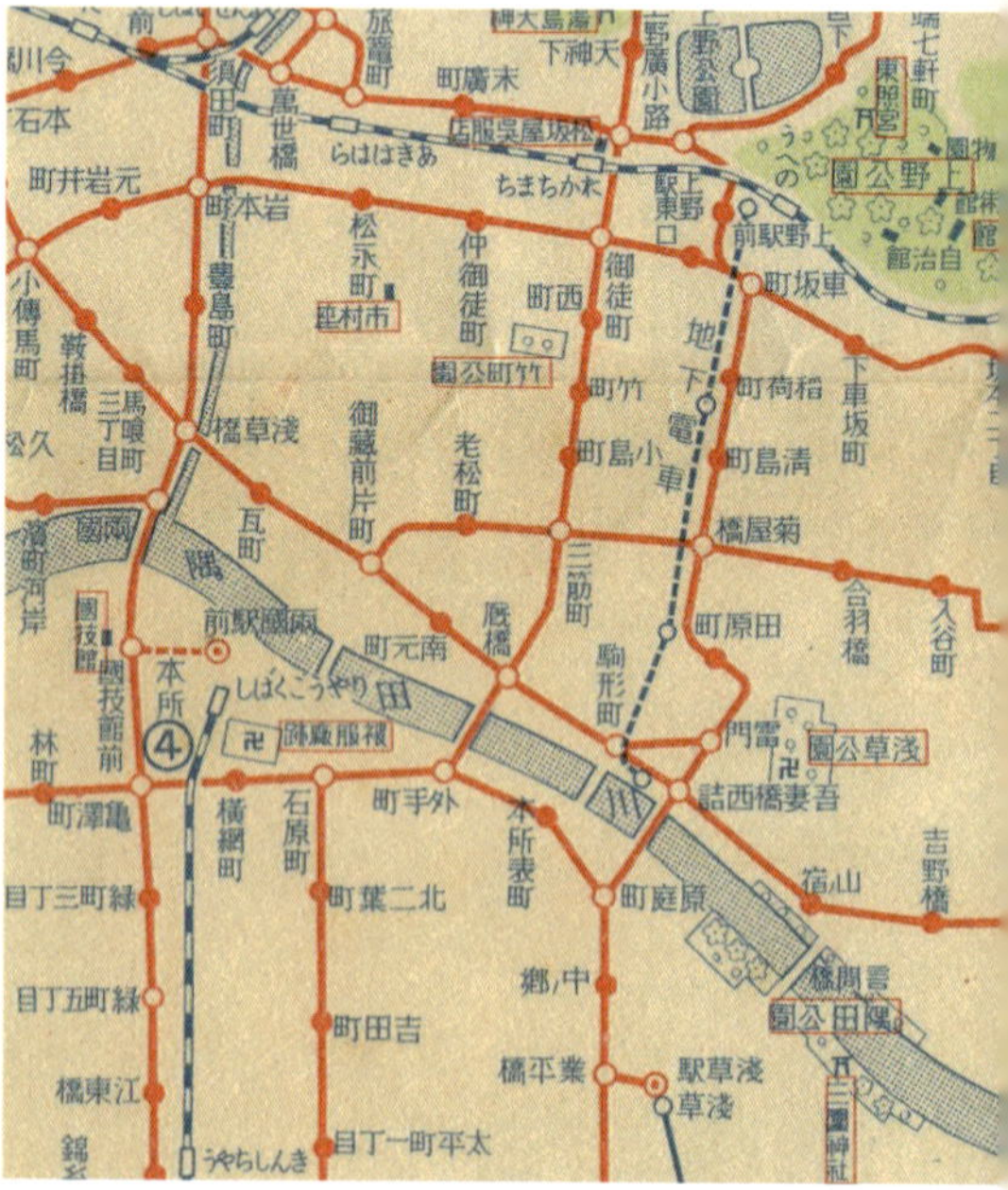

昭和4年（1929）「地下電車」が掲載された路線図：東京市内に網の目のように広がる市電の路線図の中に、日本初の地下鉄である東京地下鉄道浅草～上野間が「地下電車」として掲載されている。東京市電気局「電車案内」より（地図は西が上）

続した。ちなみに当時の早稲田町や早稲田鶴巻《つるまき》町は東京市牛込《うしごめ》区内にあったが、早稲田大学の所在地はその名にもかかわらずギリギリ市外の豊多摩《とよたま》郡戸《と》塚《つか》町であった。校歌の「都の西北」とは、そのことを表現したものかもしれない。

さらに続けると、市郡界に接した新宿の追分《おいわけ》からは京王《けいおう》電車（京王電気軌道）、市電の宮益坂《みやますざか》下終点からは渋谷の玉川《たまがわ》電車（玉川電気鉄道）、同じく品川《しながわ》終点から少し南へ歩けば京浜《けいひん》電車（京浜電気鉄道）の品川停留場（現北品川駅）という具合である。

路線図を一見してわかる通り、東京市電はおおむね市内にとどまって、当時すでに全長100キロを超える高密度の路線網を形成していた。路線が市郡界を跨ぐのは、あくまで山手線の駅などキリのいい所まで延伸した場合に限られている。

当時の私鉄のターミナルを東から見ていくと、東武鉄道の浅草駅（現とうきょうスカイツリー駅）と京成の押上

大正８年（1919）頃　市部と郡部の境界線＝「万里の長城」：東京市15区（現在の千代田区・中央区・港区・文京区・台東区・新宿区の一部・墨田区の一部・江東区の一部）と郡部の境界線付近が市電と私鉄の「縄張り」を分けていた。「東京市及郊外地図」より

「万里の長城」境界線上の駅：京王電車四谷新宿駅（上右／昭和5（1930）年頃／『京王帝都電鉄30年史』より）、王子電車早稲田停留場（上左／昭和10年（1935）頃／『王子電気軌道二十五年史』より）、京浜電鉄品川停留場（下／明治末頃／『京浜急行80年の歩み』より）。

駅、それに城東電車の錦糸町はかろうじて本所区《ほんじょ》に属しているが、武蔵野《むさしの》鉄道（現西武池袋線）と東上《とうじょう》鉄道（現東武東上線）の池袋駅、そして王子電車が接続する大塚駅はいずれも北豊島《としま》郡西巣鴨町、京王電車はかろうじて市内四谷《よつや》区新宿三丁目に入っているが、玉川電車の接続する渋谷駅は豊多摩郡渋谷町、京浜電車の品川停留場は荏原郡品川町という具合に、市と郡のちょうど境界線付近に位置していた。

　蒸気機関車を用いる私鉄（当時の私設鉄道）は除外するとして、この境界付近に起点を構える電気鉄道（軌道）は、城東、京成、王子、京王、玉川、京浜のいずれもが、東京市電と同じ4フィート6インチ（1372ミリ）の軌間を採用している。このうち都電荒《あら》川《かわ》線となった王子電車と京王電車（現京王電鉄）、それに玉川の支線であった東急世田谷《せたがや》線は今もこの軌間を引き続き用いているが、現在標準軌である京成も戦後の昭和34年（1959）まで、京浜は昭和8年（1933）までこの軌間であった（城東電気軌道は後に都電に組み入れられ、後に廃止）。

つまり、東京市電に間近で接続する当時の郊外行き電車は、すべて市電路線への乗り入れが可能になるように軌間を合わせたのである。特に京浜は日本で最初に標準軌（1435ミリ）を導入しながら、明治37年（1904）には東京市電への乗り入れを意識して、大森《おおもり》～川崎～大師《だいし》の区間をわざわざ市電の軌間に合わせて改軌している。

京浜電鉄のターミナルの変遷

震災翌年の大正13年（1924）3月、それまで東海道の八ツ山《やつやま》橋をはさんで北側に市電、南側に京浜電気鉄道の品川停留場があって徒歩連絡していたのを、橋上に線路を敷いて接続、市電が現在の北品川駅まで乗り入れることになった。さらに翌14年には京浜が

京浜の品川進出

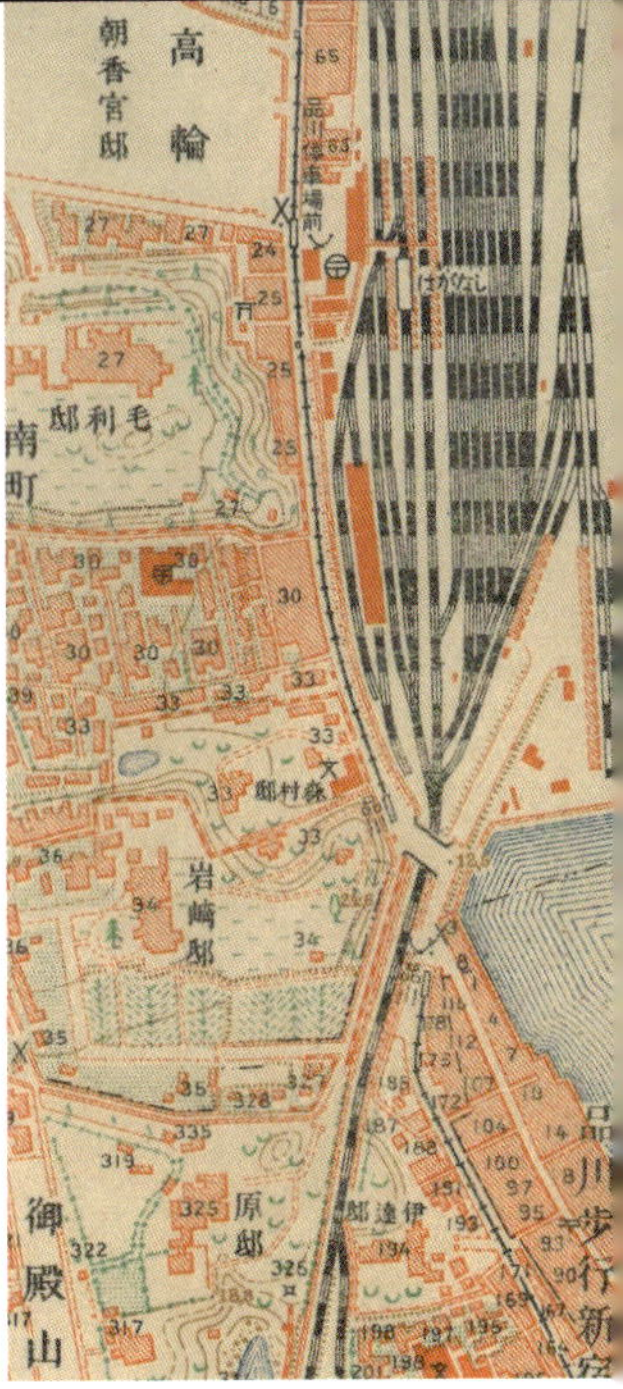

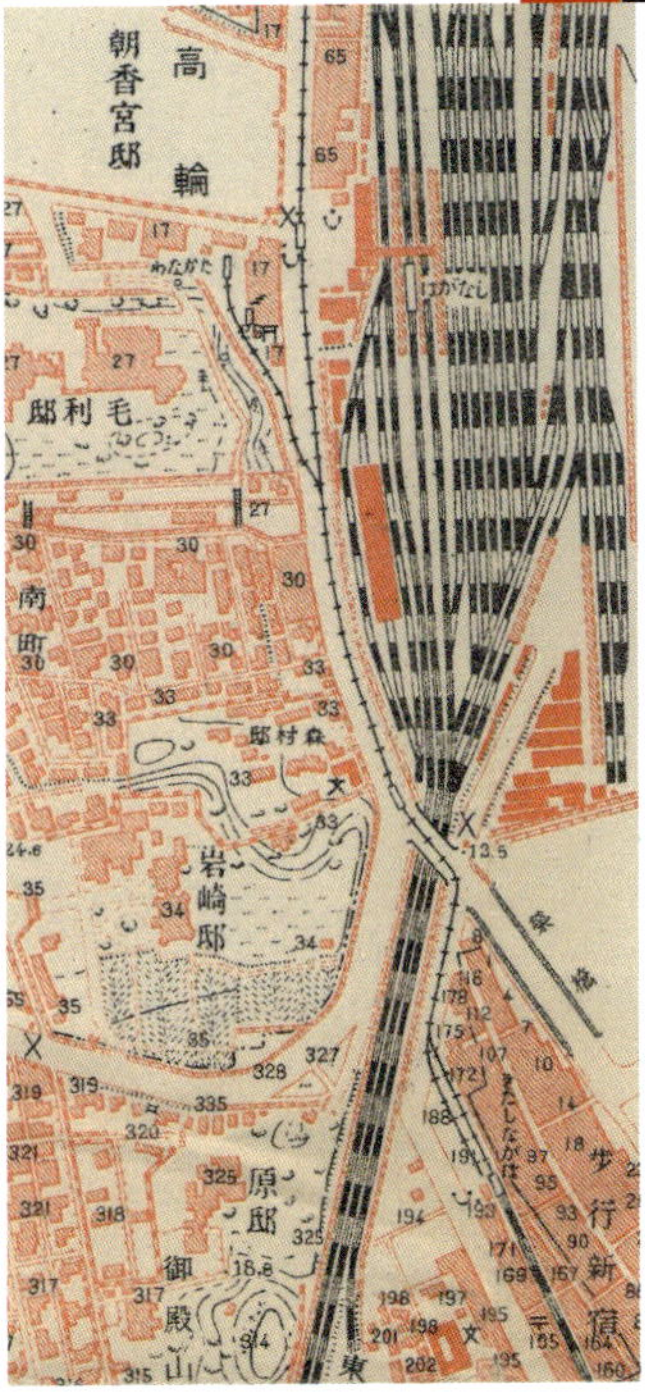

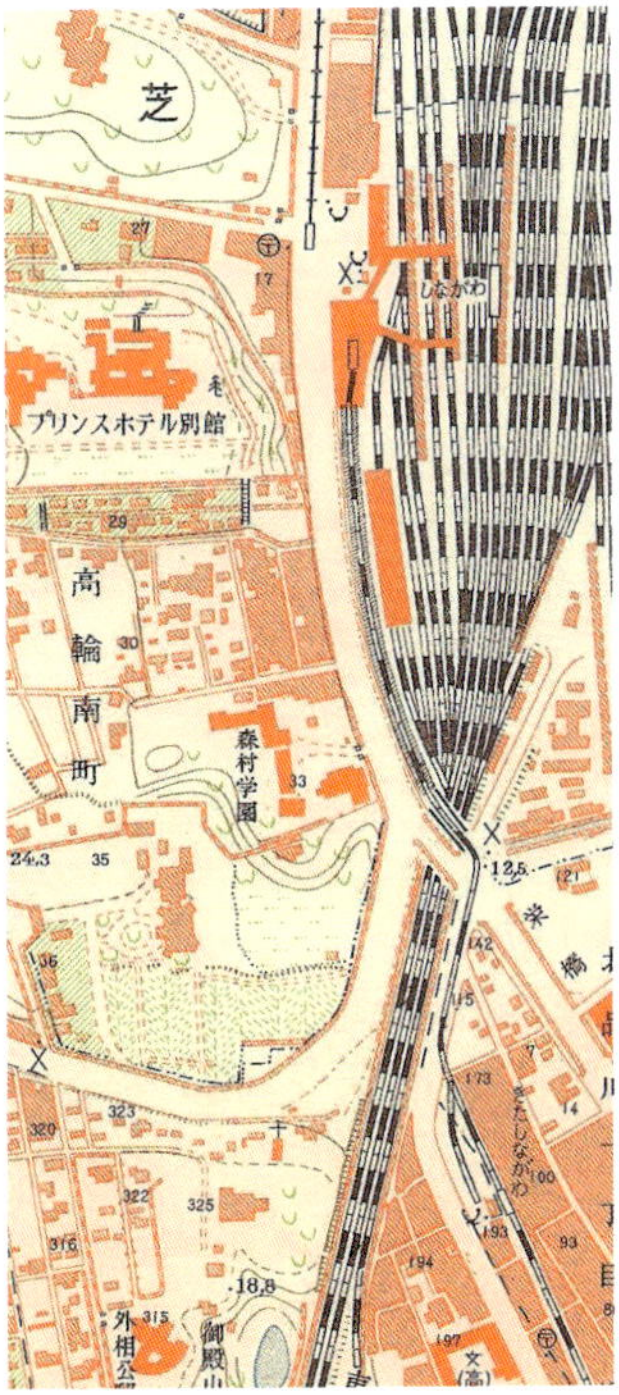

（右）大正５年（1916）京浜電気鉄道品川駅（旧）：明治37年（1904）開業。大正14年（1925）南に200m移転し、まもなく北品川に改称。1:10,000「品川」大正５年修正　84%

（中）昭和４年（1929）京浜電気鉄道高輪駅：線路が敷かれた八ツ山橋を挟み、京浜は高輪まで市電は北品川までの相互乗り入れとなった。1:10,000「品川」昭和４年修正　84%

（左）昭和30年（1955）京浜急行電鉄品川駅（新）：この翌年、併用軌道（路面電車）の八ツ山橋～北品川駅間に専用の線路が設けられた。1:10,000「品川」昭和30年修正　84%

新ターミナル・高輪駅を国鉄品川駅の山側に新設、京浜はようやく念願の「市内乗り入れ」を果たすことができた。しかしそれより都心側への乗り入れは結局実現していない。

　これは輸送力増大による郊外電車の車両大型化の一方で、市電はあくまで小型にとどまっていたために規格の格差が広がって共通運用が現実的でなくなった事情が反映している。このためその後の京浜は、横浜市の黄金町《こがねちょう》以南に建設された標準軌の湘南《しょうなん》電気鉄道との直通による横須賀《よこすか》方面の旅客獲得を重視し、昭和8年（1933）には品川駅への乗り入れを機に標準軌に再改軌した。この頃になると、都心直通には「地下鉄」という形態をとらざるを得ないほど輸送量が増加している。従って改軌が行われた昭和8年こそが、市電への乗り入れを断念した瞬間ということになる。

　京成も結局は市電への乗り入れが実

昭和初め頃　高輪駅舎： 1階がホームと店舗、2階に店舗が入り、私鉄ターミナルビルの先駆けだった。廃止後も昭和55年（1980）まで京急本社として姿を留めた。現在その地はウィング高輪WESTとなっている。『日本地理風俗大系』2大東京篇（昭和6年）より

現しないまま戦後を迎えたが、都営地下鉄1号線（現浅草線）および京急に乗り入れるために遅ればせながら改軌を選択した。これがもしも「京王との直通」という選択が行われていたとすれば改軌の必要はなく、今の都営新宿線などのルートを経由して結んでいたかもしれない。

東武鉄道の「浅草雷門」乗り入れ

松屋浅草店はターミナルデパートとして昭和6年（1931）に開業した。ビルの2階がこの時に開業した東武鉄道のターミナルである。繁華街としての浅草の地盤沈下が言われて久しいとはいえ、現在も日光《にっこう》や鬼怒川《きぬがわ》方面へ向かう特急「スペーシア」や、両毛《りょうもう》地方への特急「りょうもう」がここを起点としており、最近では外国人観光客の姿も目立つ。

東武鉄道の歴史は19世紀末の明治32年（1899）の北千住～久喜《くき》間の開業に始まっているが、その後線路は南下して同35年には吾妻《あづま》橋《ばし》という駅を起点とした。場所は隅田《すみだ》川に架かるその名の橋から1キロ近くも東に距《へだ》たった本所区小梅瓦町《こうめかわらちょう》（現墨田区押上一丁目）。東西に掘られた北十間《じっけん》川に面した場所に設けられたターミナルで、現在では東京スカイツリーの足下、要するに「とうきょうスカイツリー駅」（平成24年まで業平橋《なりひらばし》駅）である。ここから粕壁《かすかべ》（現春日《かすか》部《べ》）、久喜、加須《かぞ》方面への列車が、明治36年（1903）1月の時刻表『汽車汽船時間表』（庚寅新誌社）によれば1日7本出ていた。いかにも少ないが、同時期の常磐《じょうばん》線も9往復だから今とは時代が違う。所要時間は吾妻橋から粕壁が約1時間半、終点の加須までは2時間半といったところである。

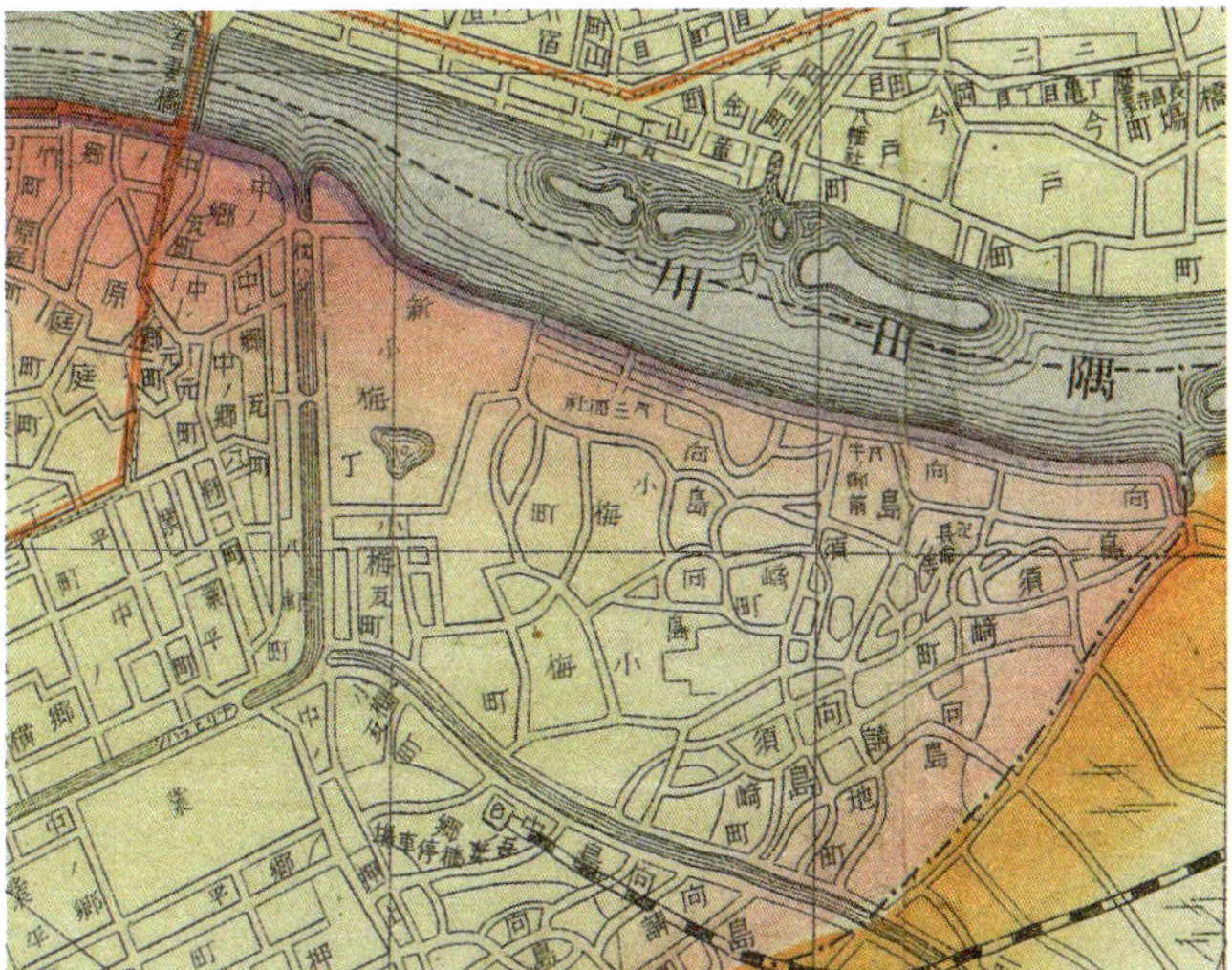

明治37年（1904）頃 廃止直前の吾妻橋駅：実際には地図の発行前年に廃止されているが吾妻橋駅が載った貴重な地図。「実測改正東京最近図」（明治38年）より（地図は西が上）

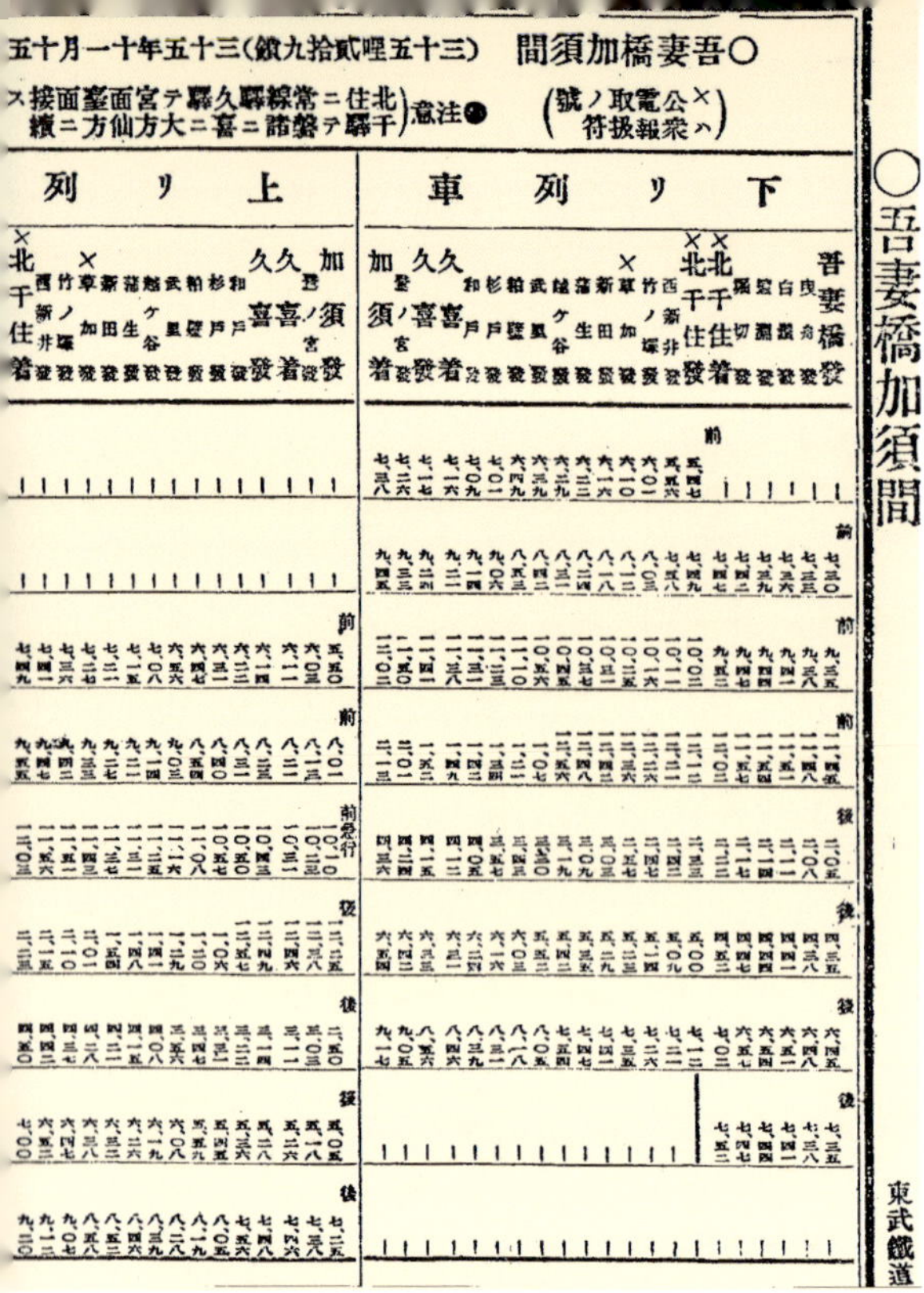

明治36年（1903）東武鉄道の時刻表：吾妻橋駅が起点だった頃の時刻表。終点の加須までは2時間15～30分ほどを要した。『汽車汽船旅行案内』明治36年1月号より

ところが吾妻橋駅は開業から2年後の明治37年（１９０４）には廃止されてしまう。曳舟《ひきふね》駅から南下して亀戸《かめいど》駅に至る現在の亀戸線が開通したためだ。その後、北関東からの列車は亀戸から総武《そうぶ》鉄道（現ＪＲ総武本線）に乗り入れて両国橋《りょうごくばし》（現両国）駅に至るルートを走ることとなったのである。地図で見れば、なるほどこちらの方が日本橋や銀座などの都心には近い。両国橋から粕壁までは1時間40分ほどである。翌38年には市電が橋を渡って両国橋駅のすぐ近くまで通じて便利になった。

しかしこれも長続きしない。原因は明治40年（１９０７）に行われた総武鉄道の国有化である。日本の幹線鉄道は新政府の資金不足から東海道本線などを除いて私鉄を中心として整備された経緯があるが、常に国有化の議論はあった。それが日清・日露の2回の戦争を経て、非常時における統一輸送体制の必要を痛感した政府は、多くの反対を押し切って鉄道国有法を明治39年に施行、日本鉄道（現東北・高崎・常磐線ほか）、山陽《さんよう》鉄道（山陽本線）、甲《こう》武《ぶ》鉄道（中央本線）、九州鉄道（鹿児島本線ほか）など17社にのぼる全国の私鉄を翌40年にかけて買収している。総武鉄道の買収価格は約１２８７万円であった。

大正末頃　旧浅草駅構内：大正13年（1924）から電車の運転がはじまった。右端の貨物ホームには貨車、左遠方には鉄道工場が見える。『写真で見る東武鉄道80年』より

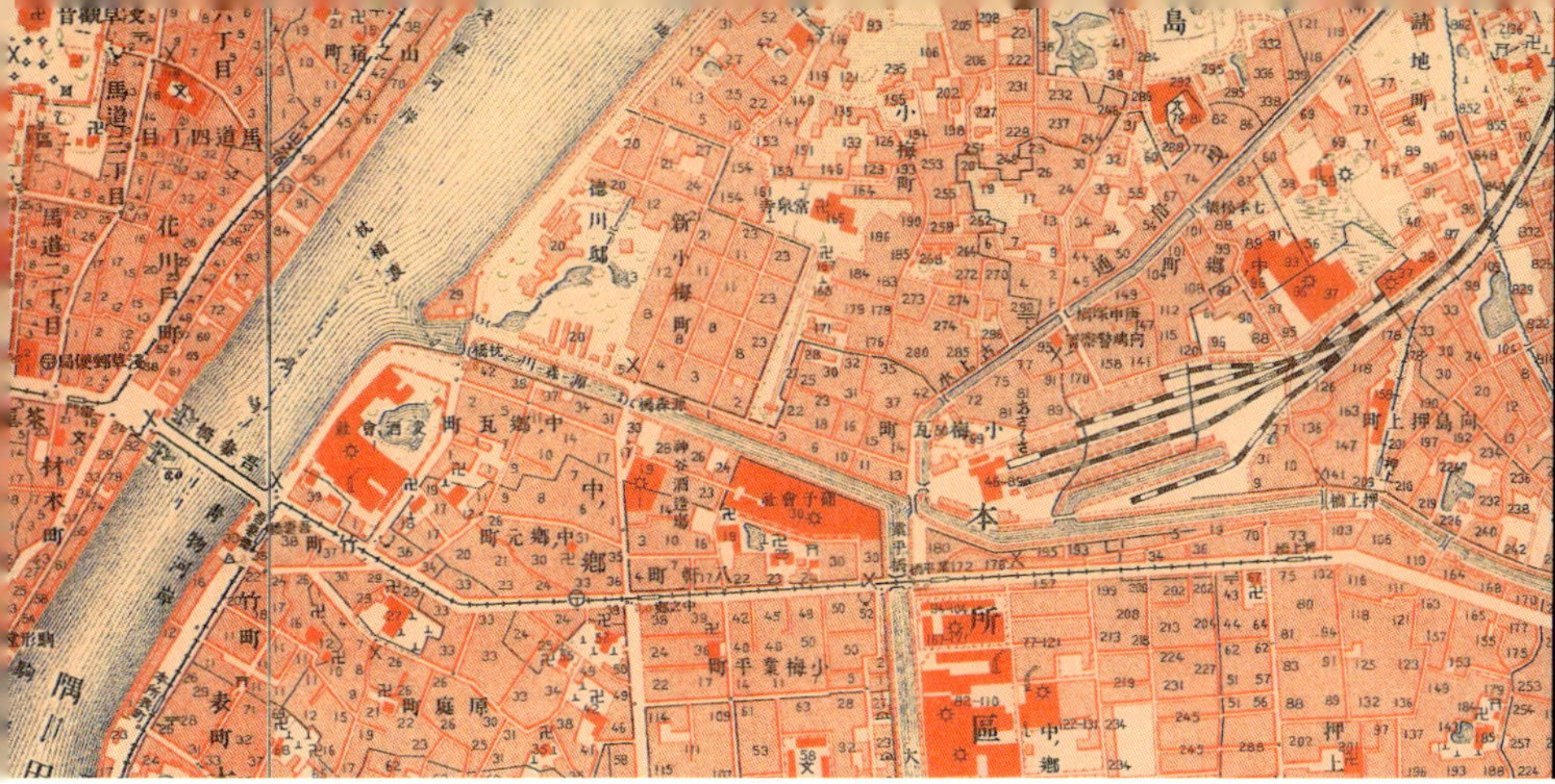

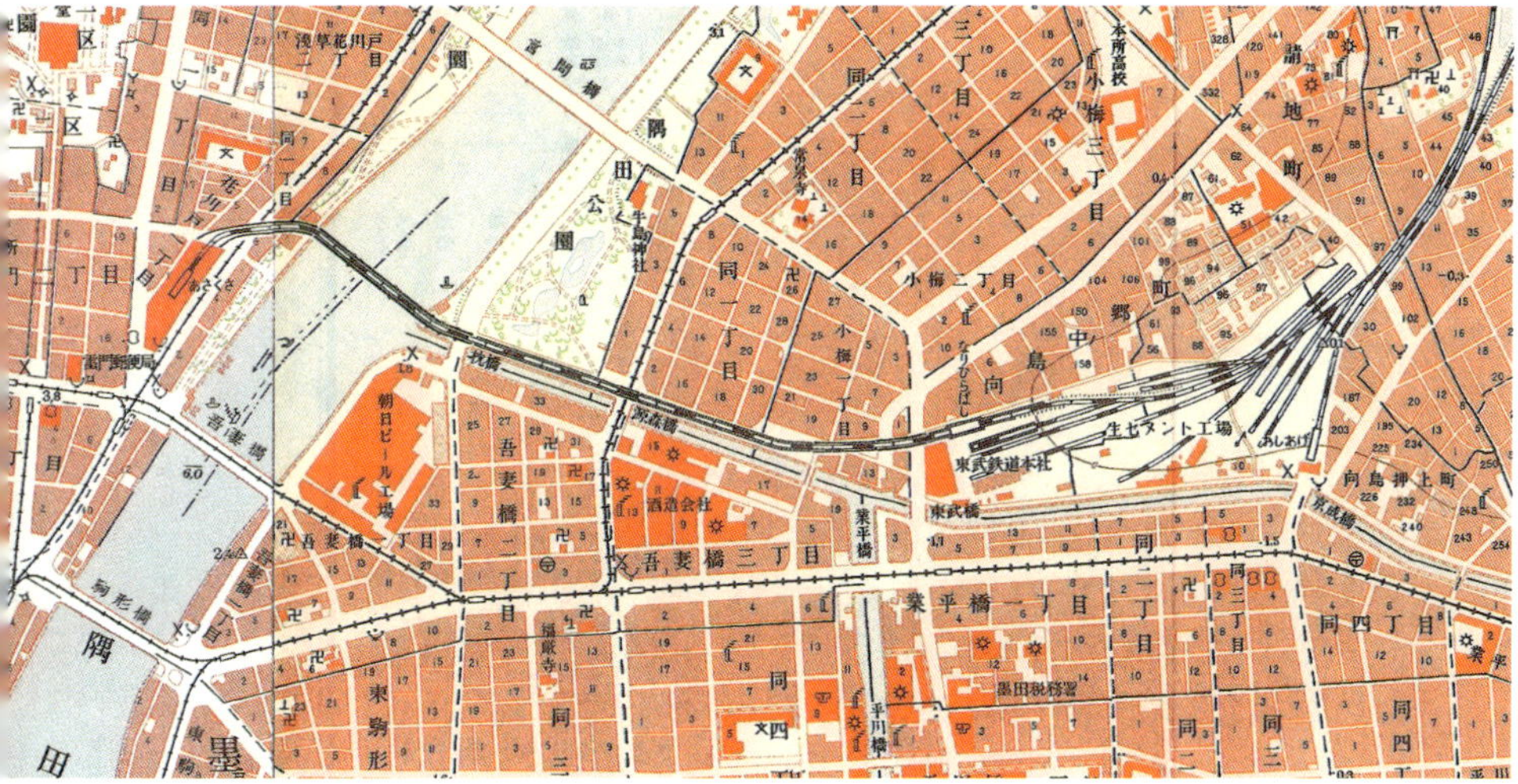

東武の浅草進出

（上）大正５年（1916）東武鉄道浅草駅（旧）：明治37年（1904）廃止の吾妻橋駅が明治41年に貨物営業を再開。明治43年に旅客営業を再開し浅草に改称。さらに昭和6年（1931）業平橋へ改称した。1:10,000「上野」大正５年修正＋「向島」大正５年修正　70%

（下）昭和33年（1958）東武鉄道浅草駅（新）と業平橋駅：業平橋は貨物ターミナル駅として健在。とくに佐野線葛生駅からのセメントは隣接工場で生コンとなり、地下鉄建設など高度成長期の東京を支えた。1:10,000「上野」昭和31年修正＋「向島」昭和33年修正　70%

東武鉄道はこれを機に、一旦廃止した吾妻橋〜曳舟間を明治41年（1908）に再開して貨物営業を始め、2年後の同43年には両国橋起点の旅客列車を吾妻橋に戻している。その際、駅名も「浅草」に改めた。駅には鉄道工場を併設し、北十間川に通じる船渠《せんきょ》（ドック）と、貨物の水陸接続ができる施設も設けている。同43年7月には東京市電がすぐ近くの業平橋停留場まで延伸され、都心への交通は大幅に便利になった。

昭和初め頃　浅草雷門駅：東京地下鉄道の浅草駅入口（上右）、松屋が入った駅ターミナル周辺（上左）、切符を販売する女性職員（下）。『写真で見る東武鉄道80年』より

『東武鉄道百年史』によれば、旅客列車の両国橋から浅草駅への起点変更について「総武鉄道の国有化により乗り入れが困難になったというだけでなく、土地買収そのほかで建設が難渋《なんじゅう》していた当社の越中島《えっちゅうじま》線計画の問題があった」としている。この越中島線は亀戸線を亀戸からさらに現在の越中島貨物線（亀戸〜小名木川《おなぎがわ》間は昭和4年開業）に似たルートで南下させて越中島に至り、そこから新橋方面へ接続するという都心乗り入れ計画の一環であったが、急速な市街化が進む城東地区での土地買収が難航、結局は断念して明治44年（1911）2月には越中島線の敷設免許を返上した。

その後は関東大震災翌月の大正12年（1923）10月、東武は浅草駅（旧）から花川戸《はなかわど》（現在の浅草駅）を経由して上野に至る鉄道敷設免許を申請している。都心部への利便性向上のためだが、当時すでに東京地下鉄道（東京メ

平成24年（2012）浅草駅：
昭和49年（1974）の改修工事で外観がアルミ製のカバー材で覆われていたが、この年に開業時に近い姿でリニューアルされた。写真撮影：村多正

トロの前身）が浅草～新橋間に敷設計画を持っていたため、上野～浅草間が重複すること、また震災復興事業の詳細が未確定であったこともあり、重複しない浅草駅から花川戸までの1・1キロのみが認められた。

　浅草雷門《かみなりもん》と名付けられた新ターミナルビルの2階に列車は発着することとなり、前述のようにデパートの松屋も入っている。当時東京や大阪で流行していたターミナルデパートだ。免許の申請から8年越しの昭和6年（1931）のことである。その間には復興事業で設けられた隅田公園計画との調整、地元・本所区や浅草区花川戸町の反対運動などもあったが、この区間の開業により、当時東京随一の繁華街であった浅草の、駅名の通りまさに雷門から至近距離にターミナルを置いたことで、利便性は飛躍的に高まった。一足先に開業していた浅草～上野間の東京地下鉄道は昭和5年（1930）にはすでに上野広小路《ひろこうじ》を経て万世橋《まんせいばし》まで延伸開業しており、6年11月には神田《かんだ》、7年末には京橋、9年には新橋までと延伸を果たし、日本橋や銀座へのアクセスも格段に改善されている。

京成の都心乗り入れの苦労

　東武の旧浅草駅にほど近い押上をターミナルとして始まった京成電気軌道（現京成電鉄）も、当然ながら都心乗り入れを切望していた。まだ微々たる輸送量しかなかった創業当時は、路面電車のような1両のみの小型電車をそのまま市電に乗り入れる状況を想定して軌間をそちらに合わせたのだろうが、第一次世界大戦を経て乗客数がうなぎ登りに増えてくると、やはり自社の線路を都心へ乗り入れたくなるのが人情というものだ。

　そのような中で京成は大正11年（1922）に荒川駅（現八広《やひろ》駅）付

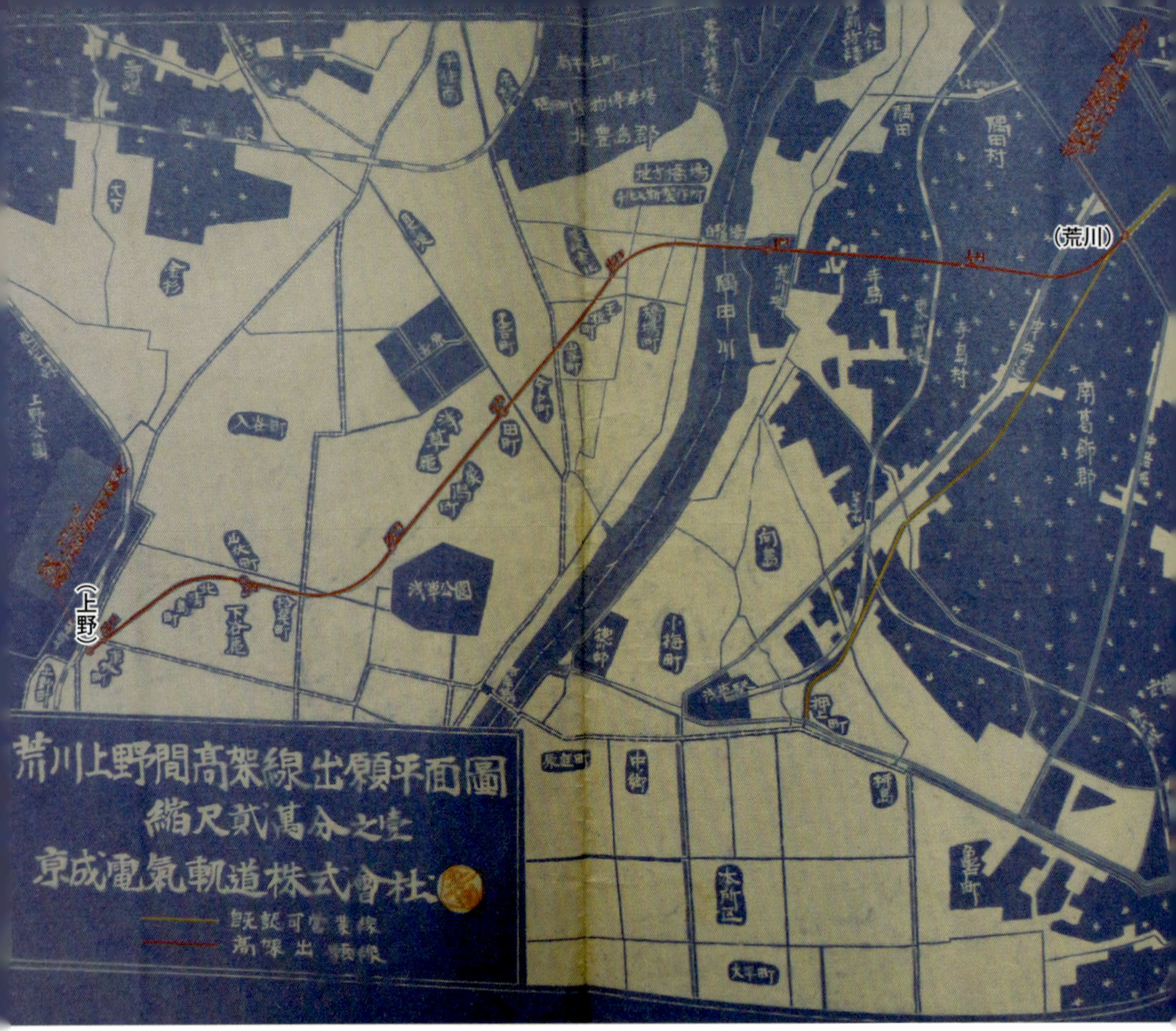

大正 11 年（1922）幻の「京成都心アクセス線」：京成電気軌道が特許出願した荒川（現八広）から上野に至る路線を示す「荒川上野間高架線出願平面図」。鉄道省文書「鉄道免許・京成電気軌道（京成電鉄）7　大正 11 ～ 14 年」（国立公文書館蔵）より

近から白鬚橋《しらひげばし》を通り、浅草公園の北西をかすめて上野駅へ直結する、なかなか線形の良い新線の建設を申請している。高架複線のかなり工費の嵩む計画であったが、結局これは震災復興事業とのからみもあってか却下され、同13年には押上の少し北側から分岐して浅草花川戸町への事実上の延長線を申請する。しかしこれは東武の花川戸線とほぼ並走する形で競合し、結果的には東武に軍配が上がって断念。代わって青砥《あおと》で分岐し、千住大橋付近を経て日《にっ》暮《ぽ》里から上野を目指す少々遠回りの現在ルートに方針を変更した。

　このルートは未成線にとどまっていた「筑波《つくば》高速度電気鉄道」の免許の一部を利用したものである。同電鉄は上野から日暮里、千住、西新井《にしあらい》、流山《ながれやま》、守谷《もりや》、谷田部《やたべ》（つくば市）を経て筑波山麓の筑波駅（つくば市臼井《うすい》付近）に至るもので、千住付近から松戸《まつど》へ向かう支線の免許もあった。そこで京成は

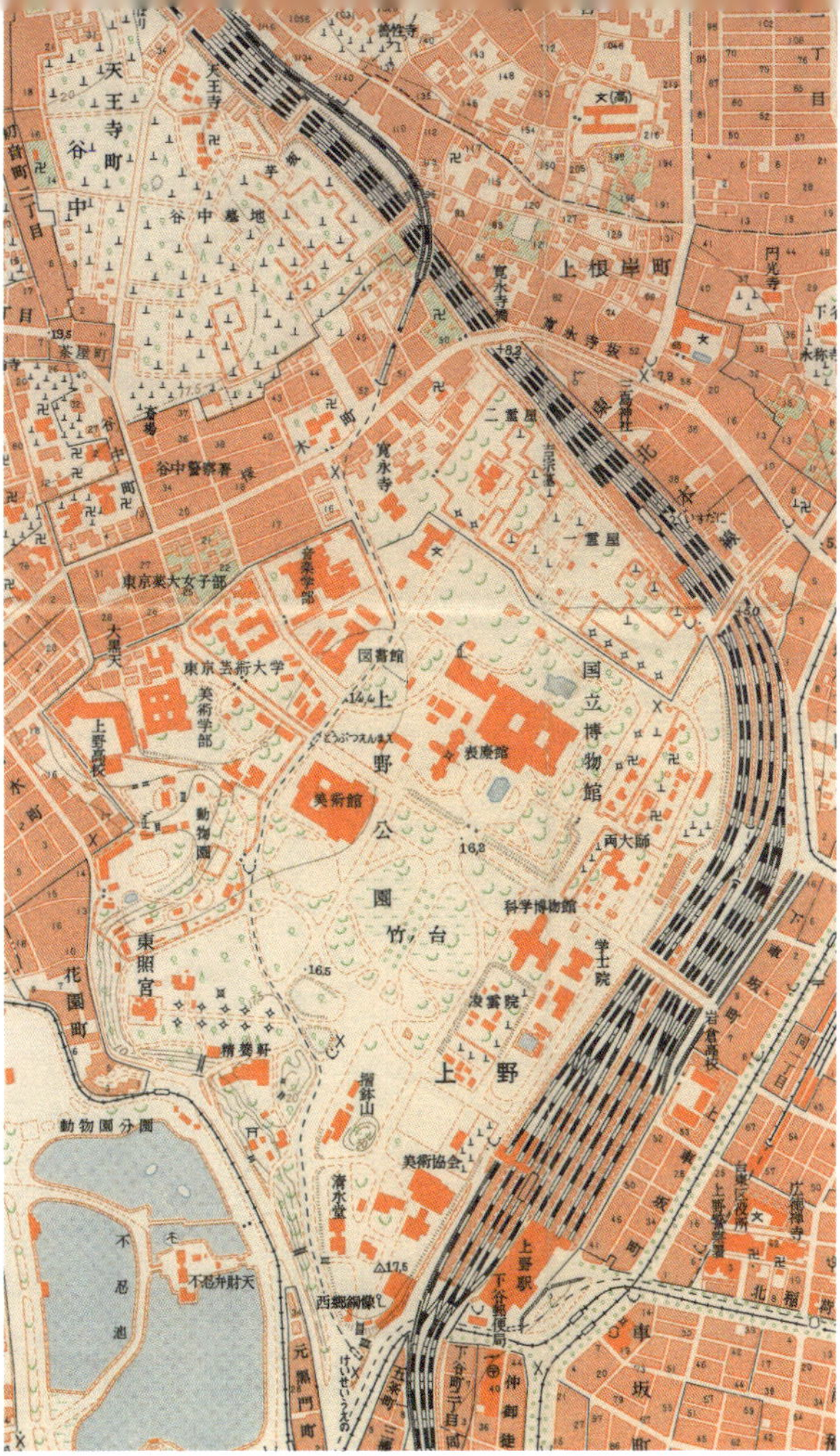

昭和 31 年（1956）日暮里～京成上野間：昭和 8 年（1933）に念願の上野開業を果たした京成電気軌道。寛永寺と上野公園などへの配慮により曲がりくねった線形となった。京成上野駅は昭和 28 年に上野公園から改称。1:10,000「上野」昭和 31 年修正　64%

昭和 8 年（1933）上野公園付近の地下線工事：道路を開削した箱型トンネルと、公園の樹木等保全のため地下を掘り抜いた馬蹄形トンネルとの接合部。『京成電鉄五十五年史』より

昭和 11 年（1936）頃　上野公園駅銅像下入口：現在の京成上野駅正面口付近。入口脇の西郷隆盛像前へと上って行く急な石段は、現在と変わらない。「京成電車沿線案内」より

同社を合併、この中から本線と支線の一部を使って電気軌道の敷設特許を改めて申請したのである。

この路線はめでたく認められて昭和6年（1931）に日暮里まで、同8年にはようやく上野公園（現京成上野）までを延伸した。このうち特に日暮里～上野公園間は地下線となったために寛永寺《かんえいじ》や地元などから反対があり、さらに公園の樹木に影響を与えないよう東京市当局から釘を刺されるなど、工事には細かい配慮が必要であった。

早稲田を目指した西武新宿線

　西武新宿線の上り電車は高田馬場《たかだのばば》へ進入する手前で大きく減速する。急カーブを右へ曲がりながら山手線の下をくぐり、さらに急勾配を上がって高田馬場駅に入っていく難儀な線形が待ち受けているからだが、なぜこれほど無理をしてまで山手線の内側に入ろうとしたのだろうか。西武新宿へ延伸したのは戦後になってからだが、実は新宿ではなく早稲田へ向かうためであった。

　戦前の旧西武鉄道は苦難の歴史を経ている。詳細は第5章で述べるが、所《ところ》沢《ざわ》方面の自社の乗客をライバルの武蔵野鉄道（現西武池袋線）に奪われないために自前で都心へ出る路線を計画した。当初は起点を目白《めじろ》に予定していたのが、後に早稲田に変更している。これは前述の「東京市営地下鉄」6号線が池袋から早稲田、飯田橋を経て都心部へのルートで計画されたので、これに接続するためであろう。

　ただし新宿線（当時は村山《むらやま》線と称した）が開業した翌月の昭和2年（1927）5月に、「早稲田延長線工事施行認可申請期限延期ノ件」として府知事が鉄道大臣に宛てた文書には「御省計画ニ係ル客車操車場及貨物駅新設ニ伴ヒ設計ヲ確定スルコト能ハス、従ヒテ東京市地下鉄道トノ連絡協定ニ付《つき》テモ未《いま》タ《だ》交渉ヲ開始セサル状態ニ付、更ニ一ヶ年間延期ヲ申請セルモノニシテ」としている。山手線は大正14年（1925）に電車専用線を開通させ、旅客・貨物を分けた複々線にしたばかりで、新大久保《しんおおくぼ》付近に「戸山原《とやまがはら》貨物駅」を建設する計画を持っていた。

　しかし結局これは建設されないまま、おそらく戦争などの影響で断念されている。加えて緊縮財政の影響で市営地下鉄計画の方も進まず、早稲田起点は宙に浮いたまま戦後を迎えた。その後

昭和35年（1960）高田馬場駅前の都電停留場：ここから飯田橋を経て茅場町に至る都電15系統が、西武の夢に消えた早稲田連絡を担った。
写真提供：新宿区立新宿歴史博物館

早稲田進出の夢の跡

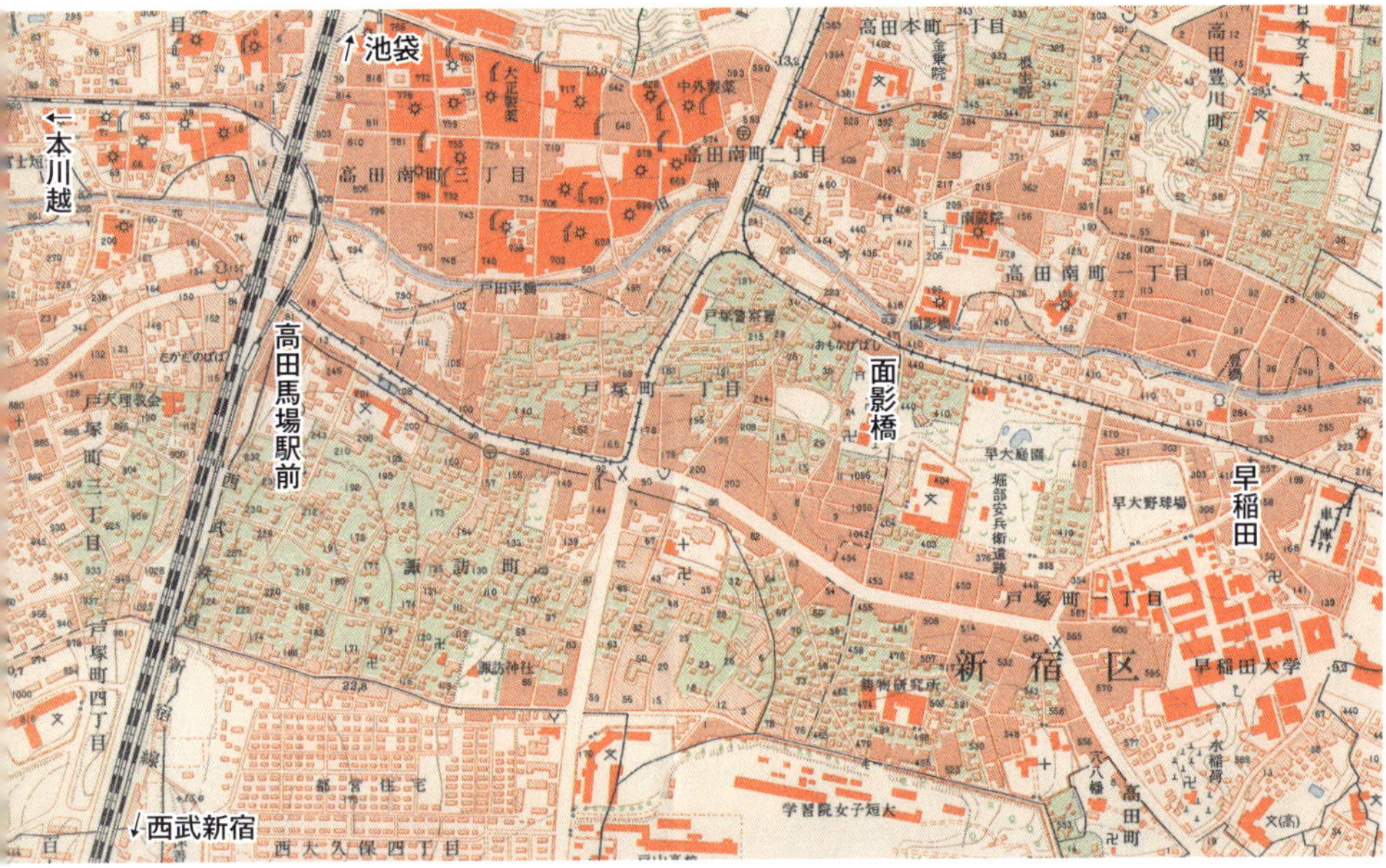

（上）昭和４年（1929）高田馬場駅と早稲田周辺：急カーブで高田馬場駅に入る西武鉄道村山線（現新宿線）。次の目的地・早稲田周辺には、北から面影橋止まりの王子電気軌道（現都電荒川線）と東から早稲田止まりの東京市電が見える。1:10,000「早稲田」昭和４年修正　63%

（下）昭和 31 年（1956）都電が担う早稲田への連絡：昭和５年（1930）王子電気軌道が早稲田へ延伸し市電に接続。市電は昭和 17 年に王電を買収、翌年には都電となり、昭和 24 年に面影橋～高田馬場駅前間を開業した。1:10,000「池袋」昭和 31 年修正　63%

昭和39年（1964）西武新宿駅：昭和27年（1952）開業。当初は「仮駅」の扱いで、のちに国鉄新宿駅東口まで乗り入れる予定であった。写真提供：新宿区立新宿歴史博物館

は改めて新宿駅への延伸に方向転換する。当初予定では国鉄新宿駅に乗り入れるべく、新宿ステーションビルの2階にはそのスペースも用意されたが結局は実現せず、仮駅のはずだった西武新宿駅で止まっている。断念の原因については沿線人口が急増していた同線のターミナルとして狭すぎたなど諸説あるようだ。

地下鉄との相互乗り入れへ

これまで取り上げた各線のその後を振り返ってみると、まず東急東横線は昭和39年（1964）に開業した営団地下鉄日比谷線が中目黒で接続、同年8月から相互直通運転を行っている。これで六本木や日比谷が直通になったので、大正末の都心直通構想は曲がりなりにも達成されたことになろう。

さらに平成25年（2013）には東京メトロ副都心線が開業して、地下化した渋谷駅で東横線と接続、横浜の元《もと》町《まち》・中華街《ちゅうかがい》駅から渋谷、新宿三丁目、池袋を経て西武池袋線と東武東上線への長距離直通運転が行われるようになっている。

京急は昭和43年（1968）に泉岳《せんがく》寺《じ》~品川間のひと駅を開業、都営地下鉄1号線（現浅草線）と相互直通運転を開始した。これにより江戸橋（現日本橋）や東銀座、新橋という都心部への直通も実現した。

東武は昭和37年（1962）に伊勢《いせ》崎《さき》線北千住駅から営団日比谷線に入り、北越谷《こしがや》から人形町までの直通運転を開始、同39年には全通して東横線の中目黒駅まで達している。平成15年（2003）には地下鉄半蔵門《はんぞうもん》線が水《すい》天宮前《てんぐうまえ》~押上間を開業、東武が曳舟~押上間を開業したことにより、田園都市線からの相互直通運転が開始された。東武伊勢崎線としては直通する2本目の地下鉄であるが、押上から錦糸町を経由して都心に至るルートは、遠く明

治44年（1911）に断念した越中島線の夢の達成を思わせる。

京成電鉄は都営地下鉄との直通を前提に昭和34年（1959）に1372ミリから1435ミリに改軌、翌35年に開業した都営地下鉄1号線の押上～浅草橋間に乗り入れているが、これが日本の国鉄・私鉄を通して地下鉄との相互乗り入れの第1号となった。

戦後相次いで開業した、相互直通を前提とした規格の地下鉄により、外縁部のターミナルにとどまっていた多くの私鉄が都心との直通を成し遂げた。さしもの「万里の長城」も事実上の崩壊を迎えたことになるが、長くこのバリアが存在したからこそ新宿、渋谷、池袋などの「副都心」が誕生し、それぞれの発展を遂げていることを考えれば、結果としてこの長城も無駄ではなかったのかもしれない。

昭和30年代　地下鉄との相互乗入で念願の都心直通：京成電鉄と都営地下鉄1号線（現浅草線）（上／昭和35年／『京浜急行80年の歩み』より）、東武鉄道と営団地下鉄（現東京メトロ）日比谷線（下／昭和37年／『写真で見る東武鉄道80年』より）。

駅名こぼれ話

港区に品川駅、品川区に目黒駅がある理由

品川駅が品川区でなく港区にある、というのは有名な話だ。同様に目黒駅の所在地は目黒区でなく品川区。この手の話題には必ず「鉄道の建設に反対した」といった忌避説がささやかれてしまうのだが、そもそも明治大正期の蒸気機関車が停まる駅といえば、旅客を扱う駅舎とホーム、それに貨物積み卸し施設を併設できる広い敷地を、しかも地盤が良く平坦な土地に確保する必要があった。家屋の立ち退きを最小限に抑えようとすれば候補地は限られてくるし、おまけに後年に強力なライバルとなる自動車も存在しなかったから、乗客には多少歩かせても問題ない。しかも駅名は通りの良いものを選ぶ。その結果が現状だろう。都市伝説に惑わされないように。

4

乗客をより早く目的地へ

これぞ鉄道の王道

日光への東武「スペーシア」と箱根への小田急「ロマンスカー」。東京都心から近郊観光地への私鉄特急の双璧ともいえる。ルーツは昭和初期の「高速電気鉄道」時代の幕開けにまで遡る。

日光へ向かった無名のSL超特急

　昭和5年（1930）某日の朝8時20分。蒸気機関車を先頭に客車を何両か繋いだ列車が上野駅の列車ホームを発車した。次の赤羽《あかばね》駅は8時32分発である。轟音《ごうおん》を立てて荒川《あらかわ》の鉄橋を渡り終えると列車はぐんぐん加速していく。なんと大宮駅を通過。聞けば次の停車駅は赤羽から100キロ近くも先の宇都宮だという。当時1日2往復していた青森や秋田方面への急行列車でさえ赤羽、大宮、小山《おやま》と順当に停車するのに（当時特急はなかった）、この無名列車は宇都宮まで無停車なのだ。

　しかもやけに速い。上野～宇都宮間（当時105・9キロ）の急行が2本とも1時間58分をかけているのに対して、この列車はわずか1時間34分である。停車時分を含む平均である「表定速度」を出してみると、急行の時速53・8キロに対して67・6キロと格段に速く、この年の10月改正で登場した東海道本線の特別急行「燕《つばめ》」の時速68・2キロ（東京～大阪。御殿場《ごてんば》経由）と比べても遜色ない。ちなみに平成27年（2015）の快速「ラビット」は、もちろん途中の停車駅が多いとはいえ1時間30分程度だから、この無名列車のまさに時代離れしたスピードがわかる。

　この列車は宇都宮で4分間停車して機関車を前から後へ付け替え、向きを変えて日光線へ入っていく。その先も再びノンストップで今市も通過し、日光に着くのが10時50分。上野から日光

昭和5年（1930）無名の「SL超特急」時刻表：東北本線と日光線を走った801列車。赤羽から宇都宮までは異例のノンストップ運転だった。『汽車時間表』昭和5年10月号より

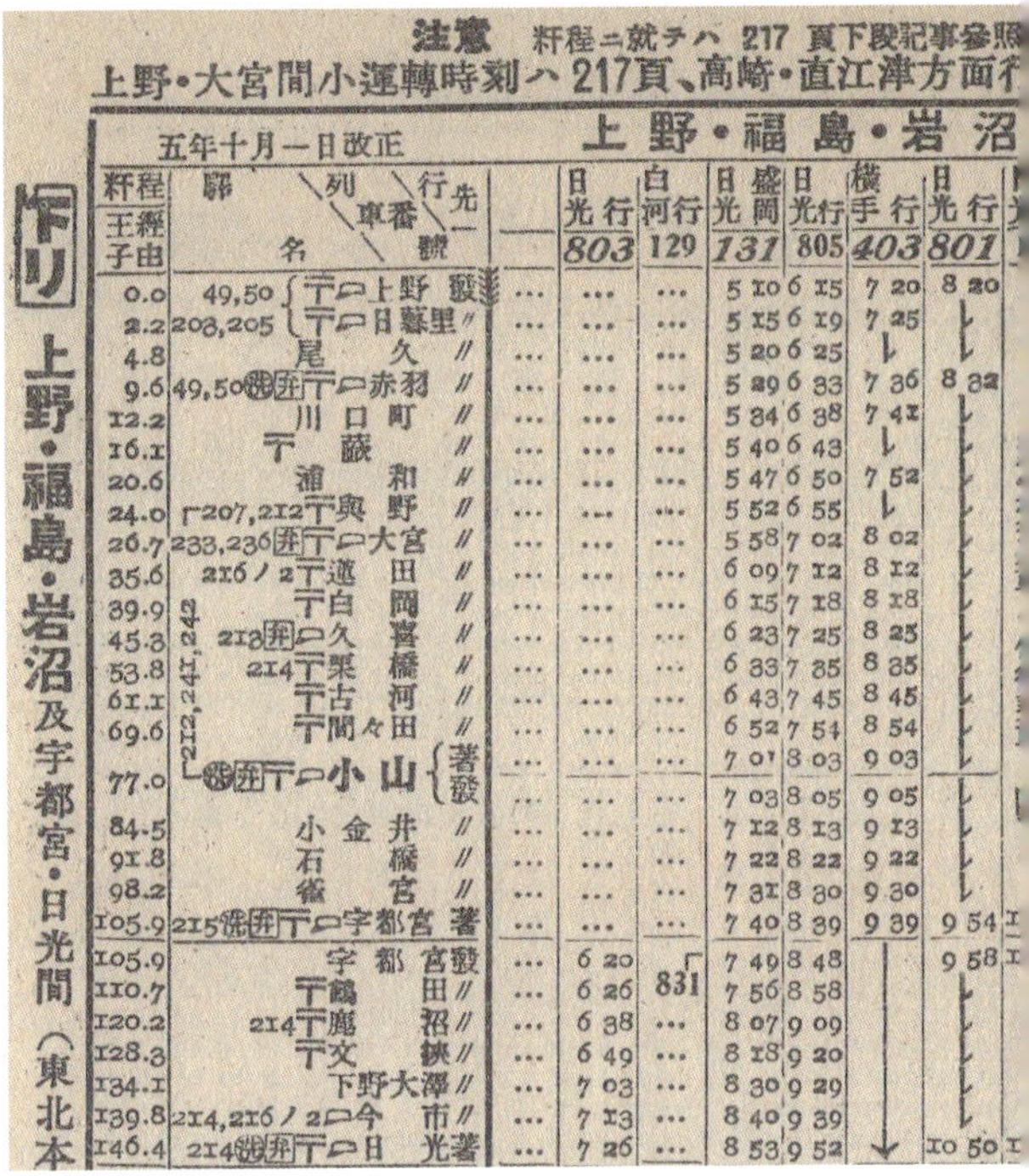

注意 粁程ニ就テハ 217 頁下段記事参照
上野・大宮間小運轉時刻ハ217頁、高崎・直江津方面行

下り 上野・福島・岩沼及宇都宮・日光間（東北本

上野・福島・岩沼

五年十月一日改正

粁程	王子經由	驛名	列車番號		日光行 803	白河行 129	日光 盛岡 131	日光行 805	横手行 403	日光行 801
0.0	49,50	上野	發	…	…	…	5 10	6 15	7 20	8 20
2.2	208,205	日暮里	〃	…	…	…	5 15	6 19	7 25	レ
4.8		尾久	〃	…	…	…	5 20	6 25	レ	レ
9.6	49,50	赤羽	〃	…	…	…	5 29	6 33	7 36	8 32
12.2		川口町	〃	…	…	…	5 34	6 38	7 41	レ
16.1		蕨	〃	…	…	…	5 40	6 43	レ	レ
20.6		浦和	〃	…	…	…	5 47	6 50	7 52	レ
24.0	207,212	與野	〃	…	…	…	5 52	6 55	レ	レ
26.7	233,236	大宮	〃	…	…	…	5 58	7 02	8 02	レ
35.6	216ノ2	蓮田	〃	…	…	…	6 09	7 12	8 12	レ
39.9		白岡	〃	…	…	…	6 15	7 18	8 18	レ
45.3	213	久喜	〃	…	…	…	6 23	7 25	8 25	レ
53.8	214	栗橋	〃	…	…	…	6 33	7 35	8 35	レ
61.1	212,241,242	古河	〃	…	…	…	6 43	7 45	8 45	レ
69.6		間々田	〃	…	…	…	6 52	7 54	8 54	レ
77.0		小山	著	…	…	…	7 01	8 03	9 03	レ
			發	…	…	…	7 03	8 05	9 05	レ
84.5		小金井	〃	…	…	…	7 12	8 13	9 13	レ
91.8		石橋	〃	…	…	…	7 22	8 22	9 22	レ
98.2		雀宮	〃	…	…	…	7 31	8 30	9 30	レ
105.9	215	宇都宮	著	…	…	…	7 40	8 39	9 39	9 54
105.9		宇都宮	發	…	6 20	831	7 49	8 48	↓	9 58
110.7		鶴田	〃	…	6 26		7 56	8 58		レ
120.2	214	鹿沼	〃	…	6 38	…	8 07	9 09		レ
128.3		文挾	〃	…	6 49	…	8 18	9 20		レ
134.1		下野大澤	〃	…	7 03	…	8 30	9 29		レ
139.8	214,216ノ2	今市	〃	…	7 13	…	8 40	9 39		レ
146.4	214	日光	著	…	7 26	…	8 53	9 52	↓	10 50

明治14年（1881）日光東照宮の賑わい：日光は東照宮の門前町として多くの参詣客で賑わう有数の観光地だった。長らく明治23年（1890）開業の日光線の独占状態が続いたが、昭和4年（1929）の東武日光線の開業とともに熾烈なスピード競争が始まった。「日光山鎮座東照宮之図」。『明治大正図誌』より

までちょうど2時間30分で、前年のダイヤなら直通列車で4時間10～20分（各駅停車のみ）を要したこの区間の所要時間を、この列車は一気に4割も短縮したのである。

　スピードアップの理由は、時刻表を6ページほど遡ってみれば一目瞭然だ。昭和4年（1929）10月1日に全線開業したばかりの東武《とうぶ》日光線である。昭和5年4月の改正ダイヤによれば特急は1日に4往復運転されており、一番電車の時刻を見れば浅草発5時55分、杉戸（現東武動物公園）6時38分、栃木7時23分、下今市8時10分、終点の東武日光が8時19分となっている。所要時間は例の省線（国鉄）の無名の超特急の2時間30分よりわずかに短い2時間24分で、東武の挑戦を受けた鉄道省が、これまで実直に各駅に停まる列車だけであったのを改め、朝のほどよい時間設定でそちらに匹敵するスピードの観光列車を走らせたと考えるしかない。まさに鉄道省のメンツを賭けた勝負であったようだ。

高速規格で登場した東武日光線

　有力な養蚕《ようさん》地帯として明治に入ってから発展が著しかった両毛《りょうもう》地方（群馬県・栃木県）の中心・足利《あしかが》と東京を結ぶことを主目的に設立されたのが東武鉄道で、蒸気機関車が牽引する「私設鉄道」として明治32年（1899）に北千住《きたせんじゅ》～久喜《くき》間39・9キロ（当時）でスタートした。

　当初の目的地である足利町《まち》駅（現足利市）までは明治40年（1907）、さらに同43年には伊勢崎《いせさき》まで延伸して全通するが、その後は日本経済の急速な発展による通勤・通学需要の拡大などを受け、大正13年（1924）には浅草《あさくさ》(現とうきょうスカイツリー駅)～西新井《にしあらい》間を電化、その3年後の昭和2年（1927）には伊勢崎まで全線の電化を完成している。

　国民の所得が向上し、生活に余裕が出てくると必然的に「観光旅行」が急速に普及していくが、各鉄道会社もこの流れに乗り、旧来の神社仏閣に加えて新たな観光地も開発、そこへ向けての旅客誘致に率先して取り組むように

大正13年（1924）東武鉄道浅草（現とうきょうスカイツリー）駅：電化開業当初の駅舎。日光線開業以前なので屋根上の看板に「日光」はない。『写真で見る東武鉄道80年』より

なった。各社は競って快適な優等列車を走らせるなどしてサービスに努め、東武鉄道でも東照宮《とうしょうぐう》や二荒山《ふたらさん》神社の門前町・日光への路線を構想する。しかも旧来の単線の蒸気鉄道ではなく、最急曲線15チェーン（約302メートル。東武日光駅の直前の8チェーンを除く）と緩く直線区間の目立つ線形で、高速走行を前提とした複線電化路線としての登場であった。

　当初の構想では伊勢崎線の館林《たてばやし》駅から佐野《さの》線で北上、石灰鉱山のお膝元・葛生《くずう》の南隣に位置する多田《ただ》駅付近から分岐して東側の山を越え、ちょうど現在の東北自動車道沿いに家中《いえなか》へ出て、あとは現在と同様に鹿沼《かぬま》を経て今《いま》市《いち》へ向かう敷設免許を申請し、大正元年（1912）に仮免許状を得ていた。しかし綿密に調べてみると山越えルートが険しく現実的でないことや、栃木町（現栃木市）からの熱心な誘致運動もあって、伊勢崎線の杉戸《すぎと》駅（現東武動物公園）から分岐する現在のルートが決まった。

　もちろん杉戸駅は伊勢崎線が利根《とね》川を渡る手前に位置しているので、もしここで分岐するなら日光線にも利根川への架橋が必要となって予算は大きく膨れ上がる。しかし『東武鉄道百年史』によれば、計画当時はちょうど第一次大戦後の好景気にもあたったため、社長の根津嘉一郎《ねづかいちろう》自身が地図に色鉛筆でさーっと線を引き、それがほぼ決定ルートになったという。

　このあたりで大胆な決断ができるかどうかが経営者の資質として重要なところだが、従前の佐野線利用ルートでは、たとえ開通しても遠回りで急勾配区間があることから、速達性が大きく犠牲になったのは間違いない。その後の東武日光線が国鉄に終始優位に立つことができたのも、この時の決断があったればこそであろう。新ルートを選んだ結果、東武（浅草～東武日光）は国鉄（上野～日光）より約12キロも短く、しかも相手は宇都宮駅での方向転換というハンディもあったために、その差は大きなものとなった。

昭和２年（1927）頃　利根川架橋工事：
東武日光線最大の難工事だった。費用の面でも栗橋～栃木間の工事費総額のうち４分の１近くを占めた。『写真で見る東武鉄道80年』より

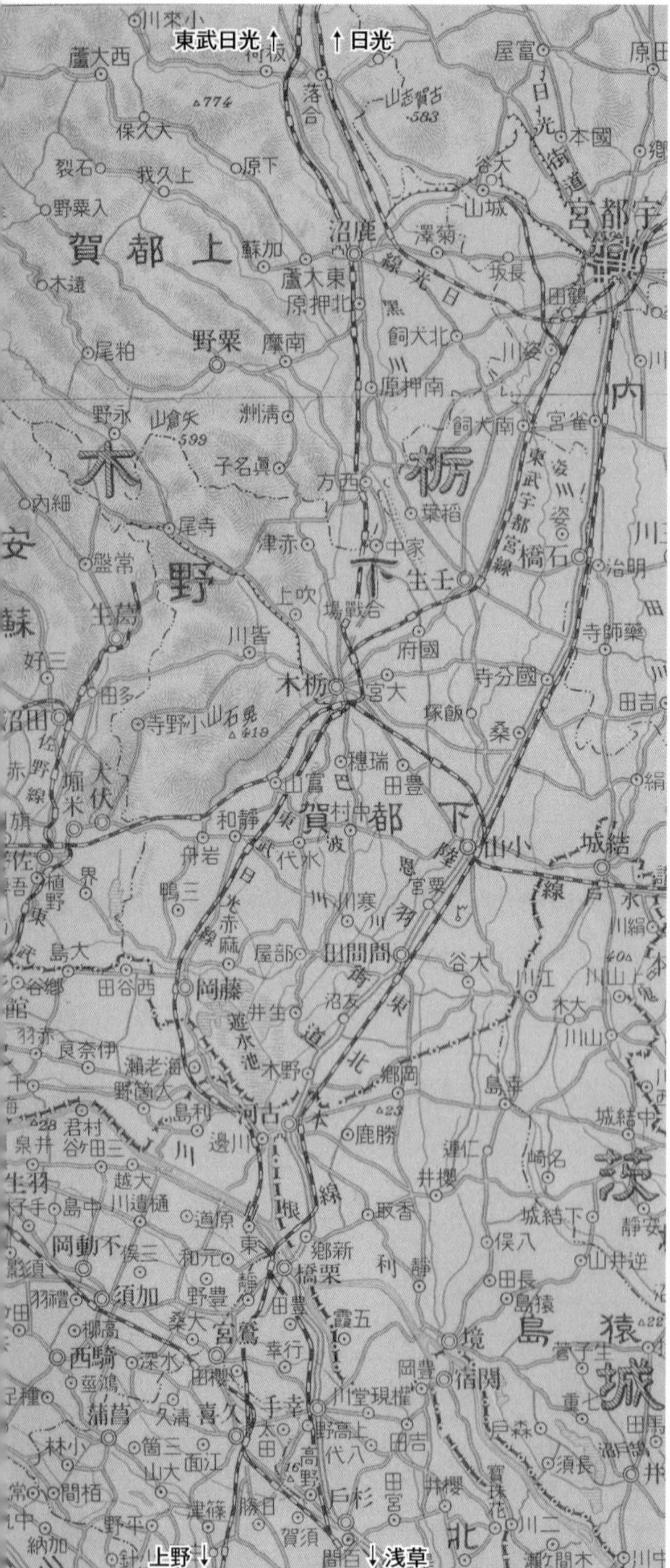

昭和11年（1936）東武日光線と東北本線・日光線：東武鉄道では当初、日光へのルートを館林から佐野を経由する計画だったが、後に杉戸（現東武動物公園、図の南端付近）で分岐する現ルートに変更、国鉄より短い距離で結んだ。とくに栃木〜鹿沼付近はいかにも「高速電気鉄道」らしい線形となっている。1:500,000 輿地図（よちず）「東京」昭和11年修正　125%

東武日光駅は国鉄日光駅のすぐ西側に設置されたが、当初計画では1・5キロほど先の神橋《しんきょう》あたりへの設置を計画していた。まさに輪王寺《りんのうじ》の真下で、東照宮にも歩いて10分程度の至近距離となるので観光客誘致に有利なことは間違いないが、長らく門前町として栄えてきた旧市街の各町にとって、参詣客に素通りされては死活問題である。「新駅は国鉄日光駅の近くに」との強い要望を受けて現在地に決まったという。

東武日光線が全通した昭和4年（1929）といえば「世界恐慌《きょうこう》」の年であるが、それにもかかわらず日光への観光客は東武の開通により急増した。「日光の客は（従来）三十萬許りであったものが、二、三年にして六、七十萬となり、更に百萬近くとなつ

（上）昭和 40 年（1965）頃　東武日光駅と国鉄日光駅：神橋を経て西へ向かう赤い線は、東武日光軌道線の路面電車。馬返まで通じ、ケーブルカー・ロープウェイに接続し華厳滝や中禅寺湖への観光輸送を担った。軌道線は昭和 43 年（1968）廃止。観光展望社「日光国立公園観光案内図」より

（下）平成 23 年（2011）東武日光駅と JR 日光駅：平成 18 年（2006）に東武と JR の特急の相互乗り入れが栗橋駅を介して始まり、東武日光駅へ JR の特急が乗り入れるようになった。過去の熾烈な争いからは信じられないことが実現している。1:25,000「日光北部」平成 23 年更新　92%

た」という根津社長の言葉が『東武鉄道百年史』には『根津翁伝』（昭和36年）からの引用として掲載されている。

昭和6年（1931）には国立公園法が施行され、同9年には日光国立公園が誕生する。これから昭和12年（1937）に始まる日中戦争あたりまでは、戦前の「観光の時代」として各鉄道が最も注力した時期である。

いっそ小田急で逃げましょか

♪長い髪してマルクスボーイ　今日も抱える「赤い恋」♪

昭和4年（1929）に封切りした映画「東京行進曲」の主題歌として、当時の売れっ子作詞家・西條《さいじょう》八十《やそ》、作曲家・中山晋平《なかやましんぺい》のコンビで発表した主題歌の、公にならなかった歌詞の一節である。当時の自称インテリ青年の間では、ソ連の共産党幹部アレクサンドラ・コロンタイの小説『赤い恋』を読むのが（抱えるのが？）流行

昭和初め頃　新宿の盛観：関東大震災後発展に発展を重ね、百貨店のほか、大東京、松竹館、帝都座、武蔵野館といった映画館が次々と登場。附近一帯はカフェー、喫茶店、酒場が集まった。まさに「東京行進曲」の歌詞の世界である。所蔵：東京都立中央図書館

昭和２年（1927）開業当初の小田急新宿駅構内：新宿駅の西側の国鉄用地が払い下げられて開業し、現在に至る。ただし最初は地上４線ホームだった。『小田急50年』より

していたそうで、そんな風俗を巧みに歌い込んだものの、楽譜の発売元であるビクターの文芸部長が「官憲がうるさいから」と西條に書き直しを頼んだところ、先に挙げた部分を「シネマ見ましょか　お茶のみましょか　いっそ小田急で逃げましょか」と改作している。治安維持法などができるずっと以前ではあったが、それなりに官憲の圧力は感じられたのか、自主規制する風習はあったようだ。「憲法を守る集会」に会場を貸さない昨今の公民館などと似たようなものだろうか。

いずれにせよこの一節が、まだ本線を開業して2年の「小田急」を一躍有名にする。映画の前月には江ノ島《えのしま》線も開業しているが、経営の内実はかなり厳しかった。ある重役などはこの歌詞について「わが社の電車を駆け落ち電車みたいに書くとはけしからん」と怒ったそうだ。それでも『小田急五十年史』によれば、はるか後年のことではあったが会社は西條に対して終身、優待乗車証を贈って恩義に報いた、とある。

関東初の「高速電気鉄道」

小田急電鉄の前身、小田原《おだわら》急行鉄道は大正12年（1923）5月に設立された。それまで関東で電車を走らせる私鉄といえば、神社仏閣の参詣電鉄としてスタートした明治32年（1899）生まれの京浜《けいひん》電気鉄道をはじめ、大正に入ってやはり参詣電鉄の京成《けいせい》電気軌道や甲州《こうしゅう》街道沿いに八《はち》王子《おうじ》を結ぶ目的で登場した京王《けいおう》電気軌道などの、郊外の専用軌道を主体とする、路面電車よりはスピードアップされた電気軌道が主体であった。あとは東京市郊外の短距離輸送を担う玉川《たまがわ》電気鉄道や王子《おうじ》電気軌道、城東《じょうとう》電気軌道などの路面電車またはそれに類する低速電車がふつうだった。大正12年（1923）にはようやく軌道特許でなく鉄道免許で最初から電車を走らせた目黒蒲田《めぐろかまた》電鉄が不動産業の田園都市会社の系列で走り始めた段階である。その中で小田原急行鉄道の計画は、最初から複線電化で80キロを超える長距離を走り抜ける高速鉄道という位置づけで、まさに異色の存在であった。

その起業目論見《もくろみ》書から一部を抜粋する（『小田急五十年史』より孫引き。句読点を補った）。

昭和２年（1927）小田急開通記念凧揚げ：沿線の座間付近では慶事に大凧を揚げる習慣があり、小田急の社紋を描いた２つの大凧を揚げて祝った。『小田急50年』より

本起業ハ東京ヨリ厚木《あつぎ》地方ヲ過ギ小田原ニ至ル間ニ高速度電気鉄道ヲ敷設セントスルモノニシテ、過般《かはん》既ニ其筋ノ免許ヲ得タリ。（中略）本鉄道ハ官線鉄道ト相俟《あいま》ツテ行客貨物ノ輸送上多大ノ便益ヲ図ラントシ、起工後僅《わずか》ニ二ヶ年ヲ以テ完成セントスルモノニシテ、現在ノ官線ニ比較スレバ其距離ヲ短縮スルノミナラズ、之《これ》ヲ一時間平均約三十五哩《マイル》〔約56キロ〕ノ急速力ニテ駛走《しそう》スルガ故ニ、約一時間半ニシテ東京ヨリ小田原ニ達スルヲ得ベク（中略）本鉄道ハ東京小田原間ノ最短路ナレバ、時間ト運賃ノ関係上現今《げんこん》東海道線ヲ経由スル鉄道省貨物モ亦総《またすべ》テ本線路ヲ利用スルニ至ルベク、然《しか》ラバ本鉄道ノ発展ハ実ニ測リ知ルベカラザルモノニシテ、斯《か》カル優越セル利益ヲ永遠ニ保留スル起業ハ恐ラク他ノ企テ及ブ能《あた》ハザル所ナルベシ。

後段にある「東海道本線の貨物もすべて小田急経由になるはず」というのはいかにもハッタリの度が過ぎているけれど、その熱い意気込みは伝わってくる。わずか2年で完成させるというのは誇張どころか、実際には着工から1年5か月弱という驚くべきスピードで昭和2年（１９２７）の開業に漕《こ》ぎ着けた。もっとも急ぎすぎたためにいろいろな不具合が開業日から続出し、何本もの電車がベタ遅れとなり、新聞には早速さんざん叩かれている。もっともそれが小田急の存在を宣伝してくれたプラス効果もあったようだが。

利光鶴松がこだわった一流の電鉄

所要時間は82・8キロ（当時）をさすがに1時間半で走破するのは難しく、昭和4年（１９２９）の時刻表でも急行が1時間40分、普通は2時間3分となっている。それでも同年の東海道本線と熱海《あたみ》線を直通する国鉄の汽車なら2時間5分前後（小田原まで直通する急行はなし）だから、普通列車どうしでも互角で戦えるほどの俊足であった。実は国鉄も小田急が開通する直前まで2時間20分程度かけていたから、やはりこちらも東北・日光線と同様に慌ててスピードアップしたらしい。ちなみに現在の小田急では急行が1時間34分程度、ロマンスカー「はこね」が1時間12分である。

この高速度電気鉄道は関東では初めてであったが、関西にはすでに大正9年（１９２０）に開業した阪急《はんきゅう》こと阪《はん》神《しん》急行電鉄が梅田《うめだ》と神戸（といっても灘《なだ》区との境界近くの上筒井《かみつつい》の旧駅）を結んでいた。阪神間の山手側に直線的な線路を敷いて30・3キロを特急が30分（後に25分）で結ぶ高速電鉄で、小田急の社長・利光鶴松《としみつつるまつ》はこれに影響を受けたことは間違いないだろう。

「一流好み」だった利光は車両にも線路にもこだわりを見せ、レールは米国テネシー会社製を三井《みつい》物産経由で輸入（不足分は八幡《やはた》製鉄で補充）し、架線柱も当時は木柱が当たり前だったのをすべて鉄柱で揃え、これは今も多くの区間でそのまま使われている。変電所の機器も最新鋭で建物は鉄筋コンクリート2階建てとし、主な駅舎も切妻《きりづま》腰折れのギャンブレル屋根を採用したモダンなものとなった（現役で使われているのは向ヶ丘遊園《むこうがおかゆうえん》駅［開業時は稲田登戸］のみ）。車両は当時最新鋭の鋼製《こうせい》車両30両を日本車輛に発注している。内装は三等車にもかかわらず二等車（今で言えばグリーン車）と間違われるほどであったという。

新宿～小田原間は82・8キロに及んだが、この全線を一気に、しかも全線複線で開通させようとした。しかしさすがに無理で複線30・8キロ、単線52・0キロと単複混在状態でスタートしたため、これが開業時の混乱の一因になったらしい。全線の複線化は開業半年後の10月にずれ込んだが、早々にそれを実現したのは特筆に値する。

画期的だった相模大野の立体分岐

昭和4年（1929）に開業した江ノ島線との立体交差による分岐も画期的であった。分岐地点は桑畑と雑木林の広がる高座《こうざ》郡大野村で、ここに大野信号所（現相模大野駅）を設けたが、小田原線の上下線と江ノ島線の上り線が立体交差する形としたのである。半年ほど前にこれを採用した新京阪《しんけいはん》（現阪急京都本線）の桂《かつら》駅での嵐山《あらしやま》線の分岐に続くものであった（阪急嵐山線は戦時中に単線化されたので現在立体分岐ではない）。

小田原線の下り列車と江ノ島線の上り列車が平面交差しないことによりダイヤ作成上のネックがなく、遅延の原因も除去できる方法で、現在では当たり前のように用いられている。しかしそれでも大宮駅構内の東北本線と高崎《たかさき》線の平面交差が解消されたのは戦後の昭和41年（1966）であったし、京王電鉄に至っては調布《ちょうふ》駅での京王・相

平成20年（2008）向ヶ丘遊園駅北口駅舎：
小田急開業当初の主要駅はモダンなギャンブレル屋根の駅舎で、現在その姿をとどめているのはここだけになった。写真撮影：村多正

模原両線の平面交差が解消されたのは平成24年（2012）の地下化の際で、小田急の立体分岐より遅れること実に83年後のことである。

昭和２年（1927）稲田登戸（現向ヶ丘遊園）駅構内：開業当初から複線電化路線。右に停車しているのは、当時最新鋭の鋼製車両のうち近距離用の1形。『小田急50年』より

さて、速くて快適なのはよかったのだが、小田急の弱点は何と言っても沿線人口の希薄さであった。起業目論見書には原町田《はらまちだ》や厚木、伊勢原《いせはら》、秦野《はだの》などの都市が連なっていずれも「商業殷賑《いんしん》」とあって貨客が鈴なりのはずが、現実はそう甘いものではなかった。江ノ島線が開業した昭和4年（1929）の秋に始まる世界恐慌の影響もあり、すぐに厳しい経費節減を迫られる。同5年上期まではなんとか5分の配当を出していたが、その後は同10年下期まで連続の無配となった。当然ながら社員の給料もまったく上がらない状態は続いた。

週末温泉特急からロマンスカーへ

それでも小田急は昭和10年（1935）6月から「週末温泉特急」を走らせている。観光の時代の要請に応えるための運転であるが、新宿～小田原間をノンストップで結んだこの列車は、後に小田急のシンボルとなる現ロマンスカーの前身となった。所要時間は他の急行と同じ90分ながら、当時新宿の演劇場ムーランルージュの人気スターであった明日待子がレコードに吹き込んだ沿線案内を流す新機軸で評判になったという。当初は新宿13時55分発、小田原着15時25分で、後に15時5分発に変更されて数年続いたが、太平洋戦争

昭和初め頃　小田原線と江ノ島線の分岐点：手前の２線が小田原線の上下線。電車が走っているのが江ノ島線の下り線。上り線は立体交差で小田原線を跨いでいる。手前が大野信号所。『小田急50年』より

大野信号所から相模大野駅へ

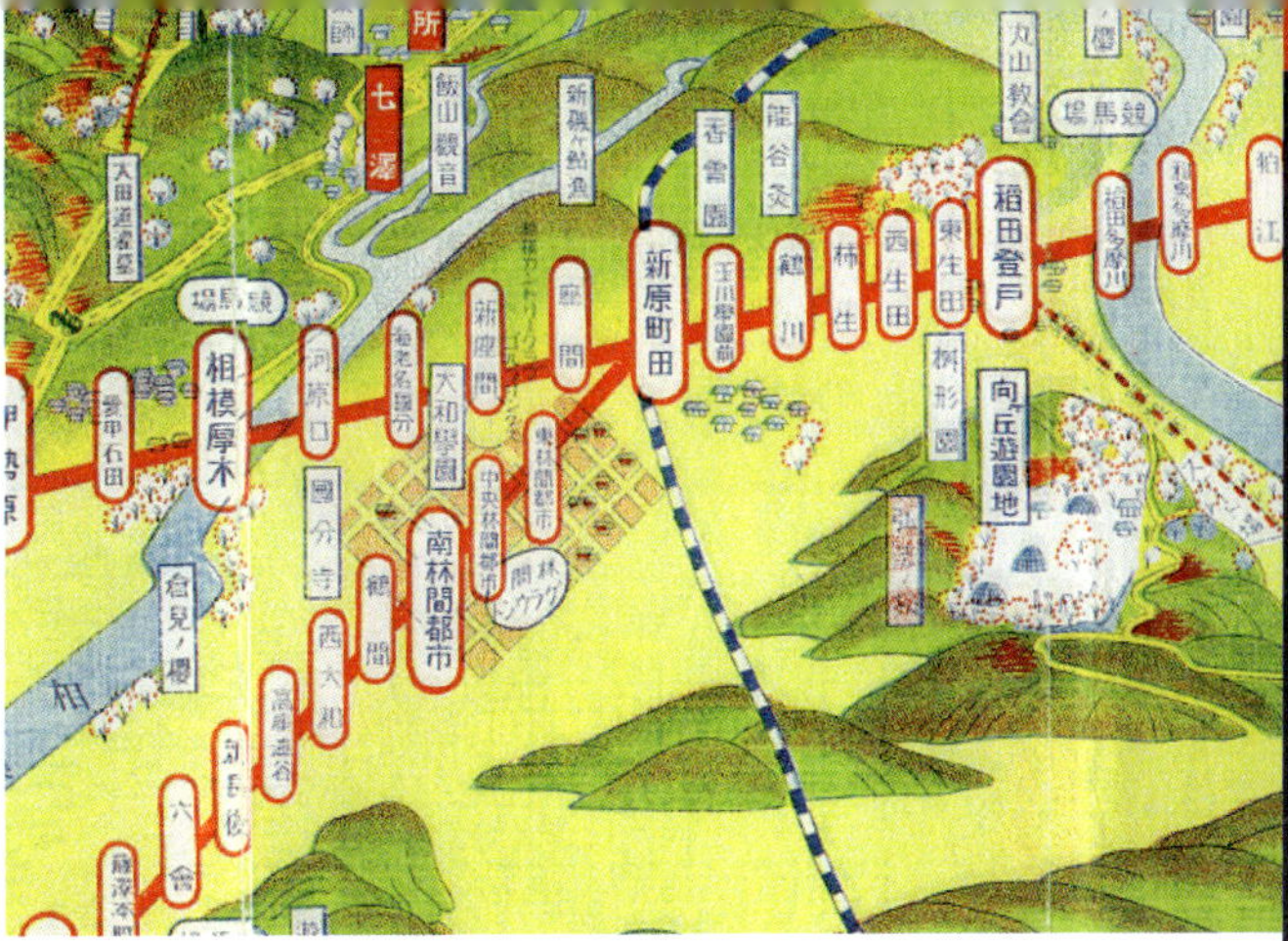

昭和９年（1934）頃 小田原線と江ノ島線の分岐点：小田原線と江ノ島線の分岐点は当初大野信号所（現相模大野）で客扱いがなかったため、沿線案内などのパンフレットでは新原町田（現町田）で分岐するように描かれていた。小田原急行鉄道「沿線名所案内」より 資料提供：小池伸明

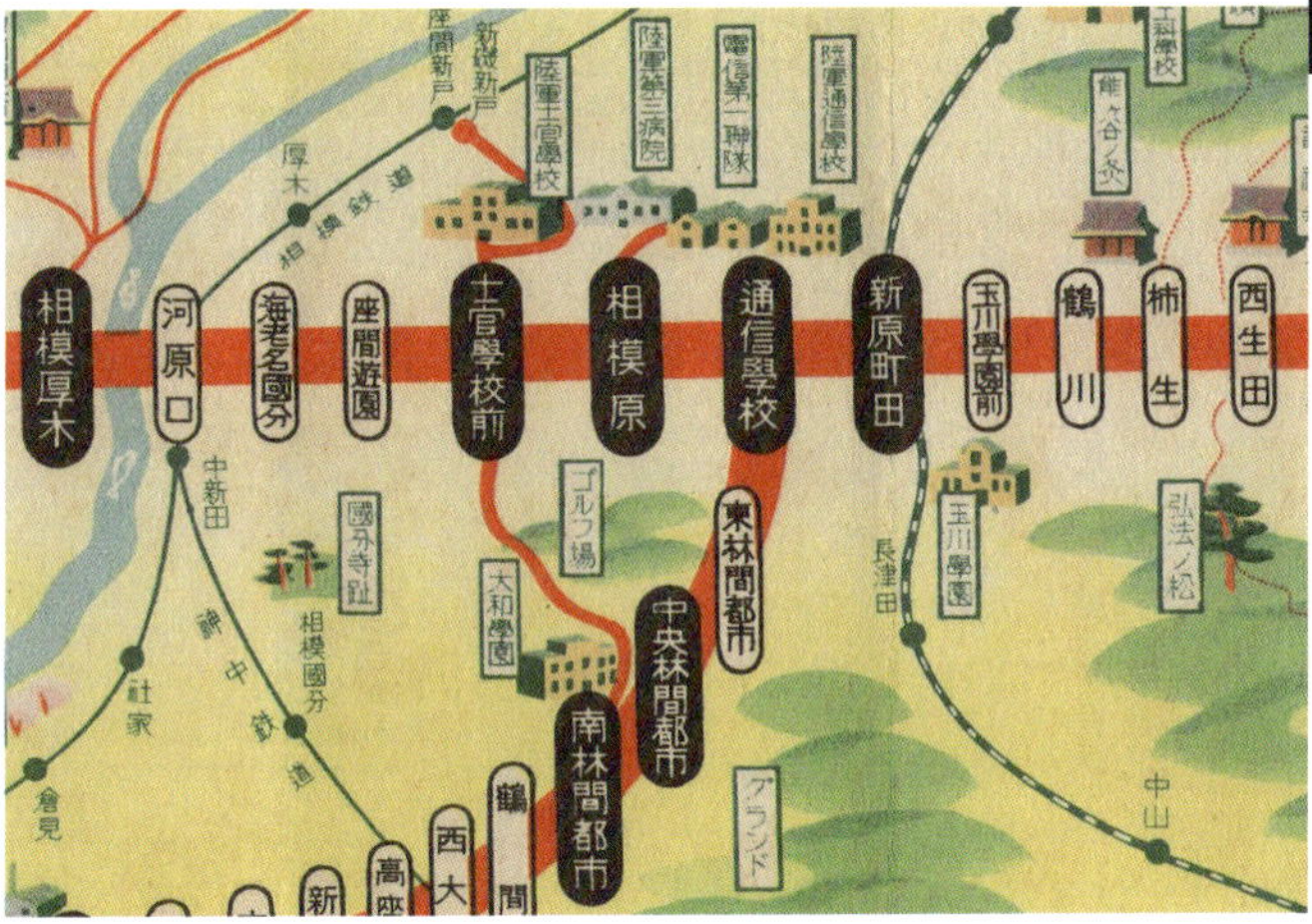

昭和14年（1939）通信学校駅：昭和10年代からは相模原軍都の建設に伴い、沿線には軍の施設が目立つようになった。大野信号所は昭和13年（1938）陸軍通信学校最寄りの通信学校駅となり、同16年には防諜のため相模大野に改称した。「小田急沿線案内」より

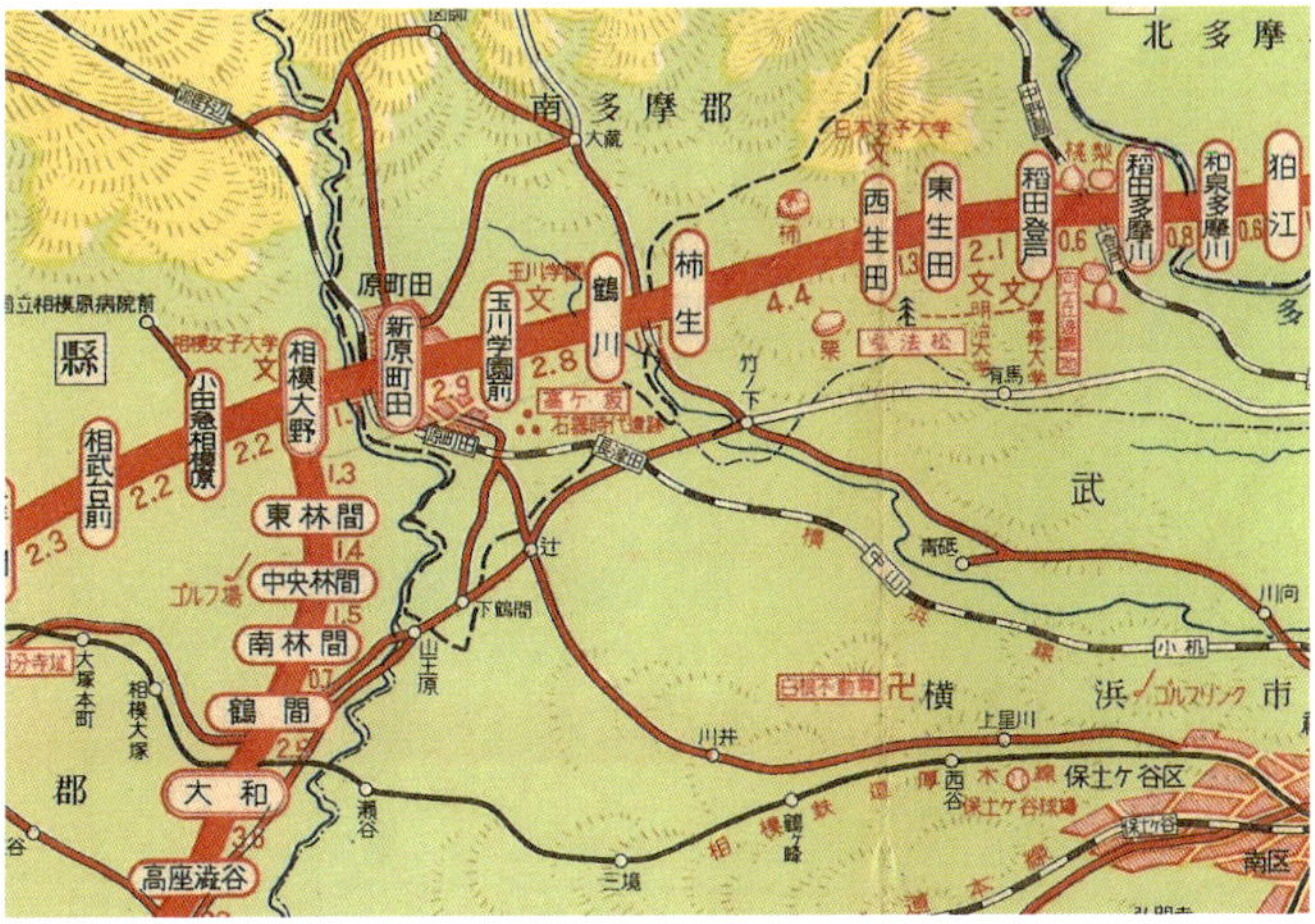

昭和26年（1951）頃 相模大野駅：高度成長期に入る前の小田急沿線。登戸は稲田多摩川、生田は東生田、読売ランド前は西生田と称していた。百合ヶ丘、新百合ヶ丘とそこから分岐する小田急多摩線、および江ノ島線の桜ヶ丘はまだない。小田急の沿線案内より

相模大野駅付近の変遷

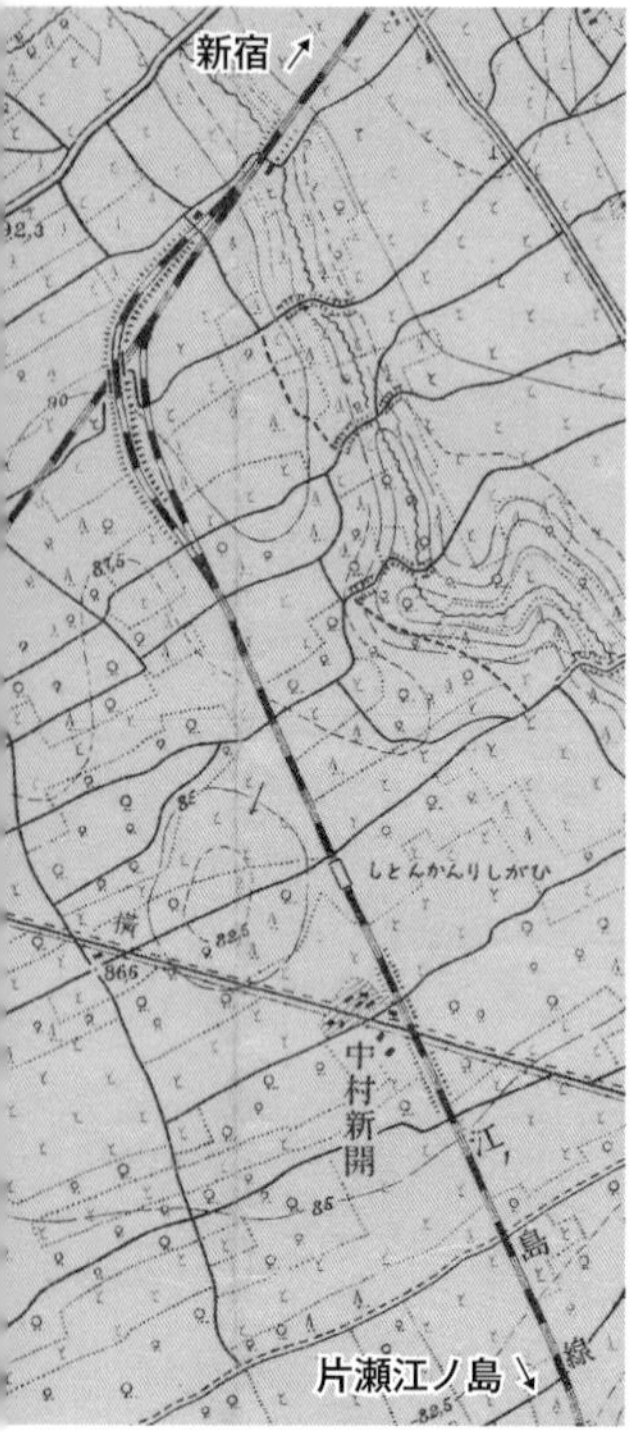

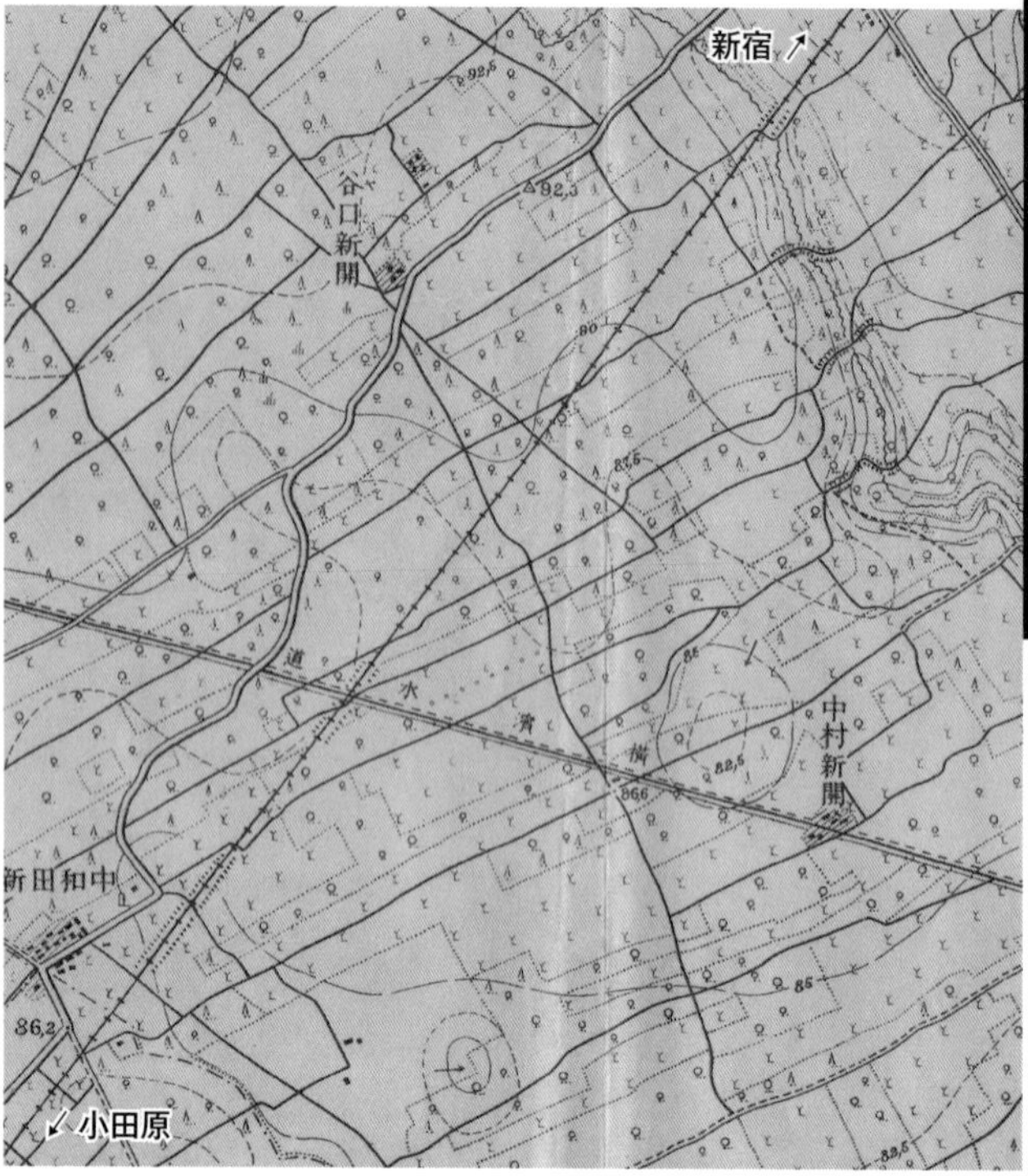

（中）昭和４年（1929）小田原急行鉄道大野信号所付近： 江ノ島線が開業。相模野台地に広がる雑木林と桑畑が混在する中に分岐点として大野信号所（現相模大野）を設置。当時として画期的な立体交差が採用されている。1:25,000「原町田」昭和４年鉄道補入　90%

（右）昭和２年（1927）小田原急行鉄道新原町田～座間間： 開業時には大野村内に駅は設けられず、駅間が 6.1 キロも離れていた。集落もほとんど見当たらない。神奈川県内の小田急沿線は人口希薄で、当初の利用者数は伸び悩んだ。1:25,000「原町田」昭和２年鉄道補入　90%

が始まった翌年の昭和17年（1942）4月のダイヤでは姿を消している。

週末温泉特急が走らなくなった小田急は戦時体制に組み込まれ、同年5月には「大東急《だいとうきゅう》」の一路線、東急小田原線となった。いよいよ戦争が激化してくると東海道本線の代替路線として注

昭和25年（1950）頃　箱根湯本駅へ乗り入れる小田急の電車： 箱根登山鉄道のレールの内側に、ゲージが狭い小田急の電車用のレールが1本敷設され、乗り入れることができた。『小田急50年』より

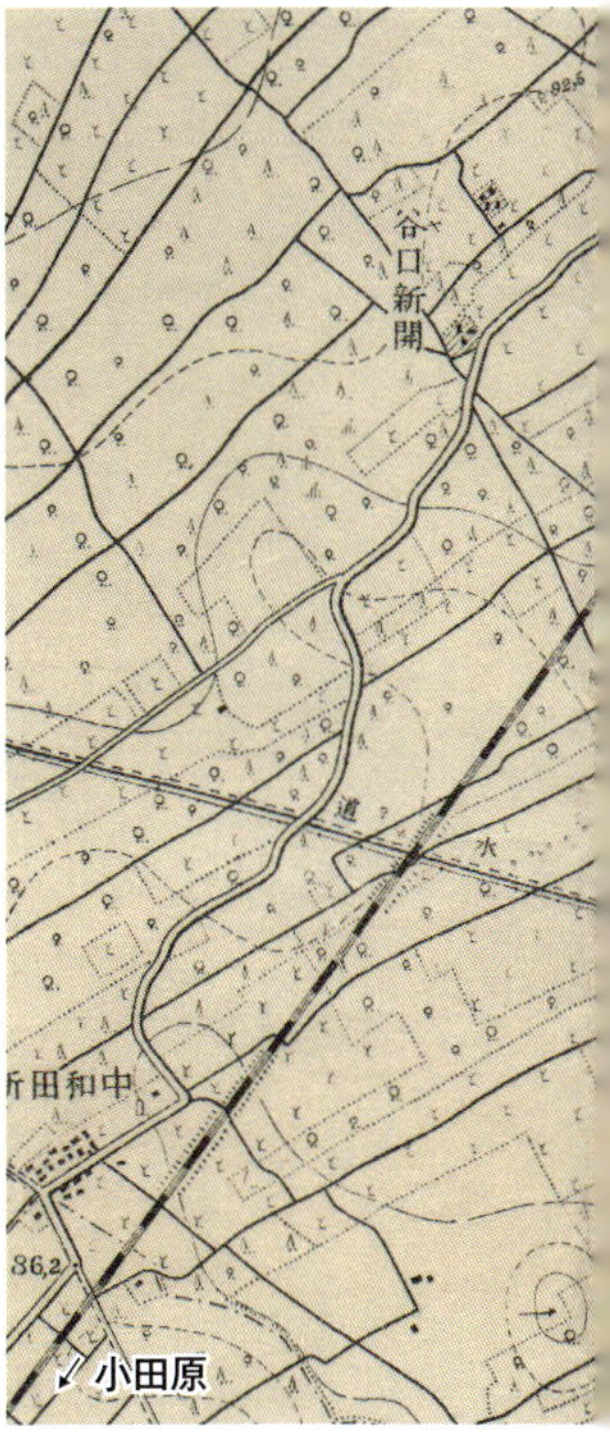

（左）平成 19 年（2007）小田急電鉄相模大野駅付近：戦後の高度経済成長期になると、人口が集中してきて、都市化も進んだ。相模大野は現在では政令指定都市・相模原市で最大の 1 日 12 万人が利用する主要駅となっている。1:25,000「原町田」平成 19 年更新　90%

目を集めることとなり、もしも空襲で同線が不通になった際はこちらに振り替えるべく同18年5月から9月の間に国鉄の蒸気機関車や電気機関車が客車を牽引《けんいん》して小田急の線路を走り、車両限界や橋梁《きょうりょう》その他の強度試験を行っている。新宿には国鉄線からの渡り線も設けられ、同19年には非常時の東海道本線の迂回《うかい》ダイヤも作成されたが、結局は実施されることはなかった。それでも小田急が「天下の東海道本線」の迂回線の大役を任せられることになったのは、「一流」の線路を敷いていたからこそであろう。

ちなみにノンストップ特急は昭和23年（1948）10月、傷んだ車両を改修して念願の復活を果たしている。同25年には傘下《さんか》の箱根《はこね》登山鉄道に異例の三線軌条を敷設して箱根湯本《ゆもと》乗り入れも実現、その後は日本経済の復興に伴って車両もグレードアップして現在のロマンスカーへと続いていく。

昭和23年（1948）復活したノンストップ特急：「復興整備車」とは、電車の復旧が急がれた戦後期に全車両のモデルとして先行集中整備された車両のこと。写真提供：小田急電鉄

昭和26年（1951）小田急初の特急専用車両1700形登場：３両編成の中間の車両中央には喫茶カウンターが設けられた。カウンターでいれた紅茶やコーヒーを接客係が注文した乗客の席まで運ぶサービスが評判で「走る喫茶室」と呼ばれた。小田急のパンフレットより

路面電車レベルからの高速化

東京とその郊外を結ぶ私鉄各線はさまざまな「出自」が混在しているが、特に戦後の通勤通学需要は沿線を問わず激増しており、どんな鉄道であれ、東京へ大量の旅客を運ぶ使命をもつ路線は、それぞれ否応なくスピードアップと輸送力増強への改良を迫られた。

大正３年（1914）頃　開業当時の終点だった調布駅：出発ホームには１形電車が停車中。左手に到着ホームの屋根、その先には車止めが見える。写真提供：調布市郷土博物館

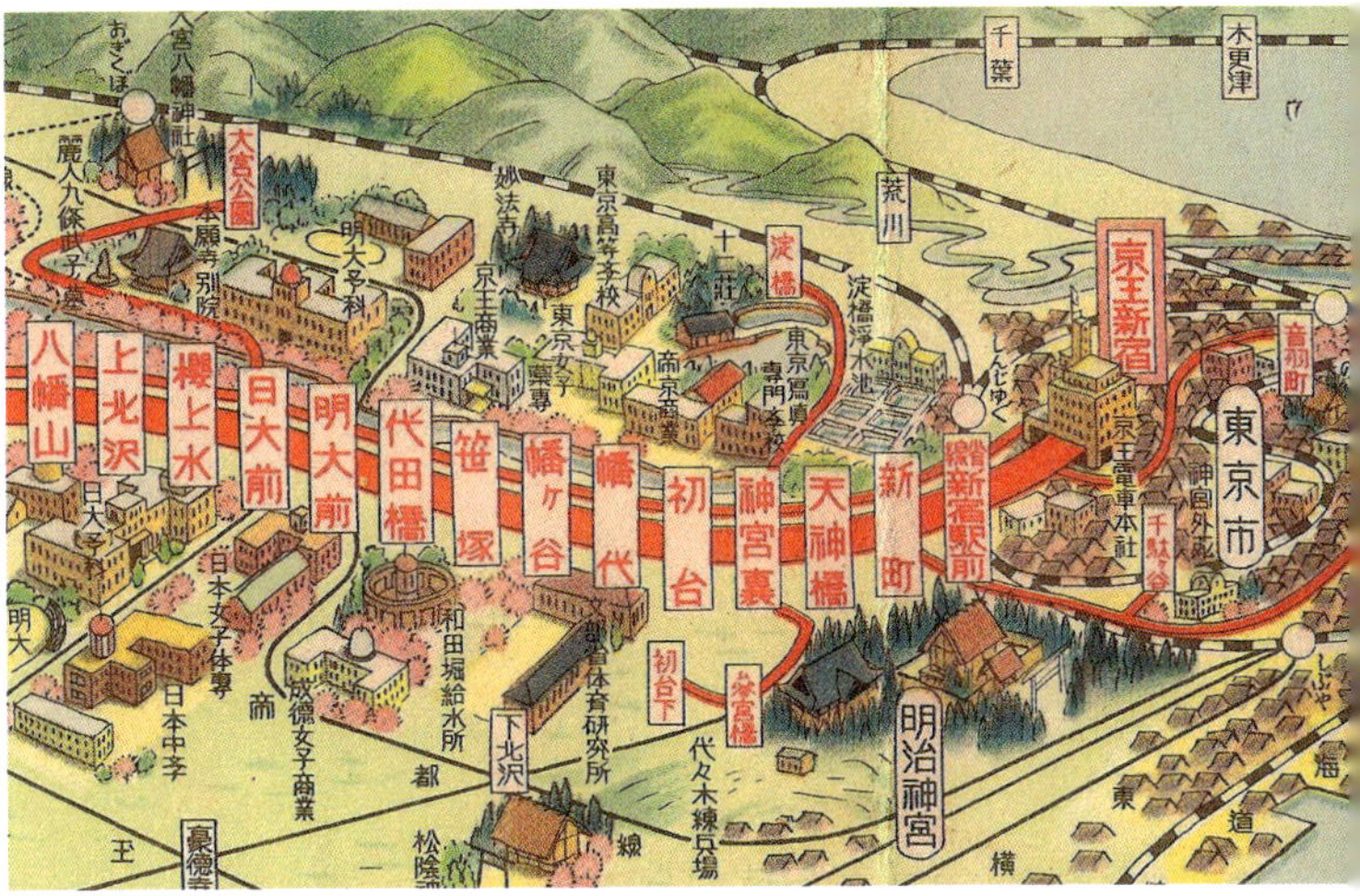

昭和15年（1940）京王電気軌道新宿～幡ヶ谷付近：当時は地上を走り、駅（停留場）数は現在よりはるかに多かった。京王新宿駅は新宿追分付近にあり、現在のJR新宿駅南口前にある甲州街道の跨線橋を渡って八王子方面に向かった。「京王電車沿線案内図」より

中でも京王は戦後になっても一部に路面区間が残存するなど「電気軌道」の名残が濃厚で、そこから今日に至るまでの変化は実に大きい。

大正2年（1913）に笹塚《ささづか》～調布間でスタートした京王電気軌道は、小田急の一挙開業とは対照的に9回も部分開業を繰り返して同5年に新宿（追分《おいわけ》）～府中《ふちゅう》間をようやく開通させた。特にこのうち7回が新宿から笹塚までの区間に集中しており、わずか数百メートルずつ、まさに「牛歩《ぎゅうほ》戦術」を思わせる遅々たる延伸ぶりであった。新宿周辺の土地買収にいかに手間取ったかがわかる。このため仕方なく一部に道路上や玉川上水の敷地などを利用したが、このため屈曲《くっきょく》したルートとなり、これが後のスピードアップへの障害となった。

次項の図①は京王が新宿まで開通したばかりの大正5年（1916）で、現在では西新宿の高層ビル街となって

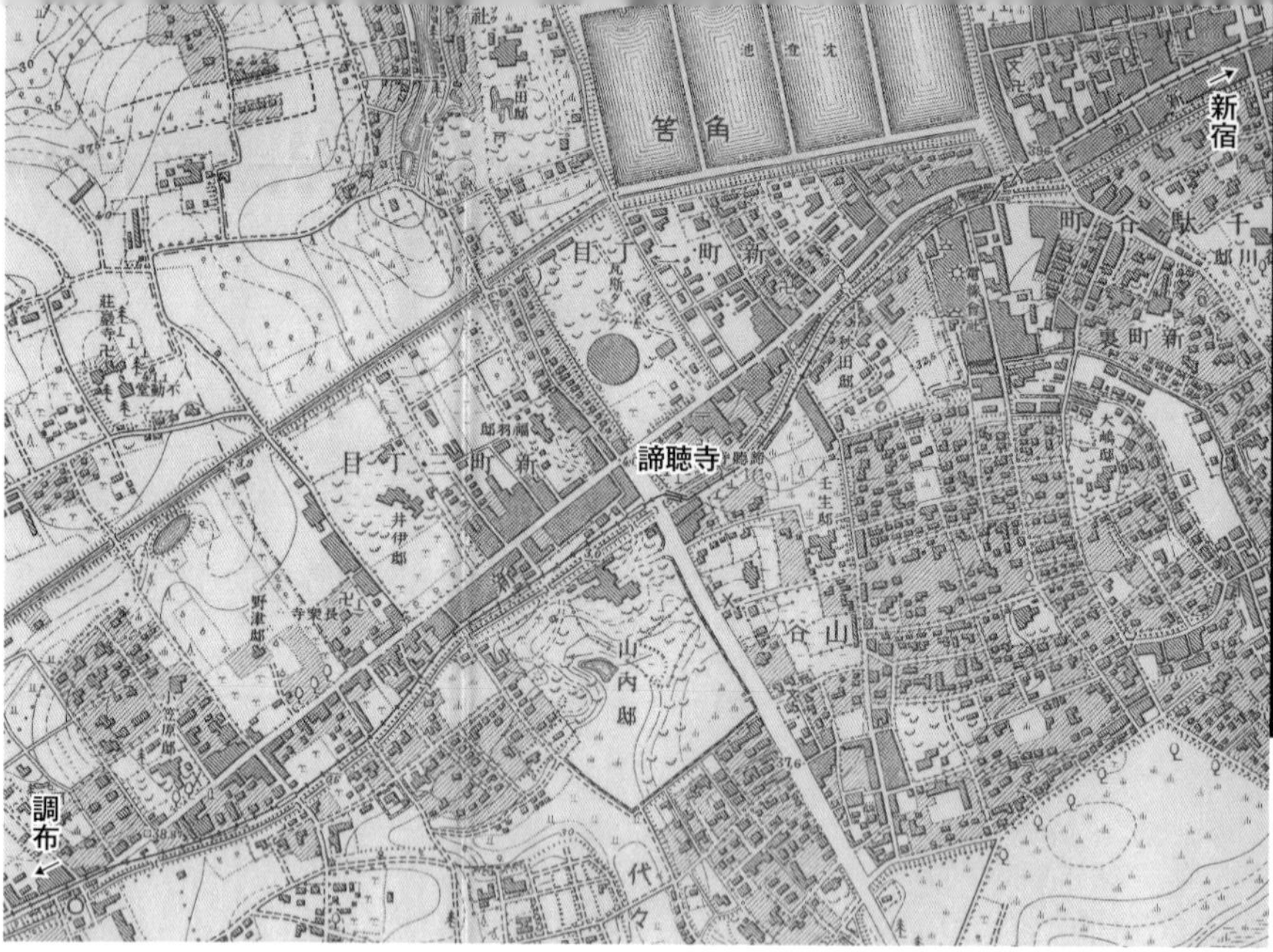

①大正５年（1916）開通した当初：新宿方面（右上）から甲州街道の路面を走った電車が玉川上水沿いを行き、再び甲州街道の路面に至る。玉川上水を渡る２つの橋の前後の急カーブで屈曲する線形がいかにも路面電車風だ。1:10,000「中野」大正５年修正　77%

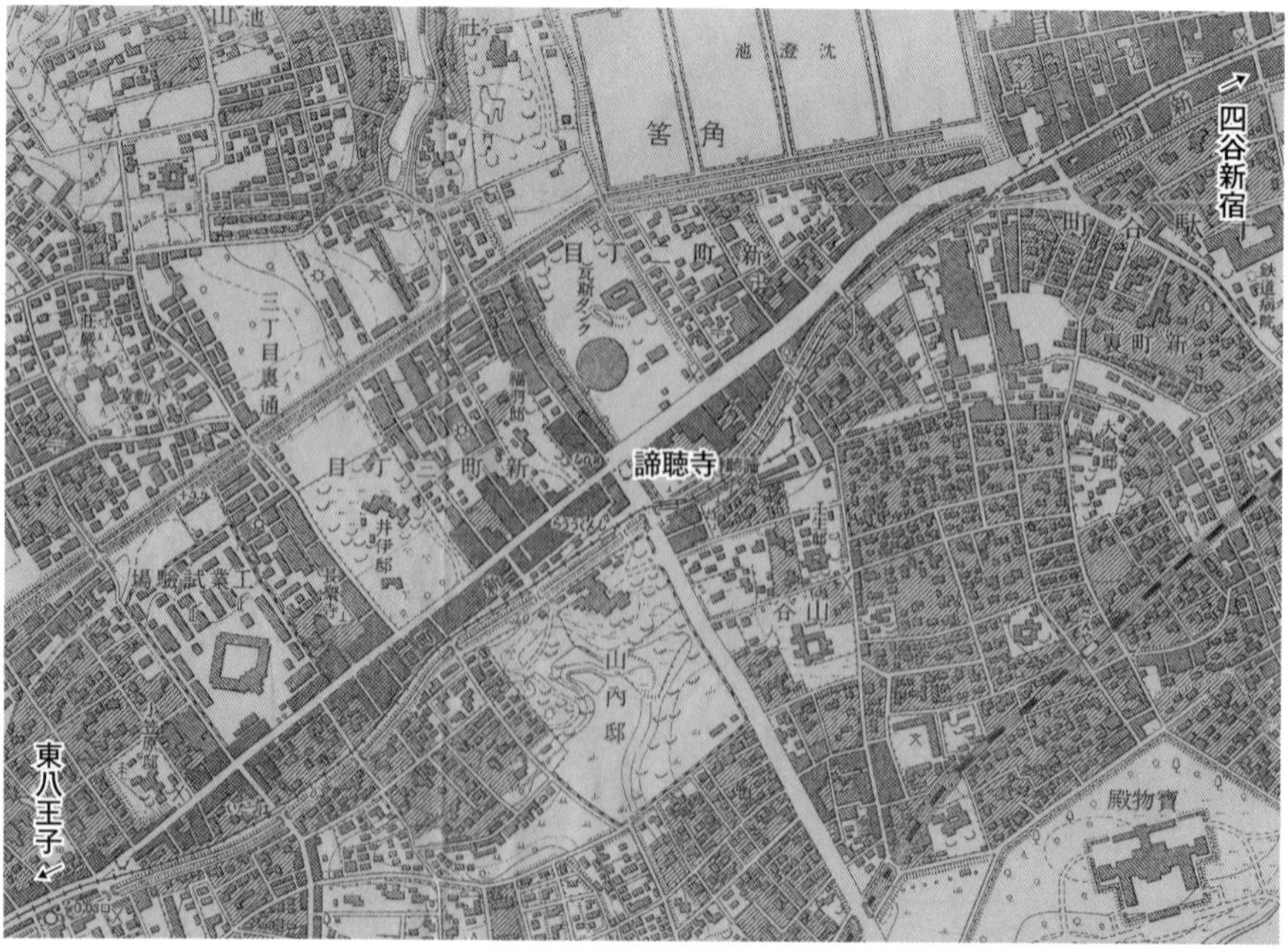

②昭和６年（1931）沿線の都市化：関東大震災後に急速に都市化が進む。ルートはほぼ変わらないが車両の大型化に伴って急カーブも緩和。京王の起点駅となっている四谷新宿は昭和 12 年（1937）に京王新宿と改称した。1:10,000「中野」昭和６年修正　77%

③昭和 31 年（1956）新宿方面ルートの変更：昭和 11 年（1936）玉川上水を暗渠化した上に専用軌道を設置。昭和 20 年に新宿駅西口に乗り入れ、昭和 28 年には甲州街道の路面ではなく中央分離帯の専用軌道を走るようになった。1:10,000「中野」昭和 31 年修正　77%

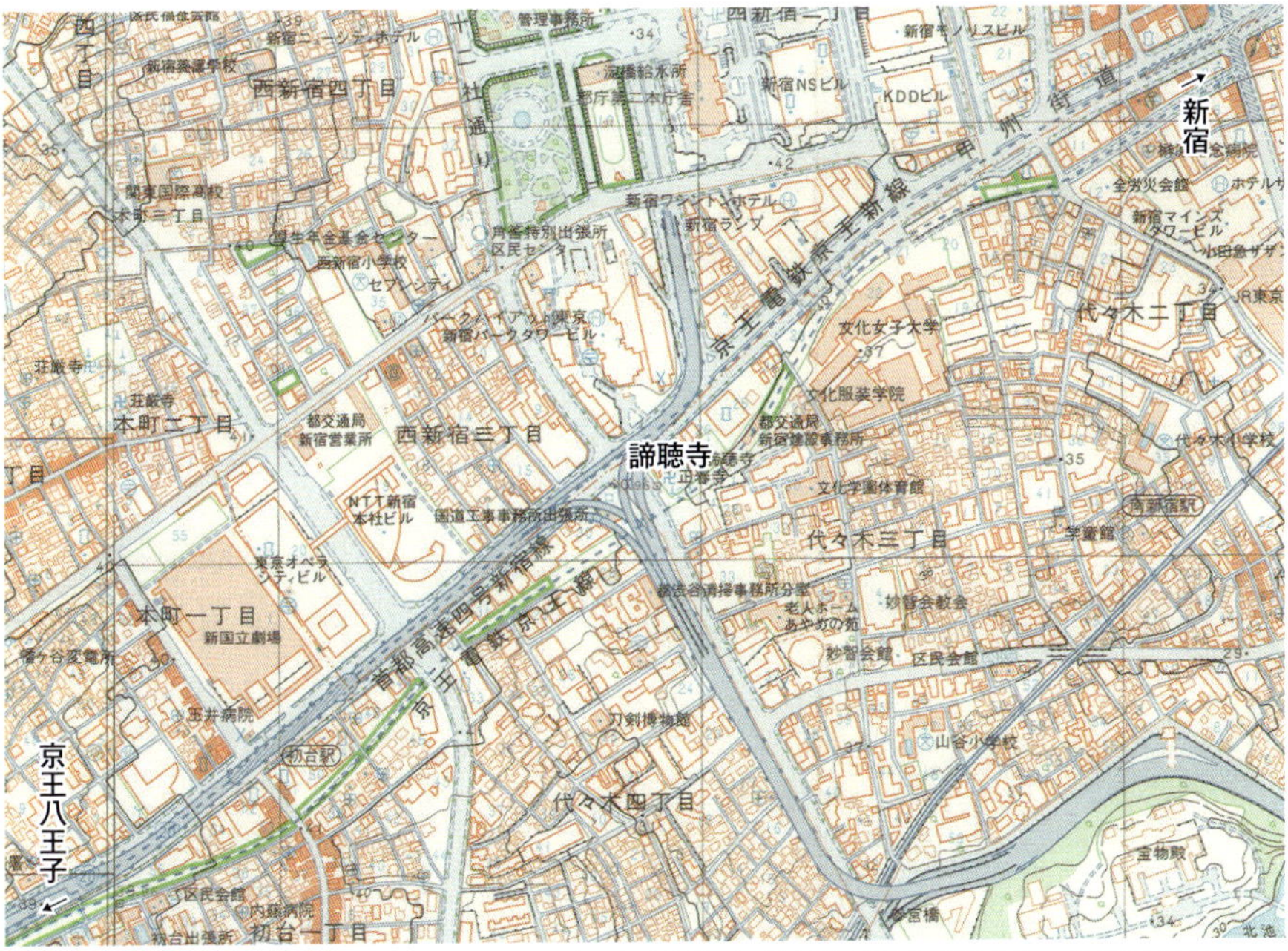

④平成 10 年（1998）地下区間化：昭和 38 年（1963）に新宿駅付近を地下化し、翌年に初台駅付近まで、昭和 58 年には笹塚駅付近まで延伸された。なお、初台駅は昭和 53 年に並行して開業した京王新線に移設されている。1:10,000「中野」＋「新宿」平成 10 年修正　77%

昭和38年（1963）地下化直前の新宿駅前：自動車やバスで混み合う甲州街道を横切って、新宿駅と中央分離帯の専用軌道を行き交う京王線の電車。写真提供：京王電鉄

いる淀橋《よどばし》浄水場の南側で玉川上水を渡るために屈曲、次の広い西参道《にしさんどう》を渡る「瓦斯《がす》タンク」の南側、諦聴寺《たいちょう》では再び上水を渡るのにさらに急なカーブで屈曲しているのがわかる。見たところ明らかに路面電車の小型の単車（2軸）を想定した半径10～20メートル台のカーブらしい。大正8年（1919）には比較的大型のボギー車（4軸）を導入するので、この頃にカーブを若干緩和したようで、昭和6年（1931）の90頁図②にも表われている。両図の間はわずか12年しか経っていないが、市街化は驚くほど進んでいる。神宮裏《じんぐううら》という停留場名は昭和14年（1939）に西参道と改められているが、交差点名は今も同じである。

戦後の京王の線路改良

この西参道のSカーブは戦後まで残り、16メートル車が3両編成で通過するには最徐行を強いられた。路面区間と併せて輸送上のネックで、これを解消すべく、難航した用地買収を経て昭和25年（1950）9月に改良工事を完成させている。その後も新宿駅からしばらくは甲州街道の路面区間があったが、戦後の都市計画で甲州街道が拡幅されるのを機に、こちらも中央分離帯を走る形の専用軌道化（センターリザベーション）を昭和28年（1953）に行った。それが同31年修正の前頁図③である。

新車両の増備やレールの重軌条化を進めるなどした結果、昭和30年（1955）10月のダイヤ改正では新宿～東八王子（現京王八王子）間の所要時間を従来の59分から53分に短縮した。これにより国鉄中央線の新宿～八王子間の快速電車の54分をわずか1分ながら抜いている。「小電気軌道」として出発した京王として、これは画期的なことであった。

昭和38年（1963）4月には新宿

地下駅が完成するが、同年8月には高度成長期のさらなる長編成化に対応すべく、架線電圧も600ボルトから1500ボルトに上げ、ここで特急運転に備えた5000系を登場させている。京王では引退して久しいが、一《いち》畑《ばた》電車や伊予《いよ》鉄道など全国で現在も活躍、人気の高さは衰えていない。アイボリーに赤帯という鮮やかな塗色をまとって同年10月改正ダイヤに登場したこの特急は、新宿~東八王子間の所要時間を一気に10分短縮して40分で結んだ。

さらに翌年4月には念願の多摩川橋梁の複線化を完成し、初台駅付近の地下化の完成と東八王子から京王八王子への移転・改称を経て昭和39年（1964）10月の改正では所要時間をさらに3分縮めて現在とほぼ同じ37分としている。高速電気鉄道化はこの時点で完成したと言っていいだろう。

昭和59年（1984）アイボリーに赤帯という色鮮やかな車両：右の車両が5000系。左の車両は都営地下鉄乗り入れ規格で製造された6000系。笹塚駅。写真撮影：安田就視

昭和49年（1974）京王八王子駅前：昭和38年（1963）京王線の終点だった東八王子駅が現在地に移転し改称。この後、平成元年（1989）に地下化。写真撮影：安田就視

駅名こぼれ話

おカミに奪われた駅名 川越と相模原

蔵の街として知られる埼玉県川越に最初にできた駅は明治28年（1895）の川越鉄道（現西武鉄道）川越駅である。その後に東上鉄道（現東武東上線）が開業した際には川越駅と接続せず川越西町と川越町（現川越市）の2駅を設置した。ところが川越駅設置から45年も経った昭和15年（1940）に国鉄川越線が開業、東上線の川越西町駅に接続したのはいいが、この駅を川越と決定。これに伴い従来の川越駅は本川越と改称を余儀なくされた。まさに官尊民卑の象徴であろう。相模原も最初は小田急の駅だったのが、相模原軍都計画の中心地区に同16年に設置された横浜線の新駅が相模原と決定、先輩の方は社名を冠して小田急相模原に改称している。

幻に終わった東京大環状線計画

東京山手急行電鉄

新たに山手線外側の東京 23 区外周部に環状鉄道が計画されている。実はすでに昭和初期に同じような計画があったのをご存じだろうか。世界恐慌の影響で頓挫した東京山手急行電鉄の夢の跡を追ってみた。

昭和２年（1927）頃 東京山手急行電鉄パンフレット表紙：「塹壕式電車」が描かれている。中の絵図（98～99 頁）に「常光」の落款があることから、この表紙装幀を含めて金子常光率いる日本名所図絵社が請け負ったと思われる。東京山手急行電鉄「株式募集」より

山手線の外側を走る環状線計画

トレンチコートという上着は、第一次世界大戦で急速に普及した。一進一退を繰り返した西部戦線で無数に掘られた塹壕《ざんごう》（トレンチ）での過酷さに、このコートがよく耐えたことによる命名という。大戦の記憶も新しく、塹壕という言葉がおそらく人口に膾炙《かいしゃ》していた大正末、東京郊外で「塹壕式電車」を走らせる計画を立てた鉄道会社があった。東京山手急行電鉄である。

大まかに言えば西側は現在の環七《かんなな》通り、東側は明治通りに沿った半環状線ルートで、大井町《おおいまち》を起点に武蔵小山《むさしこやま》、梅ケ丘《うめがおか》、明大前《めいだいまえ》、中野《なかの》、江古田《えこだ》、板橋《いたばし》、田端《たばた》、北《きた》千住《せんじゅ》、大島《おおじま》、砂町《すなまち》を経て洲崎《すさき》町（現東京メトロ東陽町《とうようちょう》駅付近）に至る全長26マイル半（約43キロ）の計画であった。98～99頁の図にはデフォルメされた赤い太線が描かれているが、ここに見える経由地は駅名ではなく、自治体名または町

名・大字名《おおあざ》である。

もうひとつの図は「山手急行沿線町村ト其《その》人口ニ近キ地方都市」というもので、たとえば「大井町其人口高松市」など、沿線各町村と同規模の地方都市を並べてある。荏原《えばら》町（7・2万）―門司《もじ》市、世田ヶ谷《せたがや》町（3・8万）―松山《まつやま》市、中野町（6・1万）―浜松《はままつ》市、野方《のがた》町（2・4万）―大津《おおつ》市、板橋《いたばし》町（3・1万）―岡崎《おかざき》市、西巣鴨《にしすがも》町（9・9万）―新潟《にいがた》市、三河島《みかわしま》町（5・9万）―静岡《しずおか》市、千住町（5・2万）―長野《ながの》市、小松川《こまつがわ》町（2・4万）―水戸《みと》市といった具合に全国の県庁所在地を多く含む有名都市を軒並み挙げ、この新しくできる電車が利用する乗客がいかに多いかを強調している（各町の人口は大正14年の国勢調査による）。

前途有望なる東京山手急行！

それもそのはず、図はこの新会社が株式募集した際のパンフレットだ。山手急行は昭和2年（1927）4月に敷設免許を取得しているので、発行日は明記していないがその直後であろう。これだけ人口稠密《ちゅうみつ》な地区を串刺しにする高速鉄道なのだから、株を買って損をすることは万が一にもありません、というわけだ。絵図は吉田初三郎《よしだはつさぶろう》と並

昭和2年（1927）頃　東京山手急行電鉄沿線の人口を示した地図：中央の黄色い着色範囲が当時の東京市内15区。山手急行予定線の沿線町村は、当時人口が急増していた。市街地は次第に市内と連続し、これらの周辺82町村は昭和7年（1932）に東京市に編入されて計35区となり、現在の23区の原型となった。東京山手急行電鉄「株式募集」より

ぶ人気を誇っていた金子常光《かねこつねみつ》に依頼している。「山手急行線の特色」として12項目が挙げられているので、これを要約してみた。

①②日本唯一・第一の電鉄　わが国の電鉄史上、山手線と同一使命を有する高速電車は唯一であり、沿線人口が多く工場、学校、連隊、花柳街《かりゅうがい》などが多く、投資するには「空前の優秀線」である。③都市の串刺電車　別図に示すように全国著名の大都市を集めてこれを串刺ししたに等しい電車で、沿線人口はなんと180余万人に達する。

④踏切なしの電車　一部は高架式、大部分を塹壕式で建設するので、危険なく高速走行が可能。沿線が高度に市街化すれば塹壕にフタをして住宅地または自動車道路に転用する。塹壕開削《かいさく》で生じた土は沿線の湿地を埋め立てて宅地とすれば一石二鳥。⑤既存・未設合わせてなんと31路線と交差連絡。各線とは塹壕式で立体交差するため連絡駅の設置が容易。⑥宝蔵電車　放射状に発達する各私鉄は近郊でこそ収益は上がるが、末端の不採算区間が災いして配当率が低下している。ところが山手急行は近郊のみを通過するので安心。

⑦工場電車　沿線には鐘紡《かねぼう》、東洋紡、富士紡、大日本製糖《せいとう》、東洋モスリン、東京毛織、富士製紙、日本皮革《ひかく》、専売局工場を始め大小130余の工場がひしめき、そこへ出入りする乗客の多さは保証つき。⑧通学電車　駒澤《こまざわ》大学、立教《りっきょう》大学、明治薬専、高千穂《たかちほ》高商、府立第七、第八中学など、中等学校以上の学校は50余校に上り、さらに近衛《このえ》輜重兵《しちょうへい》・野砲兵など5個連隊、1個大隊の軍隊、それに陸軍所轄の学校や工場も数か所あり。⑨遊覧電車　目黒《めぐろ》不動《ふどう》、堀ノ内妙法寺《ほりのうちみょうほうじ》、新井薬師《あらいやくし》、五色《ごしき》の不動など神社仏閣は数十か所を算し、他にも墨堤《ぼくてい》の観桜、荒川遊園、堀切《ほりきり》の菖蒲《しょうぶ》、各所のプールやグラウンド、目黒の競馬場など観光地は数多い。⑩花柳電車　洲崎、玉ノ井《たまのい》、神明《しんめい》、千住、板橋など花柳街15か所の多数に及ぶ。⑪水陸連絡電車　隅田川《すみだがわ》との交差地点に水陸連絡の施設をなし、木材や薪炭《しんたん》、魚類などの貨物や生活必需品を電車に載せて安価に沿線各地へ配給するので、郊外の物価を引き下げ、その発展を促進させる。この意味で山手急行は「社会政策的電車」なり。

というわけで最後の⑫で、山手急行は開業初年度より高率の配当が可能！と最も強調したい言葉で締めくくっている。建設費が高いからそんなうまい具合にはいかないとお考えのアナタ、近郊で1マイル建設費が50～60万円に過ぎない各電鉄が当初の業績すこぶる不良なのに、1マイル400万円かけた地下鉄道（現東京メトロ銀座線）が、かえって開業早々優良なる成績を上げたのをご覧なさい。⑩の花柳電車はともかく、今の投資家でも「よしっ」という気になりそうな文面である。

小田急梅ヶ丘駅の謎と明大前の隙間

梅ヶ丘駅は周辺の駅より7年遅い昭和9年（1934）に開業している。しかも他の駅が相対式ホーム（線路の両側に上下各ホーム）なのに、わざわざ後からできたこの駅が上下線の間隔を広げて島式ホーム（上下線のまん中）にしたのは、実は上を東京山手急行電鉄が通った際に連絡駅とするためだった。下北沢駅も当初は島式ホーム（後に上りホームを追加）で、この上を帝都電鉄（現京王井の頭線）が開業した後は改札なしの便利な乗換駅となった（地下化以前）。要するにこれと同じタイプである。

帝都電鉄と小田急はどちらも親会社が鬼怒川《きぬがわ》水力電気で、その社長は小田急の創業者と同じ利光鶴松《としみつつるまつ》。このため昭和15～17年は小田急電鉄の帝都線であった（その後は「大東急」）。一方、華々しくアピールした山手急行であったが、運悪く昭和4年（1929）の世界恐慌《きょうこう》を受けた株価の暴落が災いして、実現は遠のいていく。その後は紆《う》余曲折《よきょくせつ》あった後に鬼怒川水電の傘下に入ったため、このような配慮が行われたようだ。その梅ヶ丘駅の島式ホームも昭和37年（1962）には相対式となり、その後は高架化も行われたので「未完の連絡駅」を物語るものはない。

もうひとつ、京王井の頭線が京王線と甲州《こうしゅう》街道をくぐる明大前駅に山手急行の遺構がある。これら2つの跨線橋には、現在の線路の西側にもう2本の線路スペースが確保されており、これが山手急行の予定地であった。結局は電車がくぐることなく今に至っている。もしこの鉄道が実現していたとすれば、誰もが各地への移動が今より便利になったに違いなく、株式募集の文章が誇張でなかったことは十二分に証明されただろうが、登場した時期が悪かったようだ。

帝都電鉄の公文書の添付図に赤鉛筆で記された線路、それに井の頭線明大前駅のホームから見える2線分の空間が、今ではひっそりと当時の大きな夢を物語るのみである。

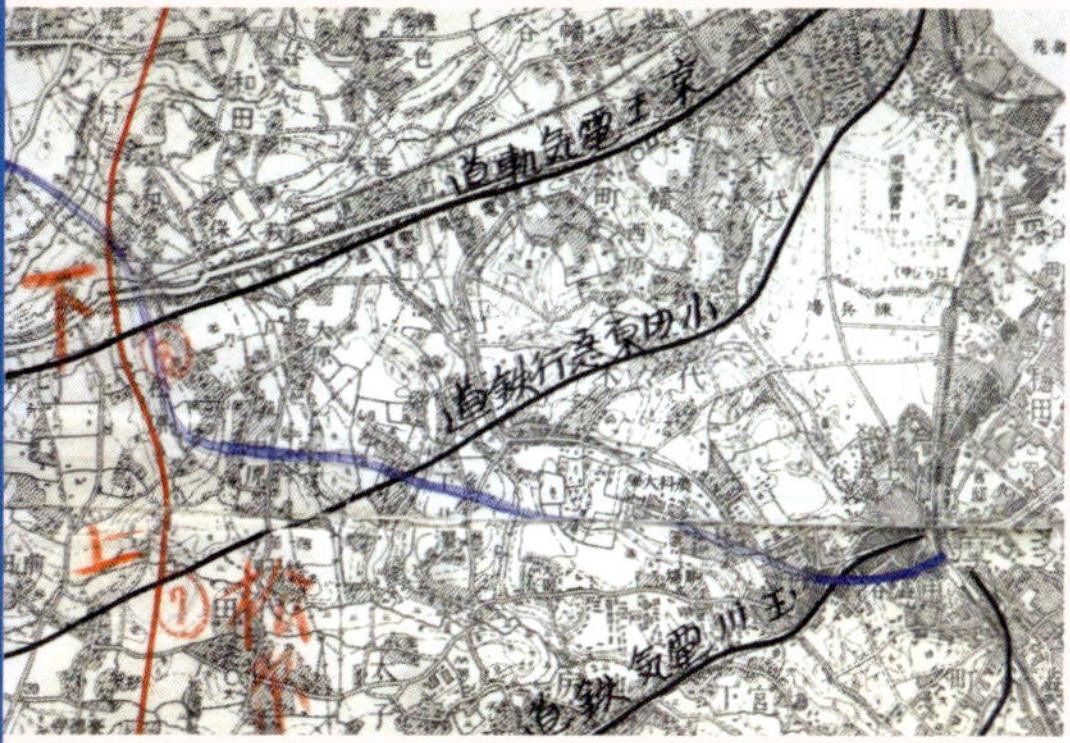

昭和6年（1931）頃　帝都電鉄（現京王井の頭線）敷設免許書類に綴じ込まれた地図：東京山手急行電鉄の予定線が赤字で記されている。「下⑧」は京王の明大前駅をくぐり、「上⑦」は小田急梅ヶ丘駅をまたぐ予定だったことを示している。鉄道省文書「鉄道免許・小田原急行鉄道（元帝都電鉄、東京郊外鉄道）2・昭和6～7年」（国立公文書館蔵）より

東京山手急

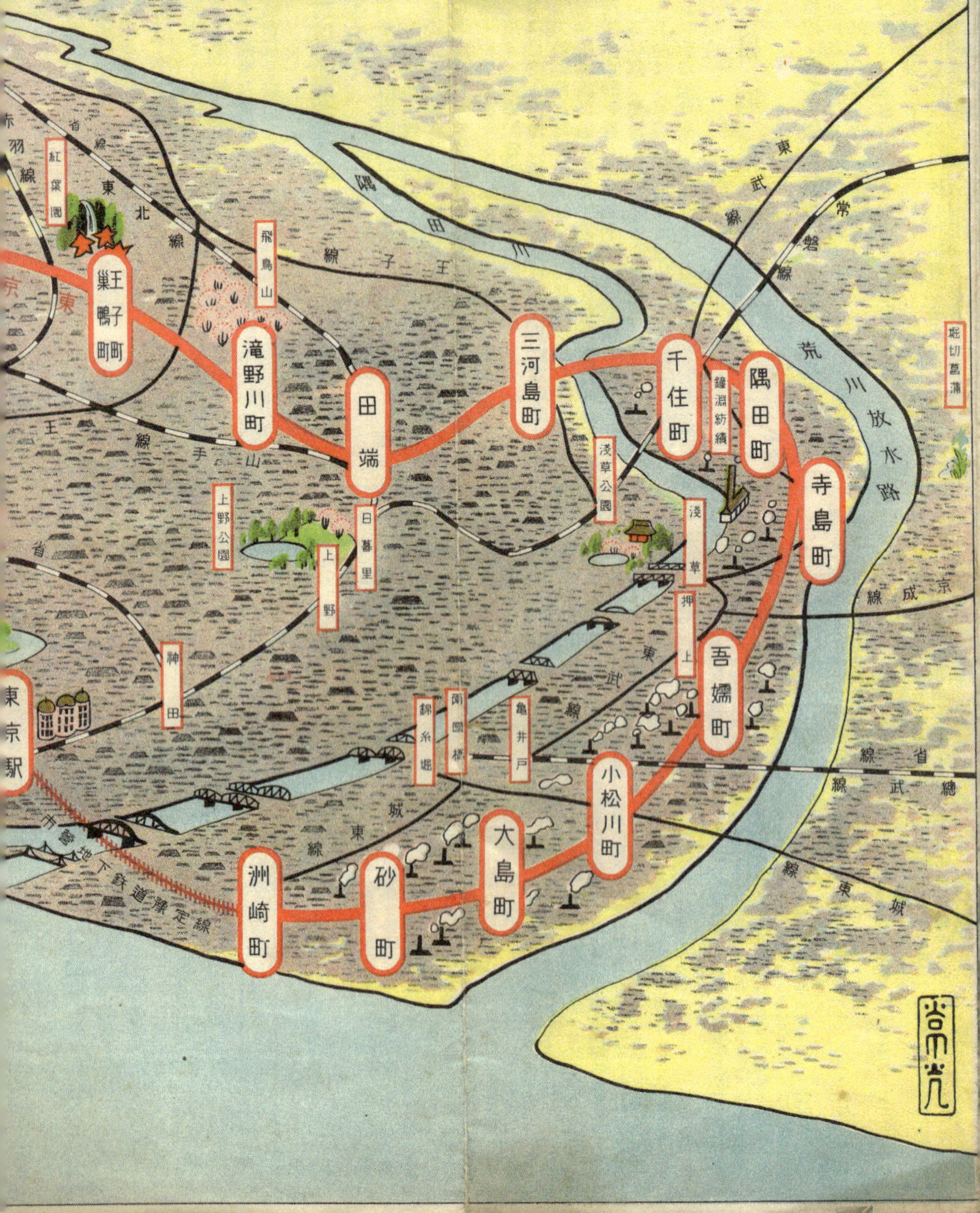

王子町
巣鴨町
滝野川町
田端
三河島町
千住町
鐘淵紡績
隅田町
寺島町
吾嬬町
小松川町
大島町
砂町
洲崎町
東京駅
紅葉園
飛鳥山
上野公園
日暮里
上野
神田
浅草公園
浅草
押上
亀井戸
錦糸堀
両国橋
堀切菖蒲
隅田川
荒川放水路
赤羽線
省線
東北線
王子線
山手線
東武線
常磐線
京成線
總武線
城東線
市営地下鉄道豫定線

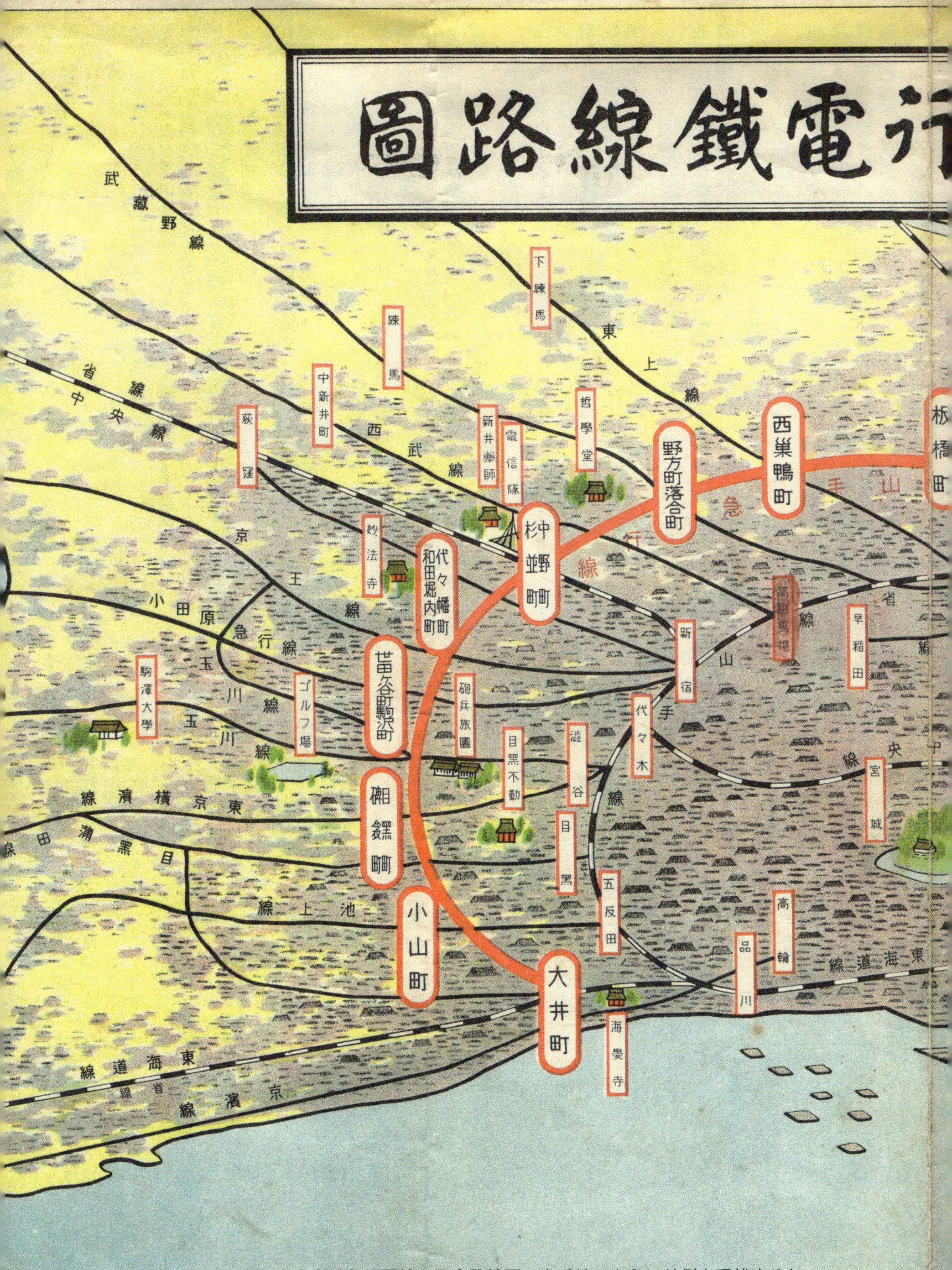

昭和２年（1927）頃　東京山手急行電鉄の予定路線図：山手線のさらに外側を環状するという、現在でも通用しそうな画期的な鉄道が計画されていた。洲崎町では市営地下鉄の予定線と接続し、東京駅までの間は別種の線となっている。東京山手急行電鉄「株式募集」より

絡み合う路線に絡み合う歴史あり

西武の複雑路線網の理由

西武池袋線は所沢ではわざわざS字カーブとなり直進していない。西武国分寺線と多摩湖線が交差する地点には同社なのに駅もない。なぜこんなに複雑な路線網となったのか、その歴史を紐解く。

山紫水明は狭山の地にあり

左の図は昭和13年（1938）の西《せい》武《ぶ》鉄道の「沿線御案内」である。裏面には当時75歳だった文豪・徳富蘇峰《とくとみそほう》の「武蔵野《むさしの》遊行」から次の一文が引用された。蘇峰は数年後に「日本文学報国《ほうこく》会《かい》」を設立、会長に就任して戦意高揚の先頭に立つようになるが、それはともかく高名な人物のお墨付きを宣伝パンフレットに使わない手はない。

「武蔵野の面目を剰《あま》す雑木林の中を横ぎり、村山《むらやま》貯水池の下堰堤《えんてい》の辺に出《い》でた。如何《いか》にものんびりした光景にて、我等の頭の中には、時間も空腹も打忘れた。但《た》だ池畔の蒼々たる新樹《しんじゅ》の間を渡る薫風《くんぷう》に、我が襟懐《きんかい》を吹かれつゝ、全く無我と云《い》はんよりは、忘我《ぼうが》の境に入つた。」

かの蘇峰翁の一文の後に菊池寛《きくちかん》の「山紫水明《さんしすいめい》は京都に求むる迄《まで》も無く、此の狭山の地にあり」との讃辞も引きつつ、ぜひとも西武電車で村山貯水池へ、と熱くアピールしている。西武鉄道全線の案内にもかかわらず、村山貯水池に割いたスペースは全体の4分の1近くを占めており、力の入れようが他とは段違いだ。文豪たちの推薦の後にはさらに次のような自前の文章で補足している。

「村山貯水池の周囲は四里に亘《わた》り、樹木鬱蒼《うっそう》として茂り、宛《さなが》ら山湖の如き情

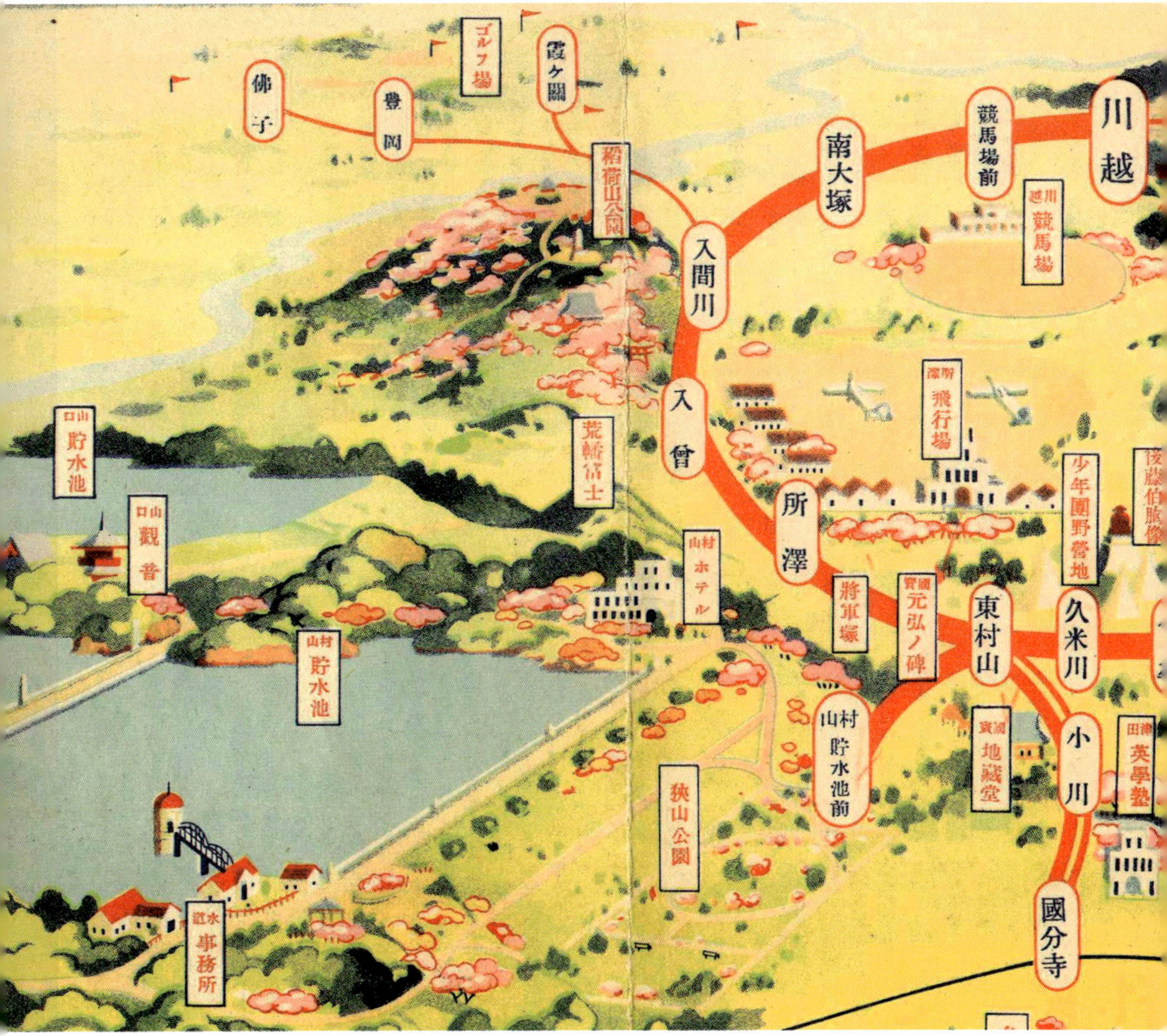

①昭和 13 年（1938）旧西武鉄道の村山貯水池前駅周辺：武蔵野鉄道の終点「村山貯水池際」と多摩湖鉄道の終点「村山貯水池」は意図的に省かれている。これはライバル社も同様であった。図版①②（103 頁）、④（105 頁）とすべて記載されている同時代の地形図③（104 頁）を比べてみよう。旧西武鉄道発行「沿線御案内」より　資料提供：高橋秀之

昭和初め頃　村山貯水池：東京市民の飲料水を安定供給するために造られた人工湖が都心部から日帰り可能な景勝地として注目された。ほとりには遊歩道が整備され、桜も植樹され、周辺の史跡と併せて散策する客で賑わった。写真提供：東村山ふるさと歴史館

趣に富み、碧空に聳《そび》ゆる富士、大山《おおやま》等の連峰を遥《はるか》に望見することを得、山…森…水…と三拍子備はつた近郊第一の一大自然公園で、その自然の美と人工の妙との調和は、東京市の持つ自然公園としての大狭山公園の声価を益々高からしむる所以《ゆえん》であります。そして此の自然公園はあらゆる方面より見て、都人士《とじんし》にとりて理想的の自然遊園で、家族連れの散策、又は中小学校生徒或は会社工場等の勤労者の運動会又は遠足会等に絶好の地であり、春は新緑、桜、つゝじに秋は黄葉、紅葉又は茸《きのこ》狩、栗拾ひ、いも掘等に都塵《とじん》と喧《けん》噪《そう》とを逃れ、清澄の空気の中に思ふ存分の紫外線を浴び、一日を楽しく過す事が出来ます。」

このパンフレットの絵図には、東村山駅から「村山貯水池前」までひと駅だけ伸びる線路が描かれている。表紙には貯水池のシンボルである第一取水塔（大正14年竣工・日本の近代土木遺産選定）のイラストに快走する電車を添え、「高田馬場《たかだのばば》から急行で卅（30）分」と速達性をアピールした。今でもこの近くの西武園駅へ行くにはこの時間より少し遅いから、当時としてはだいぶ頑張ったのであろう。ちなみに村山貯水池前駅は、高田馬場を起点とする当時の西武鉄道村山線（現新宿《しんじゅく》線・西武園線の各一部）の終点であった。

昭和13年（1938）旧西武鉄道「沿線御案内」の表紙： 村山貯水池のイラストが採用されていることからも、西武がここに観光客誘致の重点を置いていたことがわかる。「高田馬場から急行で30分」の赤字も添えられている。旧西武鉄道発行「沿線御案内」より　資料提供：高橋秀之

昭和3年（1928）頃　開設当時の村山ホテル： 村山貯水池への行楽客誘致のため旧西武が湖畔に開設したが、昭和36年（1961）に取り壊された。写真提供：東村山ふるさと歴史館

貯水池・貯水池前・貯水池際

実はこの沿線案内図には意図的に隠された路線がある。ライバル社である武蔵野鉄道の西所沢《ところざわ》駅から「村山貯水池際《ぎわ》」という駅まで伸びる支線で、これは今では西武球場前へ行く西武狭山線だ。まぎらわしいが、先に挙げた「西武鉄道」は現在の新宿線、国分寺《こくぶんじ》線を中心とする戦前の「旧西武」であり、現在の西武鉄道の法人としてのルーツは、池袋《いけぶくろ》線系統の武蔵野鉄道である。旧西武が明治27年（1894）に国分寺～久米川《くめがわ》（現東村山付近）間を川越《かわごえ》鉄道として開業しているにもかかわらず、現在の西武鉄道が平成27年（2015）に「西武鉄道100年」のイベントを繰り広げていたのは、あくまで現在の会社が池袋線でスタートしたことを物語っている。

その武蔵野鉄道のパンフレットの方を見れば、西所沢～村山貯水池際間の支線を描いているのに対して、もちろん旧西武鉄道など影も形もない（図②）。西武と武蔵野の両鉄道に限らず、戦前の沿線案内図でライバル他社の線路を描かないのは、ごく普通のことであった。戦前に限らずひと昔前までは、西武系と小田急《おだきゅう》系の「バトル」が続いていた箱根で、伊豆箱根《いずはこね》鉄道バス（西武系）が掲示する箱根の全体図に、箱根登山鉄道（小田急系）の線路が見当たらなかったものである。

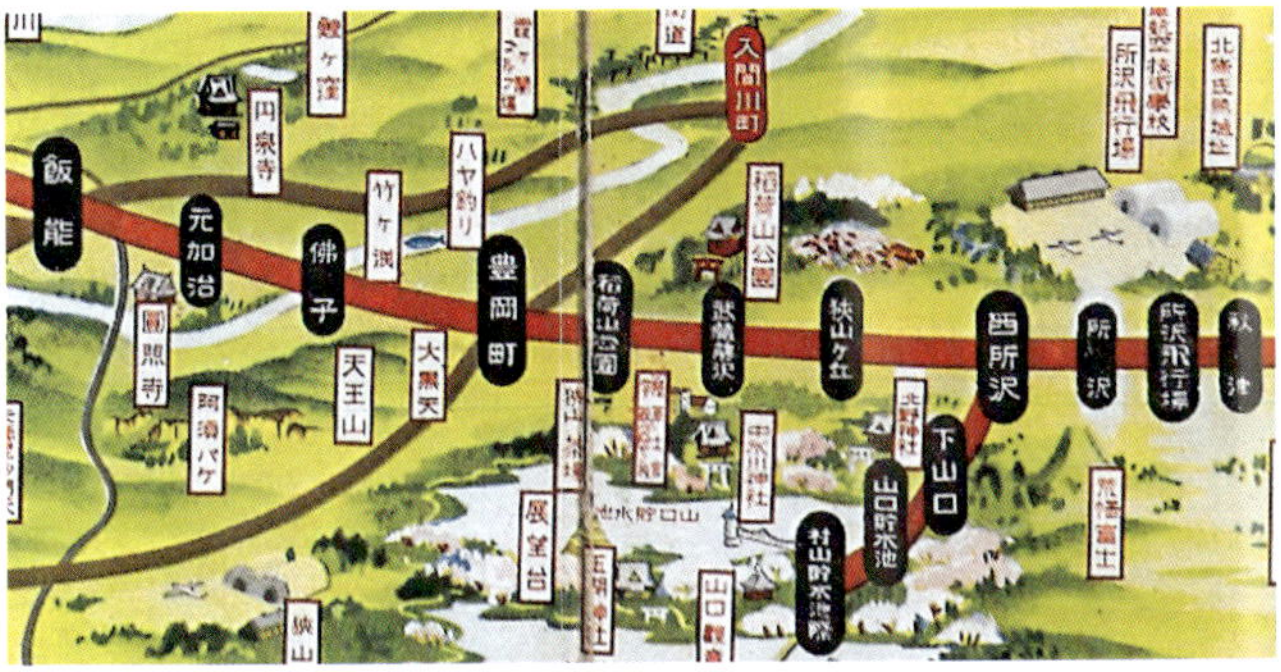

②昭和13年（1938）頃　武蔵野鉄道の村山貯水池際駅周辺：こちらは旧西武鉄道が無視されている。武蔵野鉄道発行「沿線御案内」より。所蔵：練馬区立石神井公園ふるさと文化館

実はこの貯水池には、もうひとつ線路が伸びていた。現在の西武多摩湖《たまこ》線の前身である多摩湖鉄道で、その終点が「村山貯水池」駅であった。要するに、村山貯水池の畔《ほとり》には西武鉄道の村山貯水池前駅、武蔵野鉄道の村山貯水池際駅、それに多摩湖鉄道の村山貯水池駅という3つのまぎらわしい名前の駅が、競って客を待っていたのである。旧西武鉄道のもうひとつのパンフレット（105頁図④）には、貯水池付近の2万5千分の1地形図に自社路線を赤色で描き込んでいるのだが、当然ここに載っているはずの武蔵野、多摩湖の両鉄道は、わざわざ削除されて「廃線跡」のようになっていた。

③昭和 12 年（1937）村山貯水池をめぐる鉄道： 北方面から伸びてくる武蔵野鉄道の先には村山貯水池際駅。東方面から伸びてくる旧西武鉄道の先には村山貯水池前駅。南方面から伸びてくる多摩湖鉄道の先には村山貯水池駅。1:50,000「青梅」昭和 12 年修正　110%

村山貯水池をめぐる 3 駅の変遷

旧西武鉄道（現西武園駅）		武蔵野鉄道（現西武球場前駅）		多摩湖鉄道（現西武遊園地駅）	
		1929	村山公園		
1930	村山貯水池前	1933	村山貯水池際	1930	村山貯水池（仮）
				1936	村山貯水池 *1
1941	狭山公園 *2	1941	村山 *2	1941	狭山公園前 *2
1944	（休止）	1944	（休止）		
1948	村山貯水池	1951	狭山湖 *1	1951	多摩湖
1950	西武園 *3			1961	（移転）*4
		1979	西武球場前 *1	1979	西武遊園地

*1：900 メートルほど延伸移転
*2：軍事上重要な貯水池なので防諜のために改称
*3：別駅としての開業
*4：300 メートルほど延伸移転

昭和49年（1974）3駅の戦後：多摩湖（現西武遊園地）駅（右／旧多摩湖鉄道村山貯水池駅から移転）、西武園駅（中／旧西武鉄道村山貯水池前駅から事実上移転）、狭山湖（現西武球場前）駅（左／旧武蔵野鉄道村山貯水際駅から移転）。写真撮影：安田就視

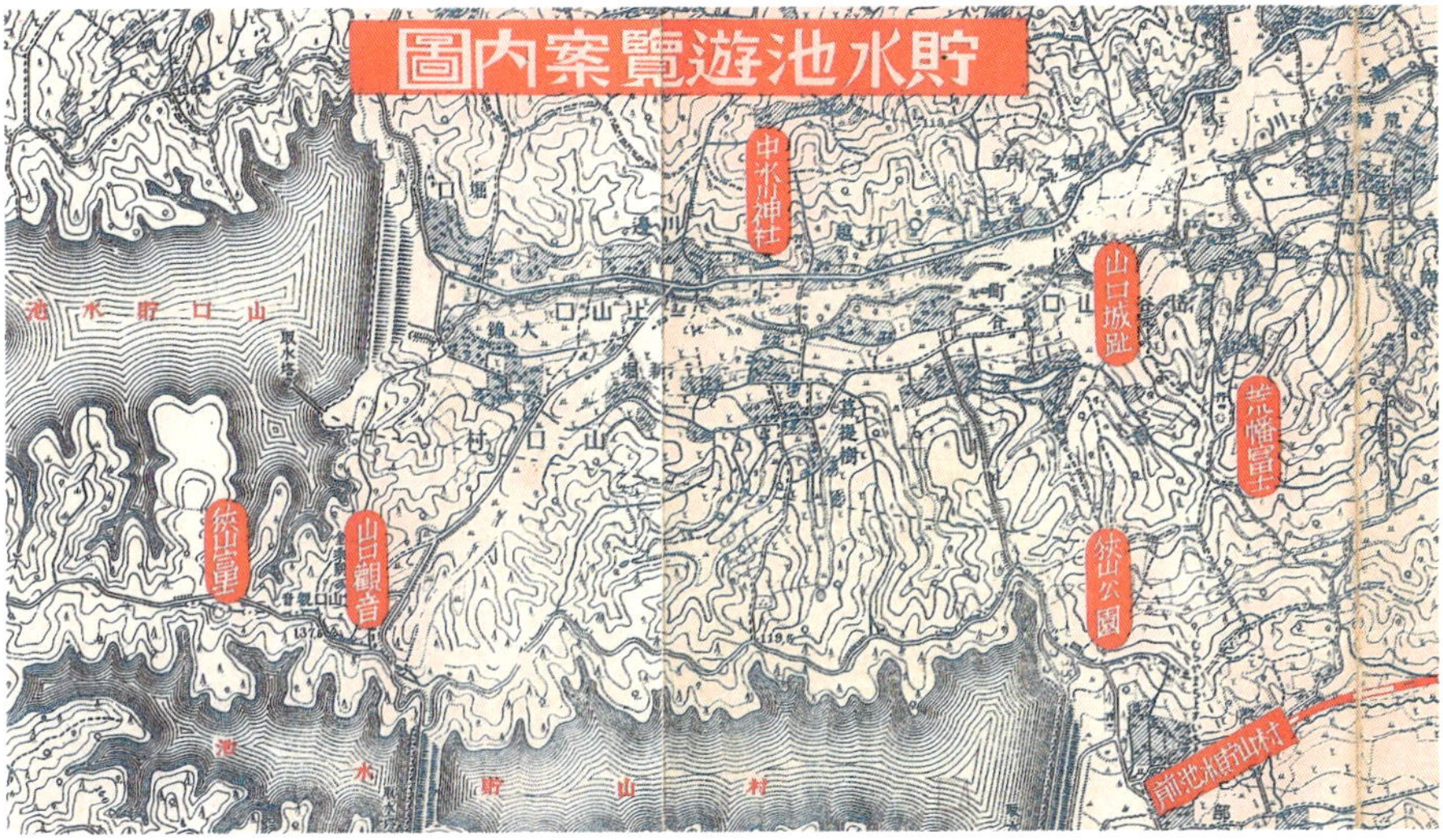

④**昭和13年（1938）頃　旧西武鉄道の貯水池遊覧案内図：**北東から山口観音の東側付近にかけて元の1:25,000地形図にあった武蔵野鉄道を抹消した跡が見られる。旧西武鉄道の沿線案内より

現西武で最古の区間―川越鉄道

東京都国分寺市から埼玉県所沢市にかけての西武鉄道の路線図がこれだけ錯綜しているのは、前述のように3社が入り乱れていた頃の路線を、ほぼそのまま今に引き継いでいることが理由である。

それに昭和10年代からは軍施設や軍需工場への専用線（引込線）が加わり、さらに戦後はこれらを活用した路線も登場したため、事情はより複雑になった。このあたりの変遷を地形図で順に観察していこう。

西武鉄道で最も古い区間は、前述のように明治27年（1894）に開業した川越鉄道の国分寺～久米川間であった。久米川といっても現在の新宿線久米川駅ではなく、東村山駅の200メートルほど北に位置していたらしい。この終点は地図に載る暇もなく翌28年には川越（現本川越《ほんかわごえ》）駅まで延伸され

明治28年（1895）頃　川越鉄道開通屏風：当初は非電化だったが、昭和２年（1927）東村山～川越間が電化した。写真提供：所沢市生涯学習推進センター（斎藤武司氏所蔵）

ている。川越鉄道は川越から東京への便を考えたものであったが直結するには遠く、最寄りの幹線鉄道である日本鉄道（現高崎《たかさき》線・東北本線）の大宮《おおみや》駅と結ぶのが早そうに見える。しかしそのためには荒川《あらかわ》に橋を架けなければならず、その高額な建設費を考えれば南下して甲武《こうぶ》鉄道（現中央本線）の国分寺駅と結んだ方が距離は長いが、土地も平坦で大きな橋梁も架ける必要がないことから、国分寺～所沢～入間川《いるまがわ》（現狭山市）～川越というルートに決まったという。

　もともと発起人が川越町内にはおらず、大半が入間郡内の所沢や入間川の住人であることも大きな理由であった。国分寺～川越間が全通した時点での途中駅は小川《おがわ》（小平《こだいら》村）、東村山（東村山村）、所沢（所沢町）、入曽《いりそ》（入間《いりま》村）、入間川（入間川町）のわずか5か所で、明治30年（1897）に南大塚《みなみおおつか》（大田《おおた》村）が加わって6駅となっている。

現西武のルーツ――武蔵野鉄道

　次に登場したのが現池袋線の武蔵野鉄道で、池袋～飯能《はんのう》間の44・2キロ（当時）を大正4年（1915）に一気に開業した。こちらも川越鉄道と同様に蒸気機関車が牽引する鉄道で、開業当初の途中駅は東長崎《ひがしながさき》、練馬《ねりま》、石《しゃく》神井《じい》（現石神井公園）、保谷《ほうや》、東久留《ひがしくる》米《め》、所沢、小手指《こてさし》（現西所沢）、元狭《もとさ》山《やま》（現狭山ヶ丘）、豊岡町《とよおかまち》（現入間市）、仏《ぶ》子《し》の10駅だけで、駅間の平均は約4キロと今よりだいぶ広かった。

　所沢駅では既存の川越鉄道と接続、交差することとなったが、地図で見てもこの部分の池袋線の屈曲は異様だ。武蔵野鉄道としては十字に立体交差したかったのだろうが、当時の監督官庁（鉄道院ほか）としては私鉄どうしでも線路をきちんと接続させ、列車の直通が可能なように指導していたようで（列車の直通を考慮する必要のなかっ

大正３年（1914）川越鉄道・東上鉄道：国分寺～川越（現本川越）間の川越鉄道（現西武国分寺線と新宿線）に加え、池袋～川越町（現川越）～田面沢（田面沢駅は廃止）間の東上鉄道（現東武東上線）が開通。1:200,000 帝国図「東京」大正３年製版　60%

昭和５年（1930）西武鉄道・東武東上線・武蔵野鉄道：川越鉄道は数度の合併・改称を経て大正 11 年（1922）西武鉄道に。先立つ大正４年（1915）には武蔵野鉄道（現西武池袋線）が開通。所沢駅では西武鉄道に接続させるべく蛇行して敷設されている。1:200,000 帝国図「東京」昭和５年鉄道補入　60%

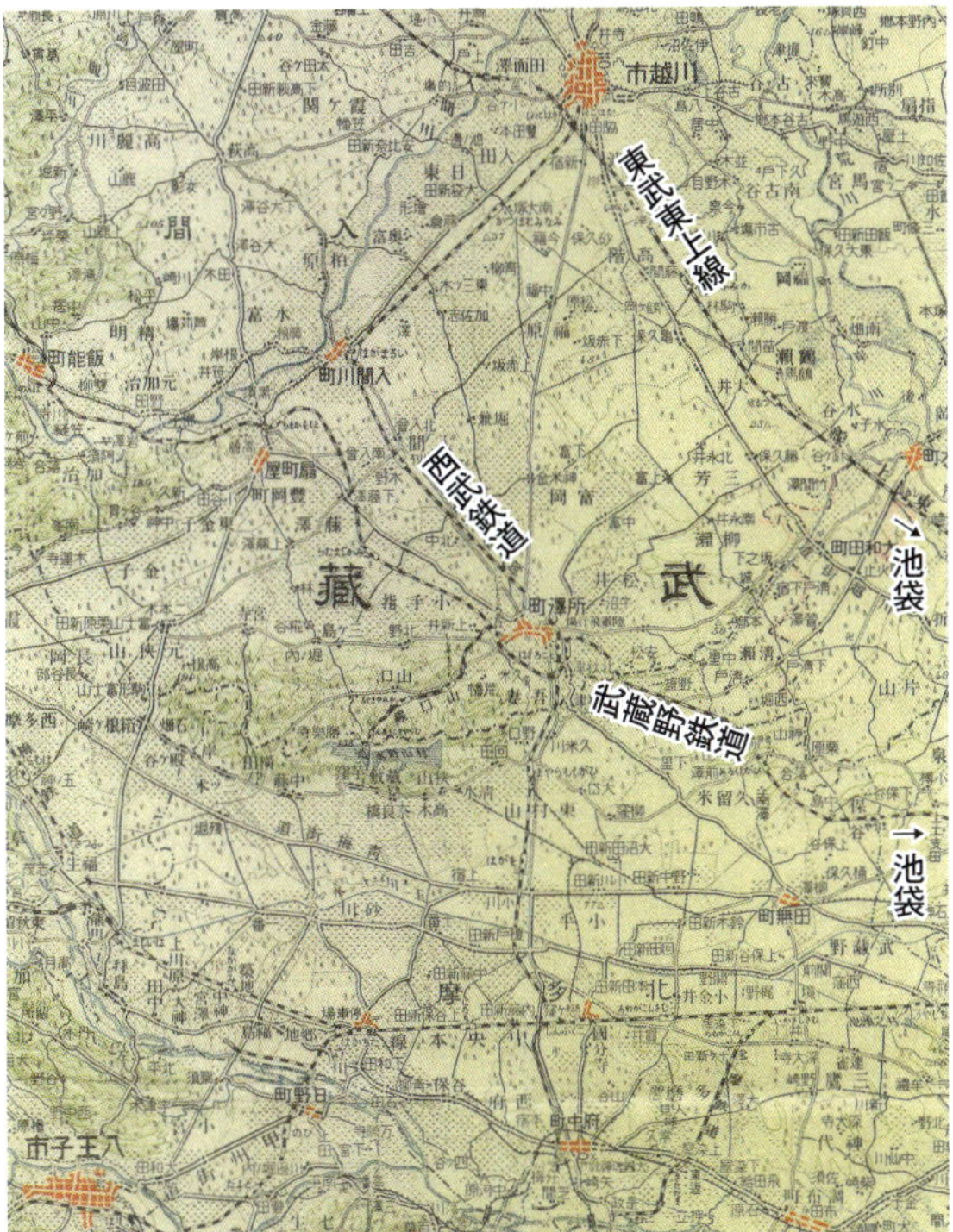

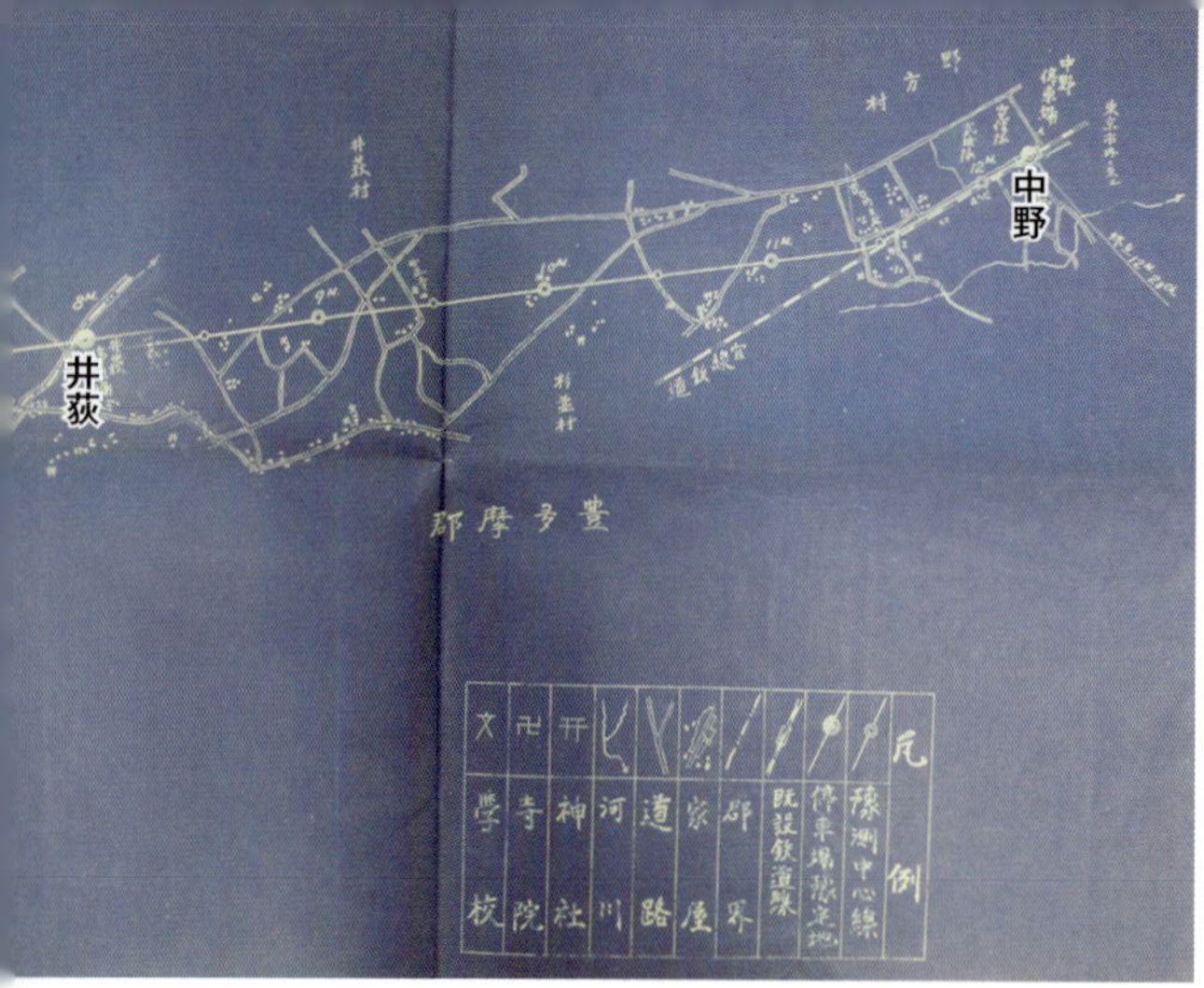

明治45年(1912)幻の東村山~中野ルート:川越鉄道(のちの旧西武鉄道)が都心へのアクセス線として計画したが実現に至らなかった「川越鉄道支線予測平面図」。鉄道省文書「鉄道免許・武蔵野鉄道(元川越鉄道)2　明治45年~大正9年」(国立公文書館蔵)より

た「軌道」はその限りでない)、今に至ってもこのような無理な線形が続いている(104頁図③参照)。このような事例で思いつくのはかつての千歳《ちとせ》線(北海道鉄道)と定山渓《じょうざんけい》鉄道の東札幌駅での交差だ。

今に至っても所沢駅の前後での池袋線の大幅な遠回りは続いているが、このために新宿線の本川越から池袋線方面、池袋線の飯能から新宿線方面への乗り換えは同じホームで行える絶妙な配置となっており、結果的には立体交差よりはるかに利便性が高くなっている。

地方鉄道どうしが接続する駅では、基本的に駅の業務は原則として先行開業した会社が担当する行政指導があったようで、所沢駅でも先に駅を設置した旧西武鉄道が出改札をはじめとする駅の業務を行っていた。『民鉄経営の歴史と文化　東日本編』で西武を担当した野田正穂《のたまさほ》氏によれば、所沢駅では村山線(現新宿線)が昭和2年(1927)に開業した後、都心へ向かう客が「武蔵野鉄道経由」と指定しない限り、すべて自社線経由で高田馬場へ誘導してしまったという。大正4年(1915)の武蔵野鉄道の開業以来、そちらに客をごっそり奪われていたのを切歯扼腕《せっしやくわん》していた西武としては、好機到来《こうきとうらい》で逆に奪い返したということである。特に世界恐慌《きょうこう》の影響で運賃収入が減少していた時期でもあり、駅員どうしによる暴力沙汰《ざた》もあったというから穏やかでない。

旧西武が起死回生を賭けた村山線

少しだけ時間を戻すが、大正3年(1914)に東上《とうじょう》鉄道が川越の町と池袋を結び(開業区間は池袋~田面沢《たのもざわ》間)、翌4年に武蔵野鉄道が飯能から所沢経由で池袋を結んでからしばらくの間、川越鉄道にとっては悪夢のような時期が続いたに違いない。要するに

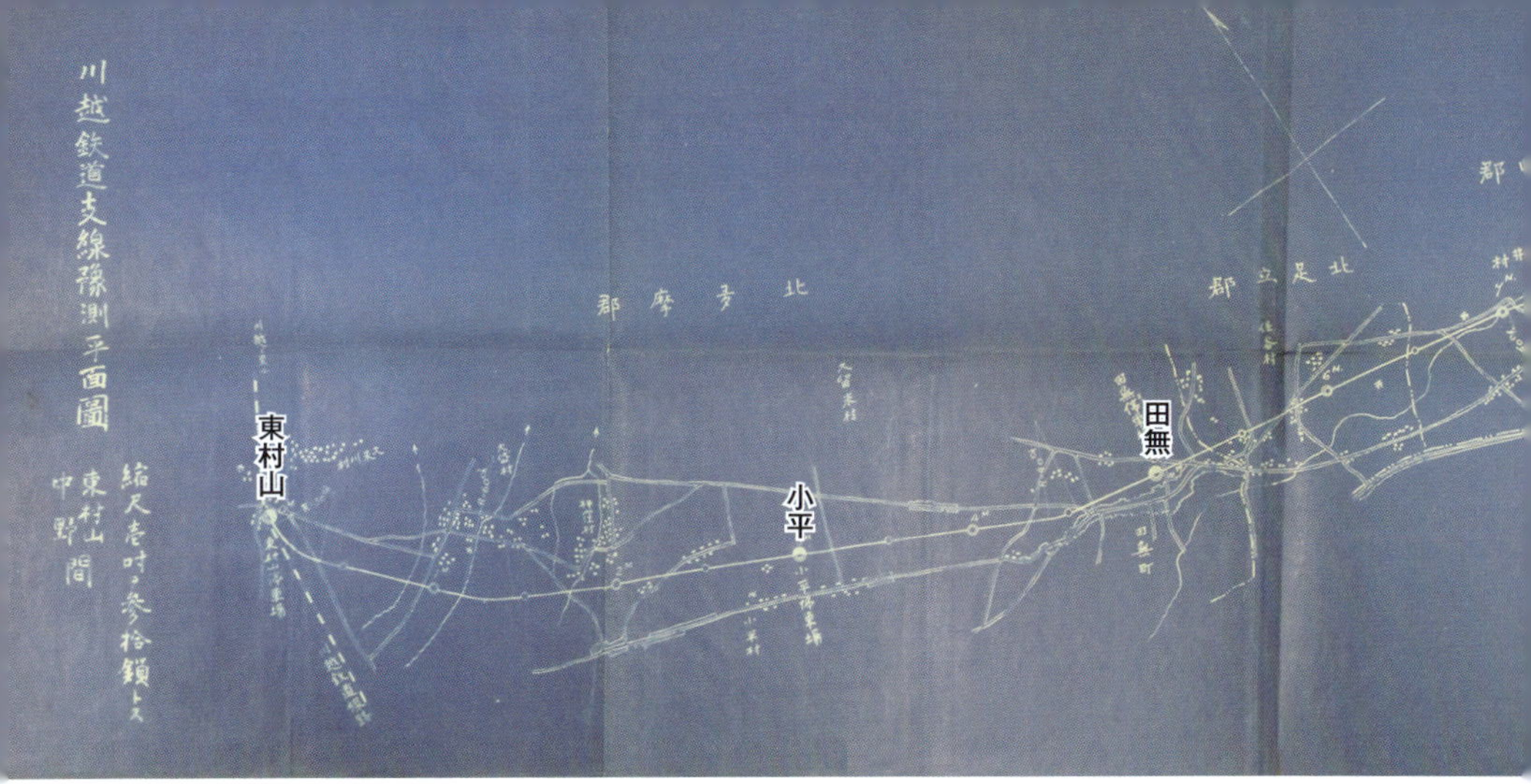

明治 40 年（1907）頃　川越電気鉄道大宮駅発着所：のちに旧西武大宮線となったが、国鉄川越線が並行して開業したため、昭和 15 年（1940）に休止、翌 16 年廃止。写真提供：さいたま市立博物館

沿線で最も大きな2つの町から都心への近道ルートを敷かれてしまったのだから。

鉄道院に対してはこれら「わが社を危機に陥れるライバル」の路線を認可しないよう要請したのだが、結局は実現。それでも座して死を待つわけにはいかないので、都心へ直結する新線計画を立てた。村山軽便鉄道などのまだ実現していない会社の免許を取得するなど、この時期の川越鉄道では、あの手この手で生き残りを模索している。上図は東村山から田無《たなし》を経て中野《なかの》に至る「幻の申請路線」で、これがもし実現していたら、今ごろ東京メトロ東西線と直通していたかもしれない。

この頃ヨーロッパではちょうど第一次世界大戦が始まり、長引く戦争の影響で石炭価格が高騰していた。その大戦下で日本の工業生産額も大いに伸びており、郊外の住宅需要も上向いていたことから、蒸気機関車でスタートし

昭和12年（1937）川越鉄道・多摩湖鉄道：昭和2年（1927）には西武鉄道村山線が開業。昭和3年に開業した多摩湖鉄道は、東国分寺、桜堤、商大予科前、小平学園、青梅街道、萩山とこまめに駅を設置。小平学園駅付近の区画整理された一帯は小平学園都市。1:50,000「青梅」昭和12年修正　77%

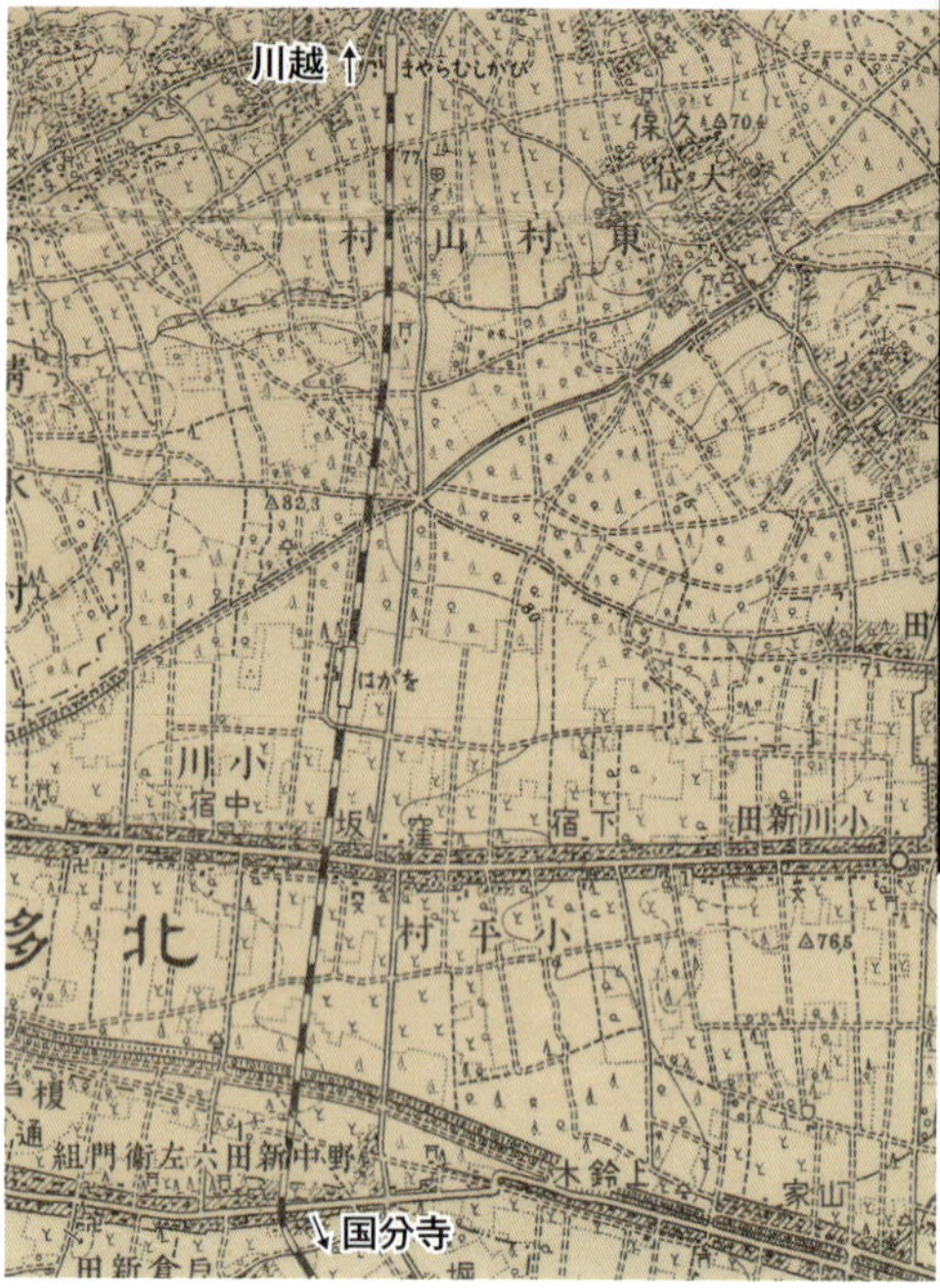

大正4年（1915）川越鉄道：川越鉄道の国分寺～東村山間に設置されたのは、小川の1駅のみだった。のちに西武鉄道国分寺線となってから、国分寺～小川間に昭和23年（1948）鷹の台駅、昭和30年恋ヶ窪駅が設置された。1:50,000「青梅」大正4年鉄道補入　77%

た東武《とうぶ》や武蔵野などの鉄道会社でも電車を走らせて頻繁運転する「近郊電車」への脱皮を図っている。

このような状況下で川越～大宮間を結ぶ路面電車（旧川越電気鉄道）を経営していた武蔵水電《すいでん》という電力会社が、川越鉄道の都心乗り入れ事業に関心を持ち、同鉄道を大正9年（1920）に合併した。しかし電力業界再編の過程で武蔵水電は帝国電灯《ていこくでんとう》に合併されて目論見《もくろみ》は崩れ、その後帝国電灯が鉄道部門を同11年に分離して誕生したのが旧西武鉄道である。

武蔵野鉄道と中央本線の隙間を走ろうとする現新宿線ルートを、鉄道省も当初は拒否していたが、東京近郊の鉄道輸送量の爆発的な伸びもあってか後に認めるところとなり、ようやく完成に漕《こ》ぎ着《つ》けたのが昭和2年（1927）4月16日のことである。高田馬場駅付近の路線選定に手間取ったため、当初は山手線の西側に設けら

平成９年（1997）西武鉄道国分寺線・多摩湖線：萩山駅は昭和32年（1957）に移転、旧駅とは分岐の方向が異なっている。駅間距離が短かった一橋大学・小平学園の両駅は昭和41年に一橋学園駅として統合された。1:50,000「青梅」平成９年要部修正　77%

昭和28年（1953）西武鉄道国分寺線・多摩湖線：昭和20年（1945）両線は同じ会社となった。昭和24年に本小平駅は小平駅に統合され、商大予科駅は商大の改称にともない駅名も一橋大学と改称された。1:50,000「青梅」昭和28年応急修正（同29年発行）77%

れた仮駅でのスタートであった。それでも23・7キロの一挙開業は西武にとっては思い切ったものだ。奇《く》しくもその2週間ほど前の4月1日には、小《お》田原《だわら》急行鉄道（現小田急電鉄）も新宿～小田原間の82・8キロ（当時）を一挙開業している。ちなみにこの村山線が新宿線と名を変えたのは戦後、高田馬場から西武新宿駅まで延伸された昭和27年（1952）のことだ。

宅地開発と観光－多摩湖鉄道

その翌年の昭和3年（1928）からこの一帯の路線図の複雑さは急速に増していく。まずは小平村での学園都市を企図していた箱根土地会社が、その分譲地の住民の足と多摩湖観光への参入を意図して設立した子会社が多摩湖鉄道である。ちょうど田園都市会社とその子会社の目黒蒲田《めぐろかまた》電鉄との関係と同様だ。

学園都市の中心として当初期待され

昭和3年（1928）頃　小平学園都市分譲地：不況の影響もあって分譲は進まず、住宅が見られない。昭和30年代以降に住宅地として発展していく。所蔵：小平市立喜平図書館

昭和32年（1957）小平駅：昭和2年（1927）に旧西武村山線（現西武新宿線）の駅として開業。翌年、多摩湖鉄道（現西武多摩湖線）の小平駅が隣接して開業し、その後本小平と称したが、昭和24年に両駅が統合された。所蔵：小平市立喜平図書館（飯山達雄氏撮影）

たのは明治大学だったが諸般の事情で小平村進出をとりやめてしまう。明大は結局、昭和9年（1934）に杉並区に予科（現和泉《いずみ》校舎−明大前駅付近）を設置することになるが、小平にはその代わりに東京商科大学（現一《ひとつ》橋《ばし》大学）の予科が来ることになった。

昭和59年（1984）国分寺駅：手前が西武国分寺線（旧西武鉄道）ホームで、奥が西武多摩湖線（旧多摩湖鉄道）ホーム。両線のホームは離れており、もとは別会社だとわかる。平成2年（1990）多摩湖線ホームが移設され、現在ではさらに離れている。写真撮影：安田就視

多摩湖鉄道は昭和3年（1928）4月に国分寺から北へ向かって萩山《はぎやま》（現在地より少し南側）まで4・3キロ（当時）の単線を敷設、同年11月には萩山から小平《こだいら》（翌年に本《もと》小平と改称）まで1・0キロ延伸している（同駅は現小平駅西側の踏切の西側にあった）。当初は小型のガソリン動車が2両だけという小所帯でのスタートであったが、後に輸送力増強に迫られて昭和5年（1930）には電化した。わずか1〜2キロ西側には西武鉄道（現国分寺線）が並走していたが、あちらは蒸気機関車の列車で途中駅は小川だけ、こちらは桜堤《さくらづつみ》、小平学園、青梅《おうめ》街道と停留場（駅）が3つあり、昭和8年（1933）までには東国分寺と商大《しょうだい》予科前《よかまえ》も追加されている。もし明治大学が来ていたら、ここが「明大前」になっていただろうか。

昭和5年（1930）には多摩湖鉄道の名の通り、萩山から分岐して村山貯水池駅（仮駅・現武蔵《むさし》大和《やまと》駅の南側）まで延伸された。同年の時刻表によれば、全線8・0キロを18分で結ぶ電車が24分間隔で運転されている。支線となった萩山〜本小平間も本線に合わせて24分間隔であった。その後しばらく仮駅であった村山貯水池駅も、昭和11年（1936）に西武村山線の村山貯水池前駅の目の前、まさに火花を散らしそうな位置に新たに村山貯水池駅を設置した。これが104頁に掲載した図③の状態である。多摩湖鉄道はその後、親会社である箱根土地会社の堤康次郎《つつみやすじろう》（戦後まで西武鉄道の社長）が武蔵野鉄道の経営権を掌握したため別会社である理由を失い、昭和15年（1940）には武蔵野鉄道の路線となった。

戦時体制における旧西武・武蔵野

昭和12年（1937）、北京《ペキン》郊外の盧溝橋《ろこうきょう》に始まった紛争は、宣戦布告が

ないことから「日支事変《にっしじへん》」などと呼ばれていたが、この頃から多摩地区には軍の施設や軍需工場が次々と進出していく。国の軍事予算は拡大し、国家総動員体制に向けてひた進む状況を、多摩の土地利用は如実に反映していった。

西武・武蔵野の各鉄道沿線には、田無町から久留米村（現東久留米市）にかけての中島《なかじま》飛行機と中島航空金属をはじめ、小平村には陸軍兵器補給廠《ほきゅうしょう》小平分廠、陸軍経理学校、大和村（現東大和市）には日立航空機の工場などが

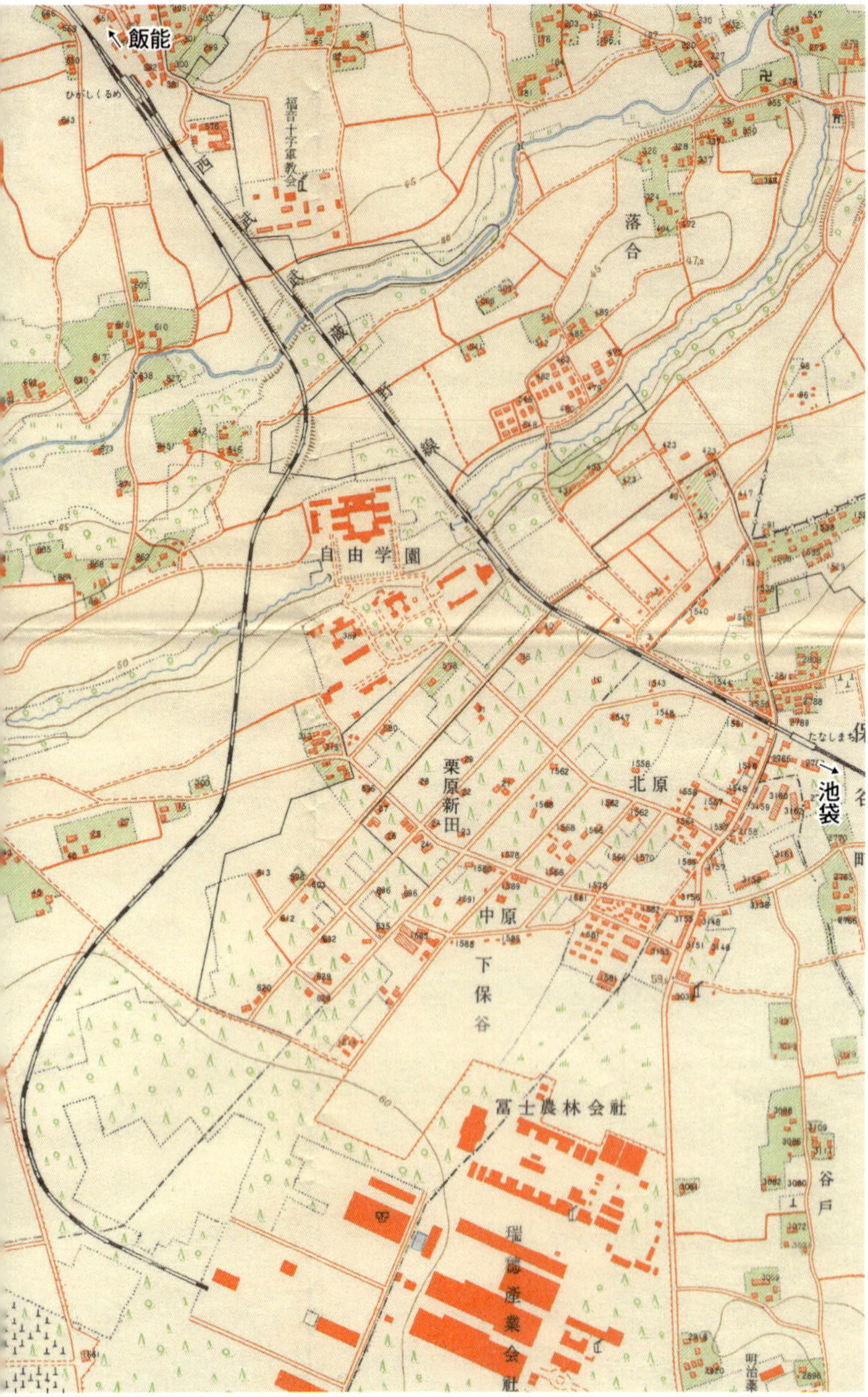

昭和 26 年（1951）中島航空金属への専用線：工場の跡地は後にひばりヶ丘団地となった。これに合わせて右端の田無町（まち）駅も昭和 34 年（1959）に「ひばりヶ丘」と改称。専用線跡地の一部は現在「たての緑地（緑道）」となっている。1:10,000「前沢」昭和 26 年測図　80%

昭和 19 年（1944）頃　陸軍経理学校：空襲の激化で敗戦時には石川県に移転。跡地は戦後になって陸上自衛隊小平駐屯地や関東管区警察学校となった。『陸軍経理学校』より

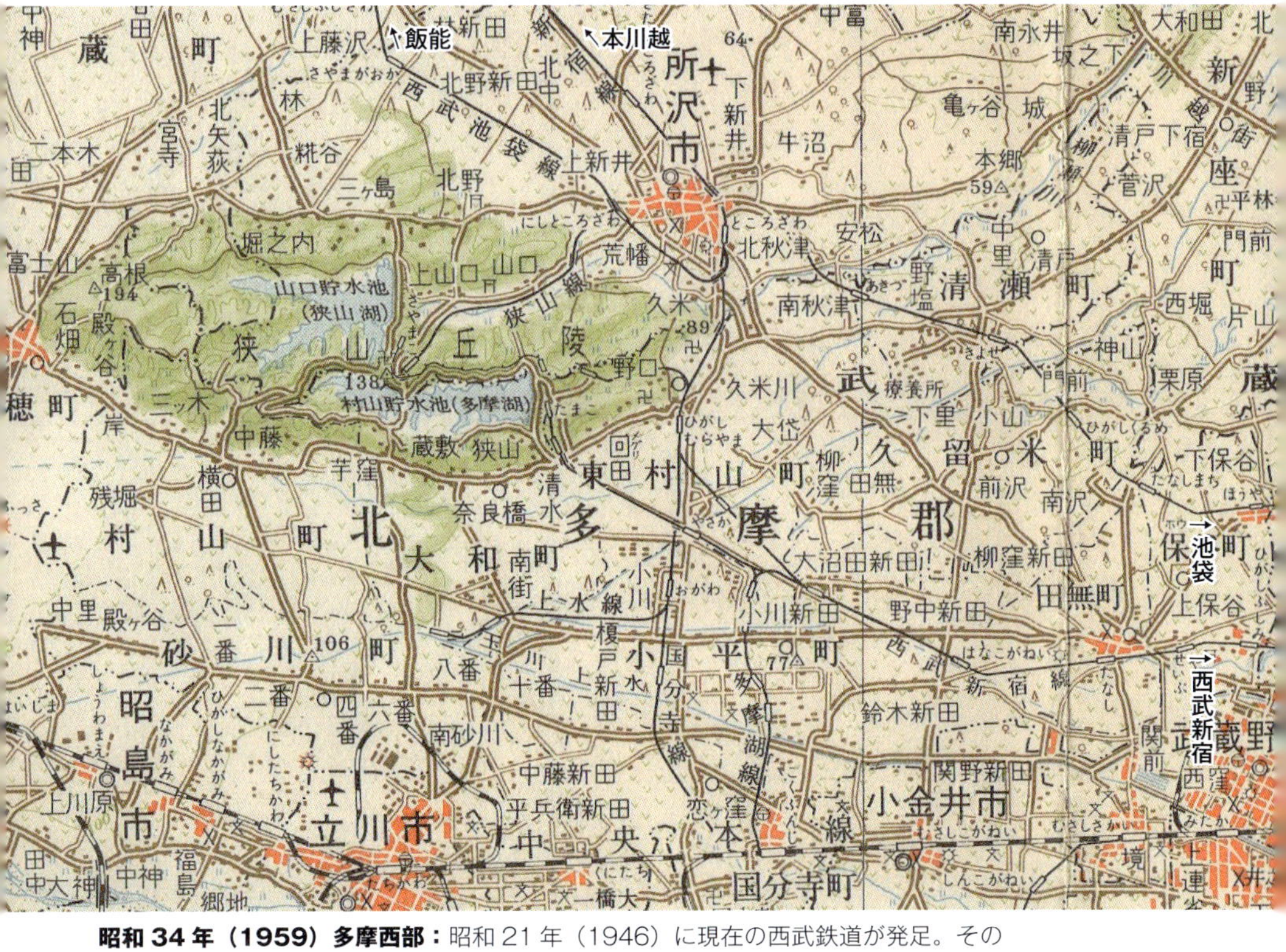

昭和 34 年（1959）多摩西部：昭和 21 年（1946）に現在の西武鉄道が発足。その後昭和 27 年に旧武蔵野鉄道は池袋線・狭山線・豊島線、旧西武鉄道は新宿線・国分寺線・西武園線、旧多摩湖鉄道は多摩湖線、旧日立航空機専用線は上水線（現拝島線）となった。1:200,000 地勢図「東京」昭和 34 年修正　136%

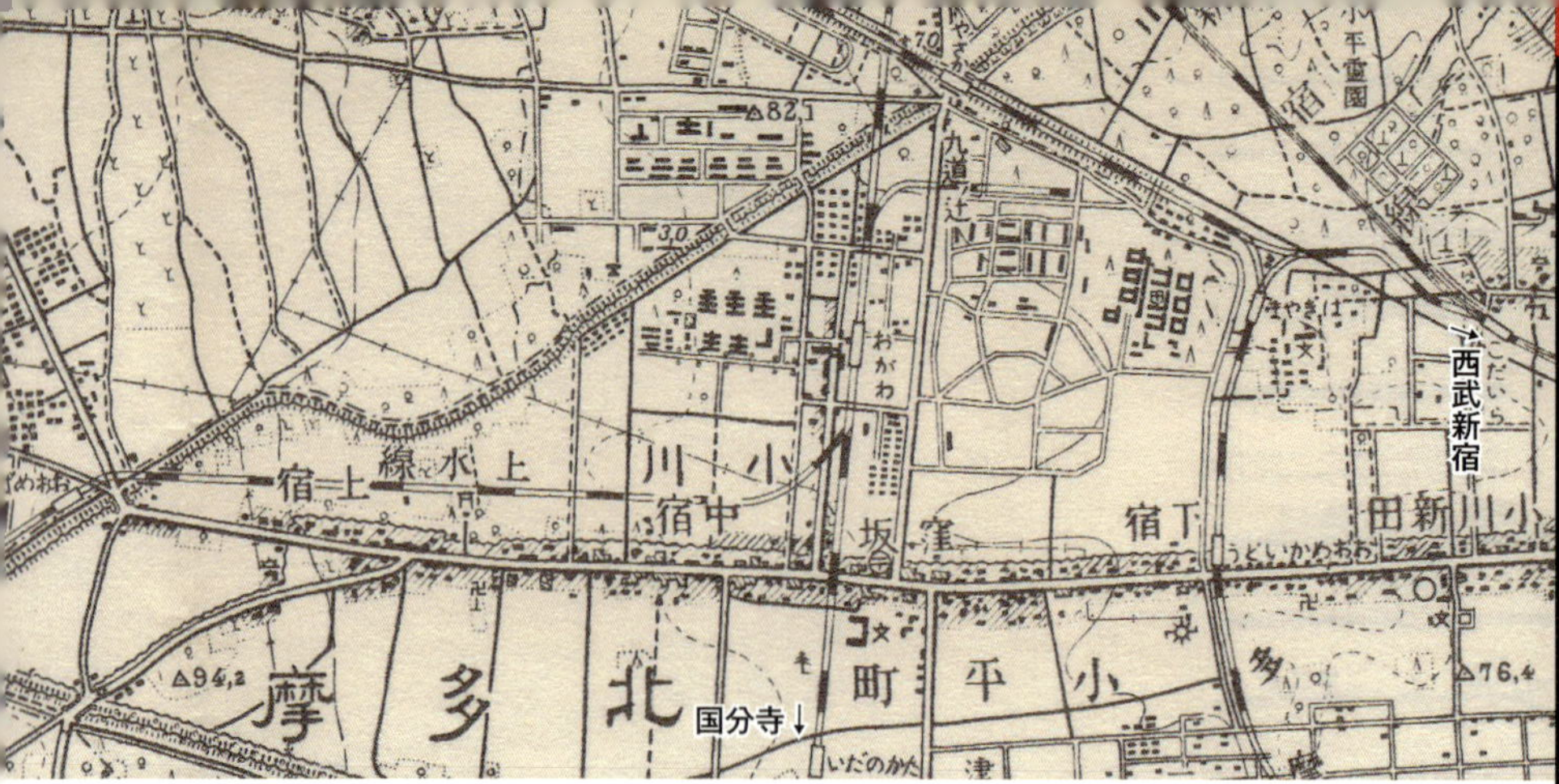

昭和 28 年（1953）西武上水線：小川駅から西へは日立航空機の工場専用線を活用した西武上水線が昭和 25 年（1950）に開業。小川駅北東側には軍用車両の修理を担当した陸軍兵器補給廠小平分廠の専用線が残っている。1:50,000「青梅」昭和 28 年応急修正（同 29 年発行） 120%

平成 9 年（1997）西武拝島線：小平分廠の跡地はブリヂストンの工場となり、専用線は昭和 37 年（1962）に萩山駅（昭和 32 年に移転済み）まで延伸され、上水線の一部として活用。上水線は昭和 43 年の拝島延伸により拝島線となった。1:50,000「青梅」平成 9 年修正 120%

昭和 34 年（1959）建設中のブリヂストンタイヤ東京工場：小平分廠は、戦後に旧地主などに払い下げられた。昭和 30 年代になると小平の積極的な企業誘致によって、ブリヂストンタイヤ東京工場など新しい工場が次々と建てられていく。所蔵：小平市立喜平図書館

次々と建設されていく。
　このうち小平村の小川駅（西武川越線・現国分寺線）からは東側に陸軍兵器補給廠小平分廠への専用線が敷設され、分廠での修理のため戦車や自動車が持ち込まれていた。また西側へは、大和村に進出した日立航空機（当初は東京瓦斯《がす》電気工業）への4・6キロのかなり長い専用線が敷設され、戦時中は気動車による工員輸送が行われていた（西武が運行を請負）。
　このように急速に工場や軍施設などが建設されたため、太平洋戦争が始まる頃からは当然ながら西武・武蔵野の各線には乗客が殺到した。石油禁輸でバスも満足に走らない状態なので事態は深刻で、すぐにでも複線化したいところだが物資不足でなかなかレールの調達が難しい。そこで武蔵野鉄道では西所沢～村山貯水池際間の現狭山線全線のレール4・8キロ分を撤去し、保谷～清瀬《きよせ》間5・3キロの複線化に充当する苦肉の策も行っている。昭和19年（1944）1月6日に提出された狭山線の「地方鉄道運輸営業一部休止許可申請書」に添付された理由書では次のように窮状を訴えているが、その通り同年2月に狭山線は休止となった。
「（前略）当社本線ハ時局ノ緊迫化ニ伴ヒ異常ノ増客ト為《な》リ、現有施設ヲ以《もっ》テシテハ到底輸送ノ完遂《かんすい》ヲ期スル能《あた》ハズ。特ニ単線区間ノ隘路《あいろ》甚敷《はなはだしき》モノアルニ至レリ。先般、田無町《たなしまち》駅付近中島航空金属株式会社工場ニ対シ（中略）調査ノ結果工員大増加（十九年度約一〇、〇〇〇名）ニ伴ヒ同社ヨリ当会社ニ対シ複線施設ト輸送力増強ニ関シ強キ要望モアリ（後略）」

　しかし多摩全体での緊急増産体制の甲斐《かい》もなく敗戦。日立航空機の工場敷地は連合軍（米軍）が接収、米国第五空軍の大和基地となり、旧工場へ通じていた専用線は小川～玉川上水《たまがわじょうすい》間で一般旅客を扱う鉄道として昭和25年（1950）に開業した。当初は気動車での運行であったが、同29年には電化している。この間に武蔵野鉄道は西武鉄道を合併、西武農業鉄道を経て昭和21年（1946）には現在の「西武鉄道」が発足している。
　陸軍兵器補給廠小平分廠の跡地はその後ブリヂストン東京工場となり、そこへの専用線として使われていた線路を同37年（1962）には萩山駅へつなぎ、西武新宿方面から小平－萩山－小川－玉川上水という直通運転ができるようになった。

昭和56年（1981）旧水道局専用線：右上の青梅線奥多摩駅から、山にへばりつくように曲線を描き、多くのトンネルを抜けて、ダム近くの「水根」付近に至る路線（休止中の特殊記号を示す破線）。西武がケーブルカーの敷設を計画していたのが左端の倉戸山。1:50,000「五日市」昭和56年修正　原寸

昭和13年（1938）建設中の小河内ダム：東京市の人口急増による水需要増加により、村山・山口両貯水池に続き、昭和13年（1938）着工。戦中の中断を経て戦後に再開。その際に建設することになった専用線は昭和27年に完成した。『小河内貯水池郷土小誌』より

西武鉄道の奥多摩進出計画

戦前からの工事が再開され、ようやく昭和32年（1957）には小河内《おごうち》ダムが完成するが、その頃から西武鉄道は奥多摩での観光開発に積極的に力を入れている。西武鉄道は社史を出していないので、このあたりの会社の意志決定がどうであったか不明だが、青梅線氷川《ひかわ》駅（現奥多摩）から小河内ダムの直下（水根《みずね》積卸場）まであったダム建設資材輸送用の専用線6・7キロを昭和38年（1963）に東京都水道局

から譲り受け、さらにダムサイト近くから倉《くら》戸《ど》山《やま》へ登るケーブルカーも免許申請して昭和35年（１９６０）に認められていることを考えれば、鉄道で都心から奥多摩へ向かう観光ルートを企画していたと考えるのが自然だ。

これと連動して玉川上水から拝島《はいじま》へ上水線を延伸する工事も進められている（免許は昭和28年）。しかし拝島駅では国鉄の駅構内を横切らざるを得ず、また横田《よこた》飛行場への専用線とも交差することから協議はなかなかまとまらず、何度も「工事施行認可申請期限延期許可申請書」を提出している。

これだけ時間がかかっている理由は国鉄側が西武の目論見に反対していたためだそうで、「将来にわたって列車を直通させない」ことを条件に拝島駅への構内乗り入れを認めた、という話が「東大和市の鉄道小歴史」というサイトに紹介されていた。証拠として挙げられている「請書」がどんな位置づけかは不明だが、ありそうな話ではある。国鉄にとって西武が青梅線経由で列車を奥多摩湖まで走らせることにでもなれば、中央線経由の客が減るだけでまったく得策でない。裏話はともかく、西武の電車が拝島に入ったのはだいぶ遅れた昭和43年（１９６８）のことであった。もっとも、その後は自家用車の急速な普及により「鉄道での観光」は相対的に地位を低下させていくので、過剰投資をせずに済んだのは、むしろ西武にとっては幸いだったかもしれない。

昭和48年（1973）奥多摩駅：駅ホーム手前のヤードには、石灰石を積んだ貨車が連なる。このヤードから小河内ダムサイトへの専用線がつながっていた。写真撮影：安田就視

駅名こぼれ話

花見客のために隣村を名乗る花小金井

乗客の利便性を思うあまり、駅名が紛らわしくなってしまうこともある。西武新宿線の花小金井駅の開業時の所在地は小平村大字野《の》中新田与右衛門組《なかしんでんよえもんぐみ》であったが、小金井の桜を見に行くための最寄り駅としてアピールすべく、隣の小金井村（現小金井市）の名を借用した（現在は小平市花小金井が正式町名）。ＪＲ相模線の厚木駅も間違いやすい。相模鉄道時代から厚木を名乗っていたのだが、大正15年（１９２６）当時から今に至るまで相模川をはさんで対岸の海老名にある。当時の海老名村が「寒村」だったため、橋を渡った先の有力な町の名を名乗ったのだという。このため翌年になって厚木市街近くに駅を設けた小田急は相模厚木と命名した（現本厚木駅）。

6

時代が変われば目的も変わる

京急空港線と京王高尾線

現在は空港アクセスの大動脈となっている京急空港線は、もともと明治に開業した神社参詣客のための鉄道だった。戦争を挟んだ激動の歴史の中に大変貌の謎を探る。

ルーツは川崎大師の参拝電車

関東の大手私鉄のひとつ、京浜急行電鉄。現在では都営地下鉄浅草線と接続する泉岳寺《せんがくじ》駅を起点に品川から横浜、横須賀《よこすか》中央《ちゅうおう》を経由して浦賀《うらが》までの本線をはじめ、空港線（京急蒲田《けいきゅうかまた》～羽田空港国内線ターミナル）、大師《だいし》線（京急川崎～小島新田《こじましんでん》）、逗子《ずし》線（金沢《かなざわ》八景《はっけい》～新逗子）、久里浜《くりはま》線（堀ノ内《ほりのうち》～三崎口《みさきぐち》）の合計87・0キロの路線をもっている。京浜という名前が付いているので、まずは品川～横浜間またはその一部で最初に開業していそうなものであるが、実際には官営鉄道（現東海道本線）の川崎停車場からしばらく歩いた、旧東海道に面した六郷《ろくごう》橋のたもとから川崎大師前（大師停留場）までの区間に敷設された、その名も「大師電気鉄道」がルーツである。

しかもこの電気鉄道は現在の京急のように専用軌道ではなく、未舗装で桜並木の続く大師道の端に敷かれた単線上を、長いポールを撓ませながら小さな電車がのんびり走っていたので現代のイメージとはだいぶ違ったはずだ。開業は明治32年（１８９９）の1月21日、つまり川崎大師（平間寺《へいけんじ》）の年始めの縁日「初大師」に合わせたものである。お客さんが近郷からどっと繰り出すタイミングを計って開業したのだ。

開業区間はわずか1・8キロメートルほどであるが、営業運転としては全国初の京都電気鉄道（明治28年・後の京都市電）、2番目の名古屋電気鉄道（同31年・後の名古屋市電）に次いで3番目、関東地方では初めての電車であった。このため東京・上野の勧業博覧会でアメリカ製電車の「デモンストレーション」を見た人を除けば、おそ

明治 23 年（1890）スプレイグ式電車：上野公園で開催された第 3 回内国勧業博覧会でお目見えした米国製電車。日本で初めて走った電車である。この車両はその後、明治 32 年（1899）に大師電気鉄道が購入した。『東京電灯株式会社五十年史』より。写真提供：国立国会図書館

明治末～大正頃 川崎大師参道：左が大師駅。駅から続く参道はいつも多くの参詣者で賑わっていた。参詣のための路線であったことを実感させる風景だ。写真提供：宮田憲誠

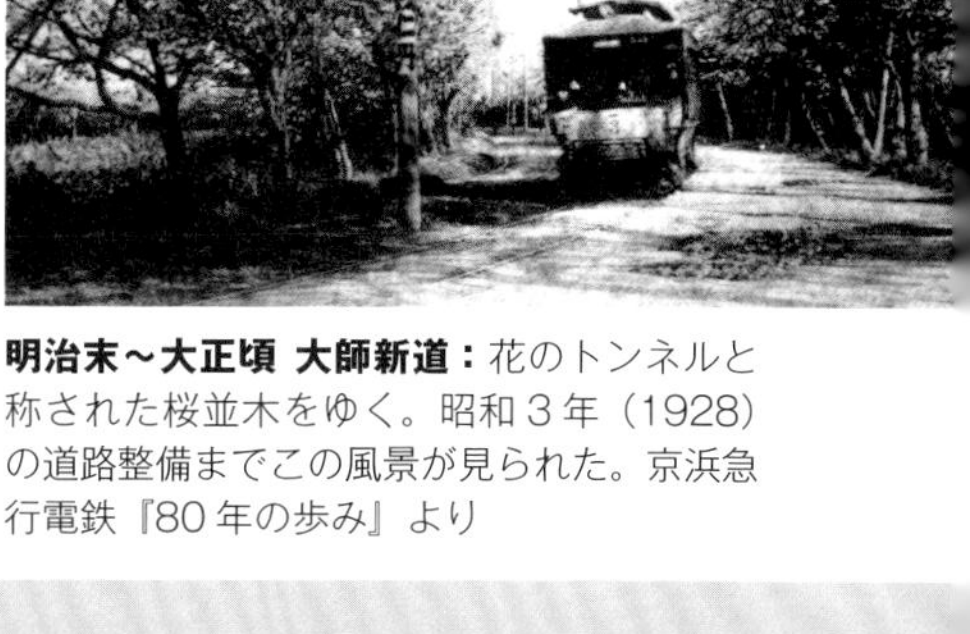

明治末～大正頃 大師新道：花のトンネルと称された桜並木をゆく。昭和 3 年（1928）の道路整備までこの風景が見られた。京浜急行電鉄『80 年の歩み』より

らく大半の人が初めての電車経験だったに違いない。

電車通勤がなかった時代

さて現在、日本の鉄道利用率が世界的にトップ・レベルである理由は、地球環境への国民の意識が高いというわけではなく、実際には毎日の通勤・通学で片道何十キロメートルという長距離を混んだ電車で往復するサラリーマン層や学生・生徒たちが達成させている。このため「私鉄の乗客」といえばそのような客層を思い浮かべてしまいがちだが、今から100年ほど前の昔にはそのような乗客はほとんど存在していなかった。

大正３年（1914）三越百貨店：江戸期以来の呉服屋から百貨店に脱皮した三越。大シャンデリア下の中央広間（上）や日本初のエスカレーター（左）などが設けられた。写真提供：中央区立京橋図書館

そもそも当時の日本は農家の占める割合が今より圧倒的に多く、工業もたとえば官営の八幡《やはた》製鉄所や富岡《とみおか》製糸場などの先駆的な近代工場を除けば、大半が家内制手工業やせいぜいその「進化形」に過ぎず、買い物といっても、よほどのことがない限り郊外から都市へ赴くことは珍しかった時代である。

ちなみに百貨店の先駆けとされるパリの「ボン・マルシェ」が1852年に登場して以来、日本では三越《みつこし》が江戸期の呉服屋「越後屋」から百貨店に向けて脱皮しつつあった時期だ。売り場も江戸時代からの伝統的な「座売り」から、正札のついた現金販売へ移行するのがこの頃で、小物売り場ができてショール、袋物などを売り始めたのが明治35年（1902）、鉄筋コンクリート造りで日本初のエスカレータがついた洋風建築の「デパートメントストアー」としてオープンするのが大正3年（1914）という小売業の歴史

を思えば、明治30年代の初頭というのはその前夜の話であった。

そのような時代であるから、初めてその土地にお目見えした電車という乗物にわざわざ足を運んでもらうためには、神社仏閣の縁日や祭礼、それに花見など特別におめかしして出かける「ハレの日」に合わせる必要があったのである。中央本線の前身である甲武《こうぶ》鉄道の最初の開業日が明治22年（1889）の4月11日であったのも、沿線の小金《こがね》井《い》への花見客を意識したものだ。本来なら新宿から八王子《はちおうじ》まで一挙開通させるはずが、多摩川《たまがわ》橋梁の工事が長引いていたため、その手前の立川《たちかわ》までを部分開業にしてでも、とにかく鉄道の存在をアピールして汽車に乗ってもらうのが先決だったからである。

関東初の電気鉄道

お花見シーズンに開業したその甲武鉄道が開業した10年後、大師電気鉄道は大成功のうちに幕を開けた。『京浜急行八十年史』によれば、電鉄は神奈川新聞の前身である「横浜貿易新聞」に次のような広告を出している。

関東ニ於ケル電気鉄道ノ嚆矢《こうし》ニシテ
日本国中ニ於ケル広軌鉄道ノ元祖
連結車ヲ付シテ一回ニ二台ヅ、ヲ運転スル全国唯一ノ電気鉄道
五十人乗リノ宏大ナル客車ニシテ構造装飾実ニ善美ヲ尽セリ

1行目の「広軌《こうき》鉄道の元祖」とは、4フィート8インチ半＝1435ミリの軌間（2本のレールの内法）を採用した最初の電車であることを指している。この軌間は今でこそ新幹線をはじめ複数の大手私鉄が用いる軌間で、欧米では標準となっているものだ（最近では標準軌と称する）。これを日本で初めて採用したのである。

もっとも当初の計画では官営鉄道と同じ3フィート6インチ（1067ミリ＝現JRと同じ）であったのを、当時の陸軍の一部が物資輸送に関連して鉄道全般の軌間を広軌に改めるべきだと主張し、さらに明治29年（1896）に帝国議会に「広軌鉄道に関する建議」が提出されるなど、国鉄の改軌《かいき》への気運の高まりを受けて決定されたものだという。ただし京浜電気鉄道ではその後、東京馬車鉄道の軌間を踏襲した東京市電に乗り入れられるように明治37年（1904）に1372ミリに軌間を狭め、昭和8年（1933）には湘南《しょうなん》電気鉄道（現・京急の黄金町《こがねまち》以南）と直通するため再度1435ミリに戻している。

2行目の「1回に2台ずつ」とは、電動車を2両つないで先頭の運転席で「総括制御」するのではなく（それが実現するのはまだ先の時代）、電動車の後にトレーラーというモーターなしの客車を連結する方式である。このため六

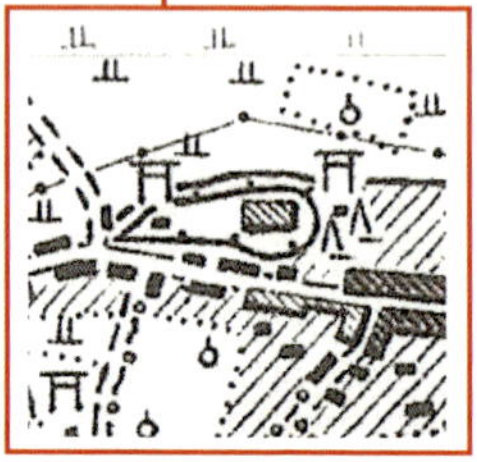

明治末頃 大師道を走っていた頃の大師線：関東で初めて電車を走らせた大師電気鉄道は、明治 32 年（1899）に川崎（六郷橋南詰付近）～大師間で開業し、明治 39 年に現在の京急川崎まで延伸した。ルートは現在線と異なる。両終点にはループ線が敷設された。1:20,000 正式地形図「大森」明治 39 年測図＋「川崎」同＋「溝口」同＋「神奈川」明治 41 年鉄道補入　原寸（拡大図は 185%）

郷橋と大師の両終点にはぐるりと方向転換するループ線が敷設され、トレーラーの付け替えをしなくても折り返せる方式となった。これはヨーロッパの路面電車では今もよく用いられる方式であるが、日本ではその後廃《すた》れてしまい、「両運転台」のタイプが路面電車では主流となっている。

開業後の成績は好調だったそうで、1月の開業から5月末までの間に16万人を運び、特に縁日である毎月21日には混雑で積み残しが出るほどであったという。川崎停車場から六郷橋の起点までは人力車、そこからは電車という「連絡切符」が販売されたが、これは電車の計画に強く反対した人力車夫組合「だるま組」との妥協の産物である。関東初の電車が、旧来の交通手段である人力車と対立しながらも当面の共存を図ったというのは、いかにも時代の転換期のエピソードだ。

参詣者のための穴守線開業

開業の3か月後、大師電気鉄道は「京浜電気鉄道」と社名を変更し、その後は都市間連絡電車としての旗幟《きし》を鮮明にした。やがて会社は京浜間（品川〜神奈川）の建設に進んでいくのだが、六郷橋から大森《おおもり》までを明治34年（1901）に開業した翌年には、品川までの延伸ではなく、途中の蒲田（現京急蒲田付近）から穴守《あなもり》までの支線を先に開業する。これが現在の空港線の一部にあたる穴守線だ。

初代の穴守停留場は海老取《えびとり》川の西側（現・天空橋《てんくうばし》駅の対岸）に設けられ、ここからは徒歩または人力車で稲荷《いなり》橋を渡り、10数分歩いて稲荷の門前へ向かった。まだ「本線」が品川へ達する以前の話であるが、それよりこちらを先行させるところが、当時の電車の客層のかなり多くの割合が参拝者で占められていたことをうかがわせる。

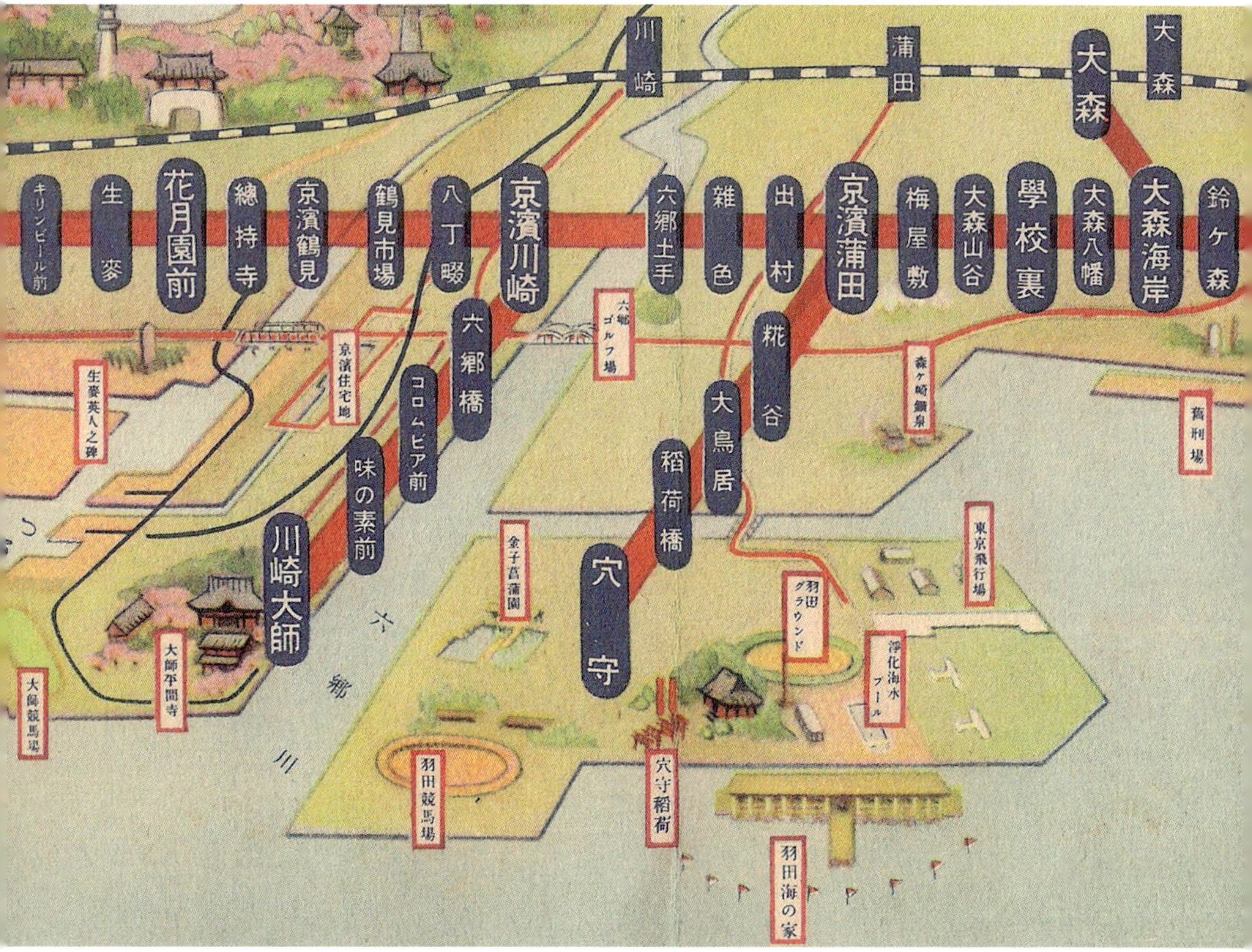

昭和９年「京浜・湘南電鉄沿線案内図絵」部分：沿線の見どころを紹介するイラスト路線図。穴守稲荷を中心とする羽田界隈には、京浜電鉄が直営する海の家（浄化海水プール、大浴場などを備えたレジャー施設）があり海水浴や潮干狩りが楽しめたほか、競馬場、菖蒲園などもある一大行楽地だった。「京浜・湘南電鉄沿線案内図絵」（昭和９年）より

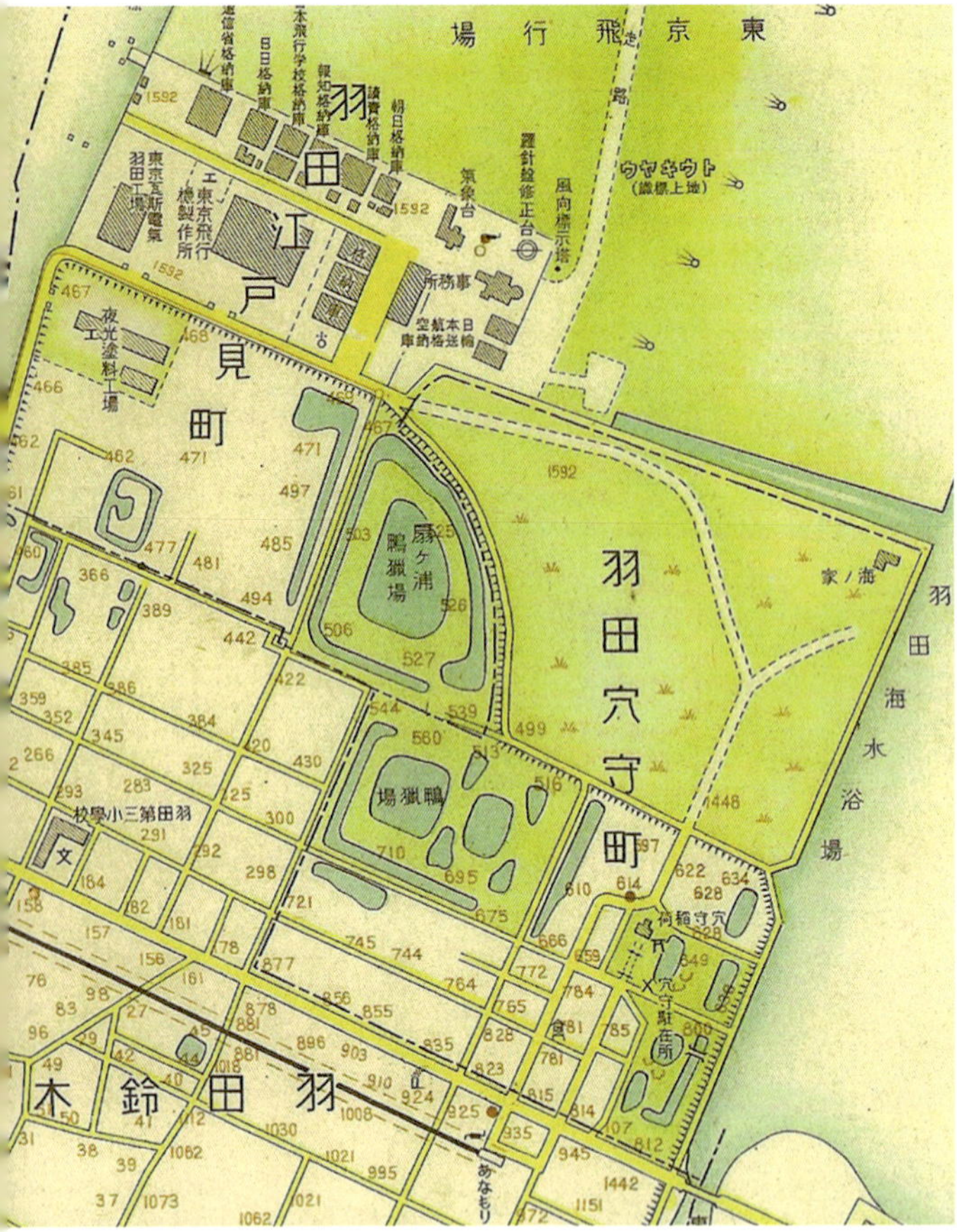

昭和12～14年頃 穴守駅周辺：穴守稲荷とその門前町。北側には鴨猟場と飛行場が広がっていた。鴨猟場は、鳥類学者を輩出した旧福岡藩主黒田侯爵家が、赤坂の江戸屋敷にあった鴨池を拡大移設したもの。飛行場には新聞社などの格納庫がズラリと並んでいた。東京地形社「蒲田区詳細図」より

蒲田~穴守間の開業は明治35年（1902）6月28日であった。『京浜電気鉄道沿革史』（昭和24年発行）はこの穴守線について「此線は大師に次ぎ参詣人の多い穴守稲荷への交通施設として計画され」とあるが、今はなき旧地の稲荷の「集客力」が相当なものであったことをうかがわせる。

穴守稲荷の創建は文化《ぶんか》年間（1804~18）に遡る。羽田空港の国際線ターミナル付近にあたる場所に鈴木新田《すずきしんでん》を開いた際に、激浪のため堤防に大穴が生じ、海水が浸入しようとした。村民はここに稲荷大神を勧請して祀ったのが始まりで、「風浪が作りし穴の害より田畑を守り給う稲荷大神」が穴守稲荷の由来である。

幕末からは川崎大師と共に穴守稲荷を「両参り」する人が増え、現在の産業道路や首都高速が多摩川を渡る付近には「六稲荷の渡し」と呼ばれた渡船が両岸を結び、参詣者を運んだ。江戸から川崎大師への参詣客がこちらばかりを通って六郷の渡しを利用しなくなることを懸念した川崎宿が、幕府に対して取り締まりを要請したほどである（日本地名研究所編『川崎の町名』）。

（右上）大正頃 穴守門前町：穴守線の開業によって参拝者は大幅に増加した。花柳界の信仰を集めたこともあり街は隆盛を極めた。『写真でみる郷土のうつりかわり（風景編）』より。写真提供：大田区立郷土博物館 **（左上）明治末頃 羽田渡：**羽田から対岸の川崎大師まで多摩川は渡船で行き来していた。羽田渡は六稲荷の渡しとも呼ばれていた。『写真でみる郷土のうつりかわり（風景編）』より。写真提供：大田区立郷土博物館 **（下）明治末頃 六郷橋：**道路橋に並行する木橋を渡る京浜電気鉄道の電車。このやや上流に鉄橋が完成する明治44年までこの風景がみられた。写真提供：宮田憲誠

初代の穴守停留場は海老取川の西側で神社からは離れていたが、その後は橋梁を架設して800メートルほど東へ延伸、大正2年（1913）の大晦《おおみそ》日《か》には稲荷のすぐ目の前に新たに穴守停留場を設置、従来より便利になった。京浜電気鉄道では江戸時代からの伝統に従って「両参り」を営業戦略的にも盛んに進めたらしく、大正4年（1915）3月号の時刻表「公認汽車汽船旅行案内」（旅行案内社）によれば、「八ツ山より大師穴守を経て八ツ山帰着四十五銭」といった割引周遊切符を発売していた。

昭和 16 年（1941）『京浜・湘南電鉄沿線案内』部分：「要塞地帯区域線」（このラインは年によって異なる）が引かれるような緊迫度を増す時局ではあったが、楽しげな沿線案内が刊行されていた。『京浜・湘南電鉄沿線案内』より

総合レジャーランドを目指す

昭和9年（1934）の「鉄道省編纂　汽車時間表」12月号によれば、品川～穴守間には直通電車が運転されており、この区間には26分を要していた。この頃の京浜電気鉄道は、すでに品川～横浜～浦賀を結ぶ高速鉄道に脱皮しており、普通列車として見れば現在とそれほど遜色のないスピードで結んでいる。この年に発行された「京浜・湘南沿線案内」の裏面解説では、穴守稲荷駅を「名所案内」で次のように説明していた。

関西の伏見と並び称せらるゝ関東第一の稲荷社にして、境域海に接し風光明媚、祠後の海辺には社営（京浜電鉄直営の意＝引用者注）「海の家」並に東洋一を誇る浄化海水プールあり。浄化せる海水を入れ、幅七〇米長サ三〇米水深〇、七五米より二米に及び婦人

昭和初め頃 東京飛行場：昭和６年に立川の陸軍飛行場から移転。所蔵：東京都立中央図書館

大正頃 羽田海水浴場：遠浅の干潟に設けられた海水浴場では汐干狩りも楽しむことができた。所蔵：大田区立郷土博物館

大正頃 穴守停留所：電車に乗り込む遠足の女学生。ループ線だったため手前（左下）にも線路が見える。電車は３両編成のボギー１号形電車。写真提供：宮田憲誠

子供に安全にして大人の遊泳にも適す。大温浴場（自三月至六月汐干狩の候には日曜祭日、自七月至八月海水浴期間中は毎日開場）運動場等あり、海水浴に汐干狩に旅客の便を計る。入場料は潮《ママ》干狩期間大人小児共五銭、海水浴期間大人二十銭小児十銭。本社電車利用者には更に大割引す。

伏見《ふしみ》稲荷と並び称されるというのは誇張と思われるが、当時の地図で見る限り、少なくとも現在の小さな稲荷よりははるかに大きな境内を持っている。いずれにせよ海水浴や潮干狩り、温水プールを楽しめる「レジャーランド」的な要素が含まれていたのであり、近代を迎えた東京市民がある程度の自由時間を得たことを実感させるものがある。

駅の周辺にはこの他にも羽田《はねだ》競馬場や鴨猟場、それに見学地としての東京飛行場（現羽田空港）があった。もちろん飛行機に乗れる人はさすがにごく

限られた特権階層だけであったが、見学そのものが貴重な観光資源であった。ここから見えるのは、羽田が総合的なエンターテインメントの集中したエリアとして位置づけられていたことであり、宝塚《たからづか》の観光開発を手がけて大成功を収めた「小林一三《こばやしいちぞう》・阪急」の影響もうかがえる。

進駐軍の貨物線に

その観光路線としての穴守線をすっかり変貌させてしまったのが戦争である。昭和6年（1931）の満洲事《まんしゅうじ》変《へん》以来、長引く日中戦争を経て対米戦争に突入したのが同16年の12月であるが、その前年から最大の石油の輸入相手国であったアメリカとの関係が悪化、ついには石油禁輸が断行され、表立って「遊ぶ」ことが憚《はばか》られる世の中となっていく。戦争の推移はここでは繰り返さないが、莫大な物的人的損耗を伴った文句ない敗戦であった。

昭和22年（1947）連合軍（米軍）接収後の羽田： 海老取川以東の穴守稲荷と門前町は破壊され、滑走路や更地となっている。米軍撮影空中写真 USA-M371-75 より。写真は国土地理院所蔵

戦時体制で東京急行電鉄の一部となっていた京浜電鉄穴守線は、米軍の羽田飛行場接収とその大拡張工事のため、連合軍総司令部（ＧＨＱ）の命令により海老取川以東、具体的には稲荷橋～穴守間の線路接収が行われた。川の東岸には稲荷の門前町をはじめとする多くの住民が暮らしていたが、48時間以内ときわめて厳しい期限を切って立ち退きが命ぜられ、穴守稲荷の社殿から門前町の家屋に至るすべてが破壊されたのである。飛行場拡張工事の資材運搬線として穴守線の複線のうち１線が供出されて１０６７ミリに改軌、ここに東海道本線から直通の貨物列車を通した。このため旅客輸送は単線運行を強いられ、20分間隔という都会のローカル線に転落したのである。

その後の路線・駅の改廃は複雑だが、海老取川の西側に終点として羽田空港駅が設置されたのは昭和31年（１９５６）のことである。ただしここから空港ターミナルまで歩くには遠く、京急バスへの乗り換えが必要だったため、東京オリンピックが開催された昭和39年（１９６４）以降に都心から空港へ向かう人の多くが東京モノレール（同年10月開業）を利用し、横浜方面からは空港直通のバスというのが一般的になった。

昭和49年（1974）
羽田空港駅：昭和31年（1956）に設置されたが、空港ターミナルまでは遠くローカル線色が濃かった。写真撮影：安田就視

空港アクセス線への変遷

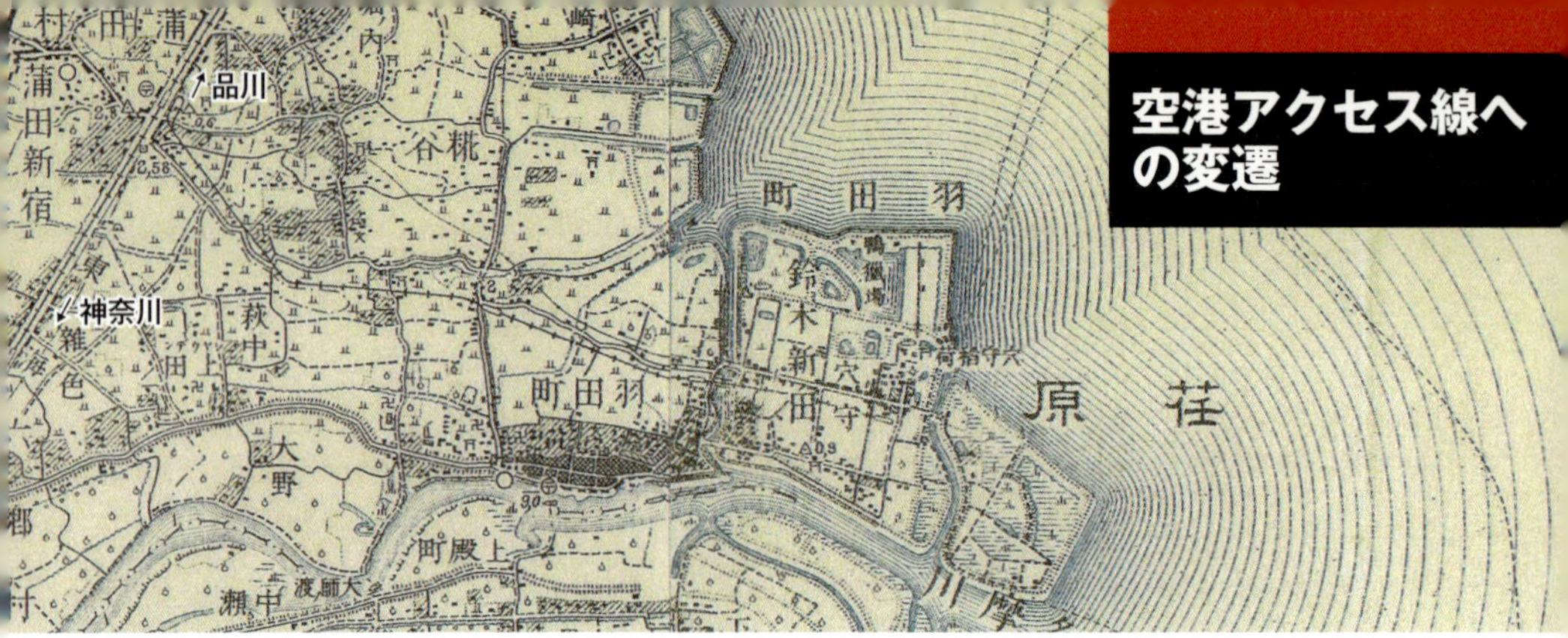

①大正８年：穴守駅から稲荷に向かって 250m ほどの参道が。その北側は鴨猟場だった。
1:50,000「東京西南部」大正８年鉄道補入＋「東京東南部」大正５年修正　原寸

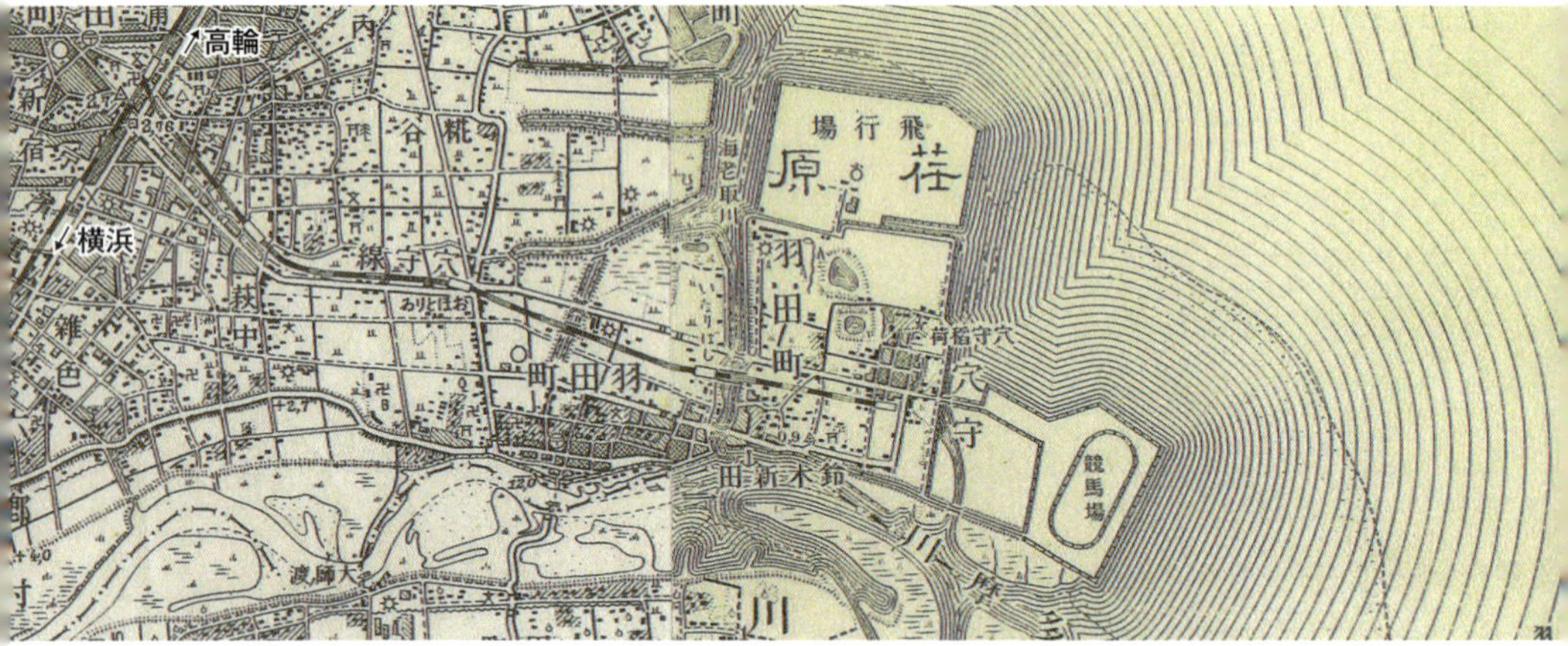

②昭和７年：鴨猟場の北に広がる広大な干潟を埋め立て、昭和６年に東京飛行場が開港。
1:50,000「東京西南部」昭和７年要部修正＋「東京東南部」昭和７年要部修正　原寸

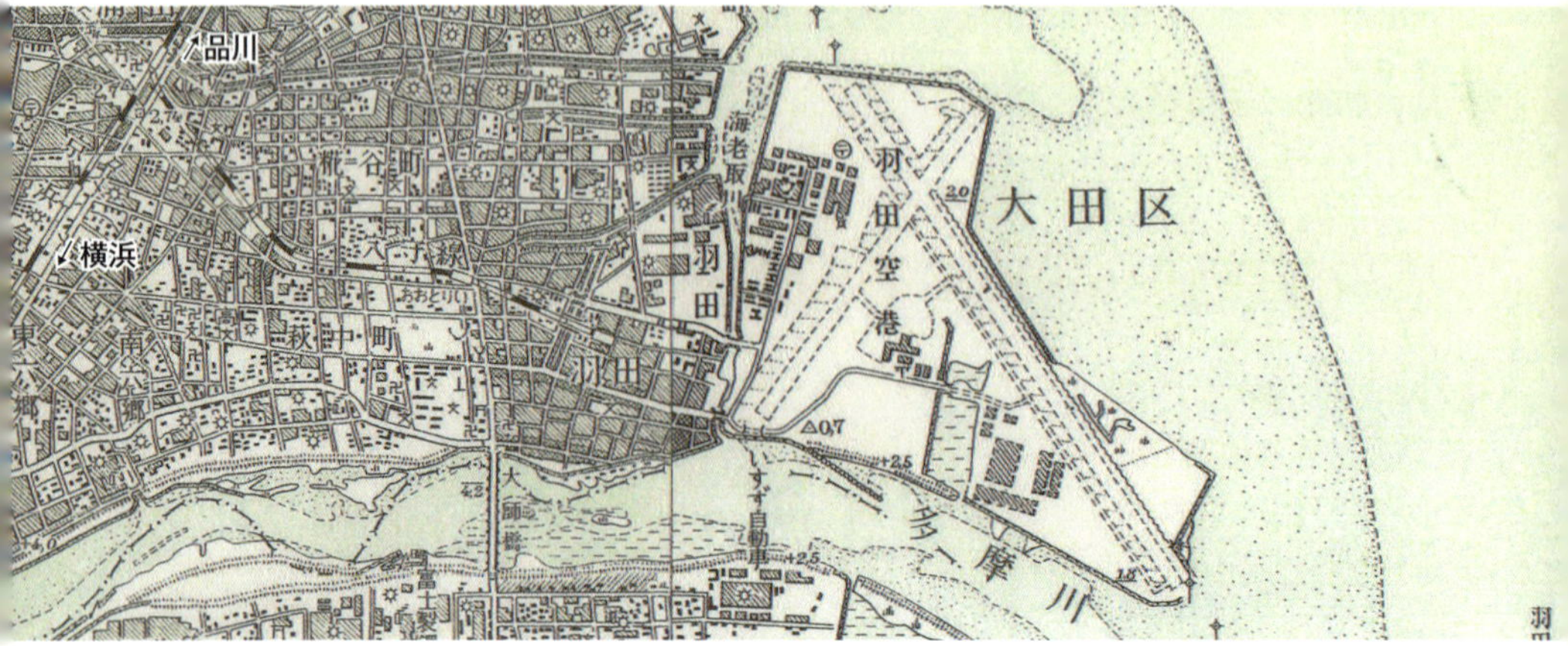

③昭和 36 年：昭和 27 年に地上施設の一部がアメリカ軍から返還され東京国際空港に改名。穴守線沿線は田園地帯から工業地帯に激変している。終点は稲荷橋駅となった。1:50,000「東京西南部」昭和 36 年資料修正＋「東京東南部」昭和 28 年応急修正（同 34 年発行）　原寸

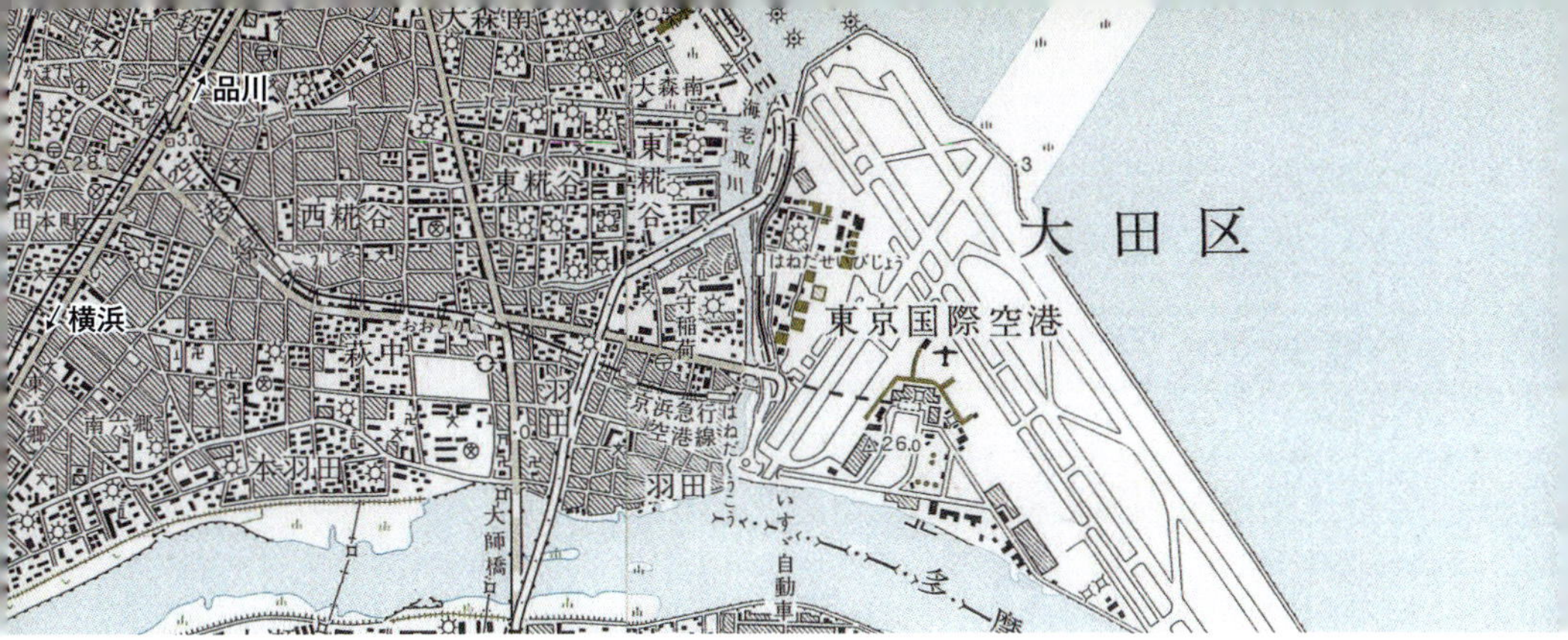

④昭和 45 年：羽田空港駅が設けられ、東京モノレールも開業。穴守稲荷は移転している。
1:50,000「東京西南部」昭和 45 年修正＋「東京東南部」昭和 45 年修正　原寸

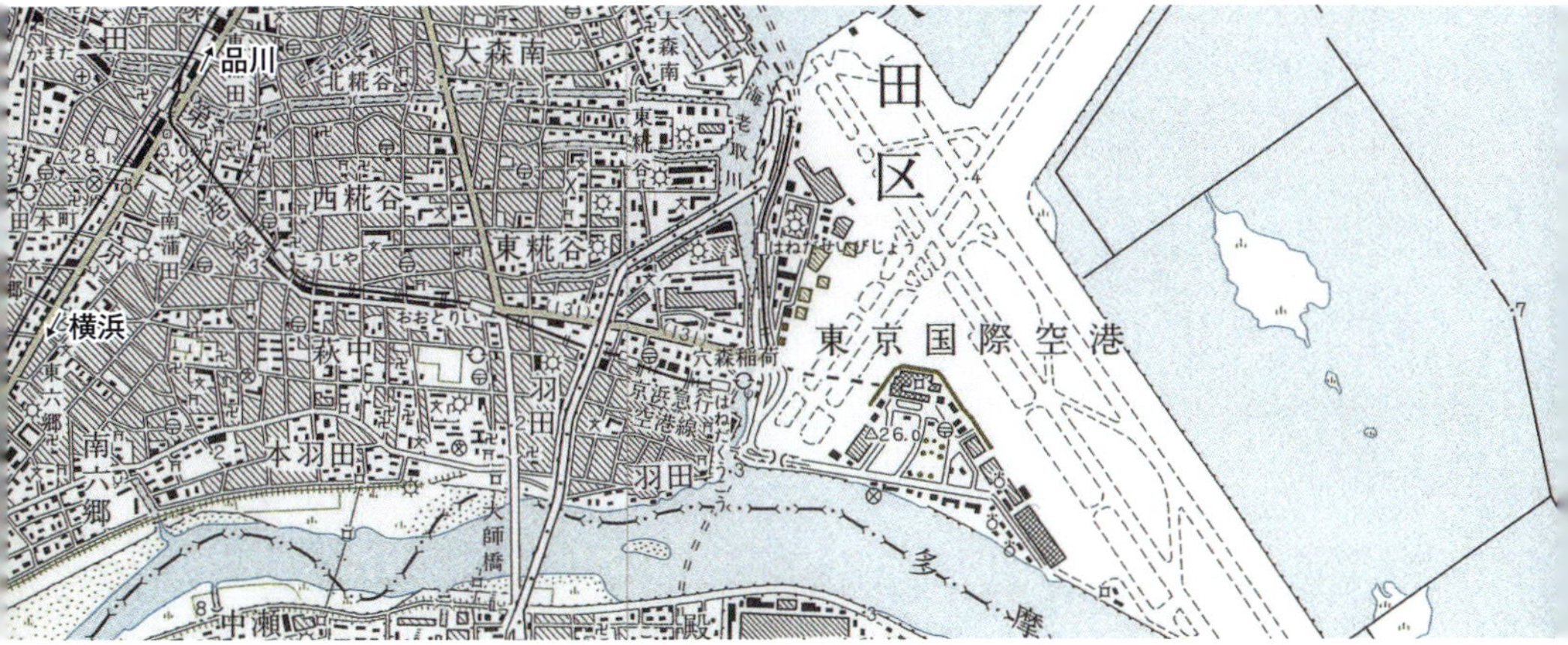

⑤昭和 52 年：空港の沖合に荒地の地面が現れ、埋め立て工事が進行中であることがわかる。
1:50,000「東京西南部」昭和 52 年編集＋「東京東南部」昭和 52 年編集　原寸

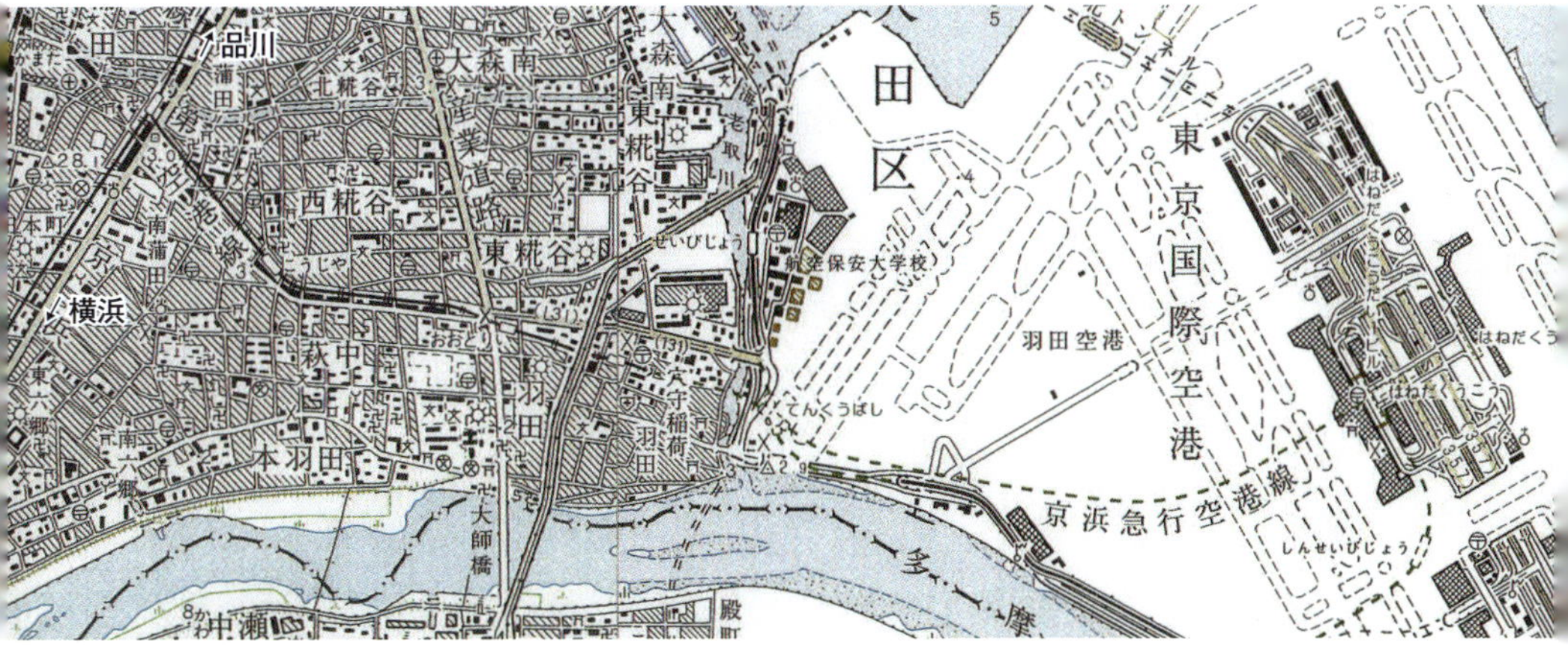

⑥平成 18 年：平成 5 年に第 1 旅客ターミナルビル（ビッグバード）、平成 16 年に第 2 旅客ターミナルビルが供用開始。京浜急行空港線・東京モノレールはともに新ターミナルの地下に乗り入れた。
1:50,000「東京西南部」平成 7 年修正＋「東京東南部」平成 18 年修正　原寸

空港アクセス線への変遷

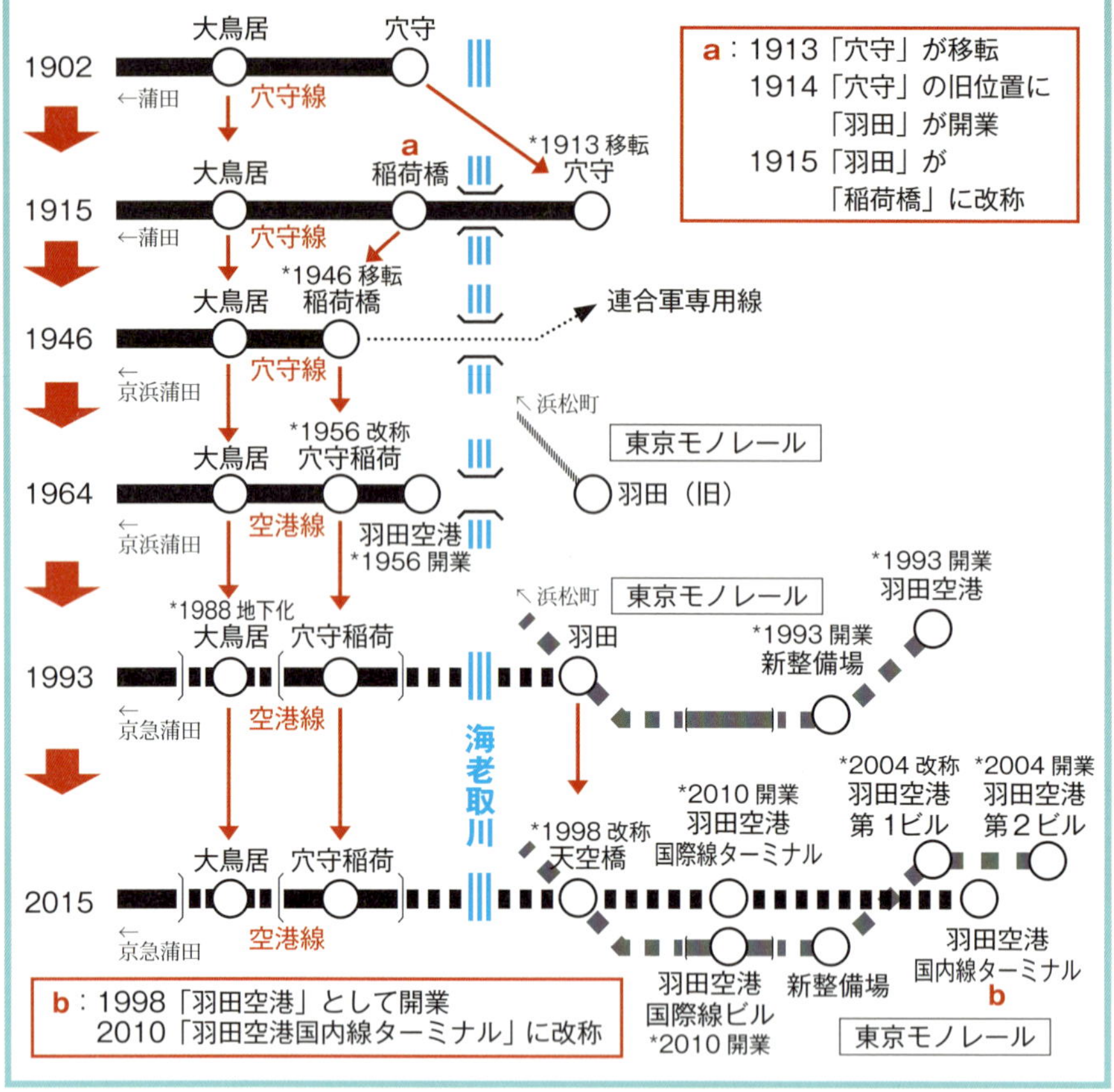

空港アクセス線への大変貌

その後、空港アクセス線として変身する契機となったのが、羽田空港の「沖合展開事業」であった。平成5年（1993）には新国内線ターミナルビル（現第1旅客ターミナル）が完成する。滑走路の増加もあって発着便数の枠は大きく拡大し、これに伴って急増する航空旅客数のアクセスにモノレールだけでは不足が予想されたことから京急の新ターミナルビル地下への乗り入れが決まり、平成10年（1998）に新しい羽田空港駅（現羽田空港国内線ターミナル駅）が完成した。乗降客数は開業年の3・8万人から大きく増加し、平成25年（2013）には7・8万人と倍増以上となっている。

京浜急行の「空港線」という呼び名は半世紀以上前の昭和38年（1963）から穴守線に代わって用いられてきた

が、長らく大田区内の下町と蒲田を結ぶ「ローカル線」に過ぎなかった。それが今では品川や都営地下鉄浅草線を経て京成線成田空港駅からのエアポート快特や横浜方面からのエアポート急行など、優等列車が頻繁に通る文字通りの空港アクセス線として生まれ変わっている。毎年正月の箱根駅伝では長らくネックであり続けていた第一京浜の踏切も平成24年（2012）には高架化が完成し、かつての穴守線の面影はほとんど留めないほどに変身した。

平成24年（2012）京急蒲田駅：羽田空港方面専用の時刻表示板。品川方面からの快特は3階の1番線、横浜方面からのエアポート急行は2階の4番線から発車する。写真撮影：村多正

御陵参拝のための京王高尾線

大正15年（1926）12月25日に大正天皇が崩御して約1か月半後の昭和2年2月8日、前日に斂葬《れんそう》の儀《ぎ》が営まれた現・新宿御苑《ぎょえん》の仮駅から東浅川《ひがしあさかわ》仮駅（西八王子～高尾《たかお》間）まで、天皇の柩《ひつぎ》は中央本線の特別列車で運ばれ、新しい多摩陵に埋葬された。当然ながら皇室尊崇の念が今よりはるかに高かった当時、御陵へ参拝に赴く国民は多く、京王電気軌道は八王子市街自動車と提携して東八王子駅（現・京王八王子駅）から御陵の参道口まで連絡輸送を行った。

平成22年（2010）立体交差工事中の第一京浜の踏切：その後、線路は電車頭上に設けられた高架線に移され、踏切は廃止された。写真撮影：村多正

昭和2年（1927）当時は鉄道省の中央本線も電車の運転区間はまだ国《こく》分寺《ぶんじ》までで、その先は蒸気機関車の牽く列車しか走っていなかった（運転間隔は1～2時間程度。新宿～八王子間は所要1時間12分）。このため新宿追《おい》分《わけ》（新宿三丁目付近）～東八王子間を府中で乗り換えはあるが、日中30分間隔で運転する京王の利用者は多かった。翌3年5月22日からは直通電車が走り始め、所要時間も68分と国鉄のスピードを上回っている。

御陵へのアクセス線として早速ライバルも登場することになった。武蔵《むさし》中央電気鉄道という路面電車で、京王の東八王子駅（後に国鉄八王子駅前も）を起点に甲州街道の路上を高尾（現・高尾山口《たかおさんぐち》駅前）まで結ぶもので、昭和4年（1929）12月には御陵前《ごりょうまえ》停

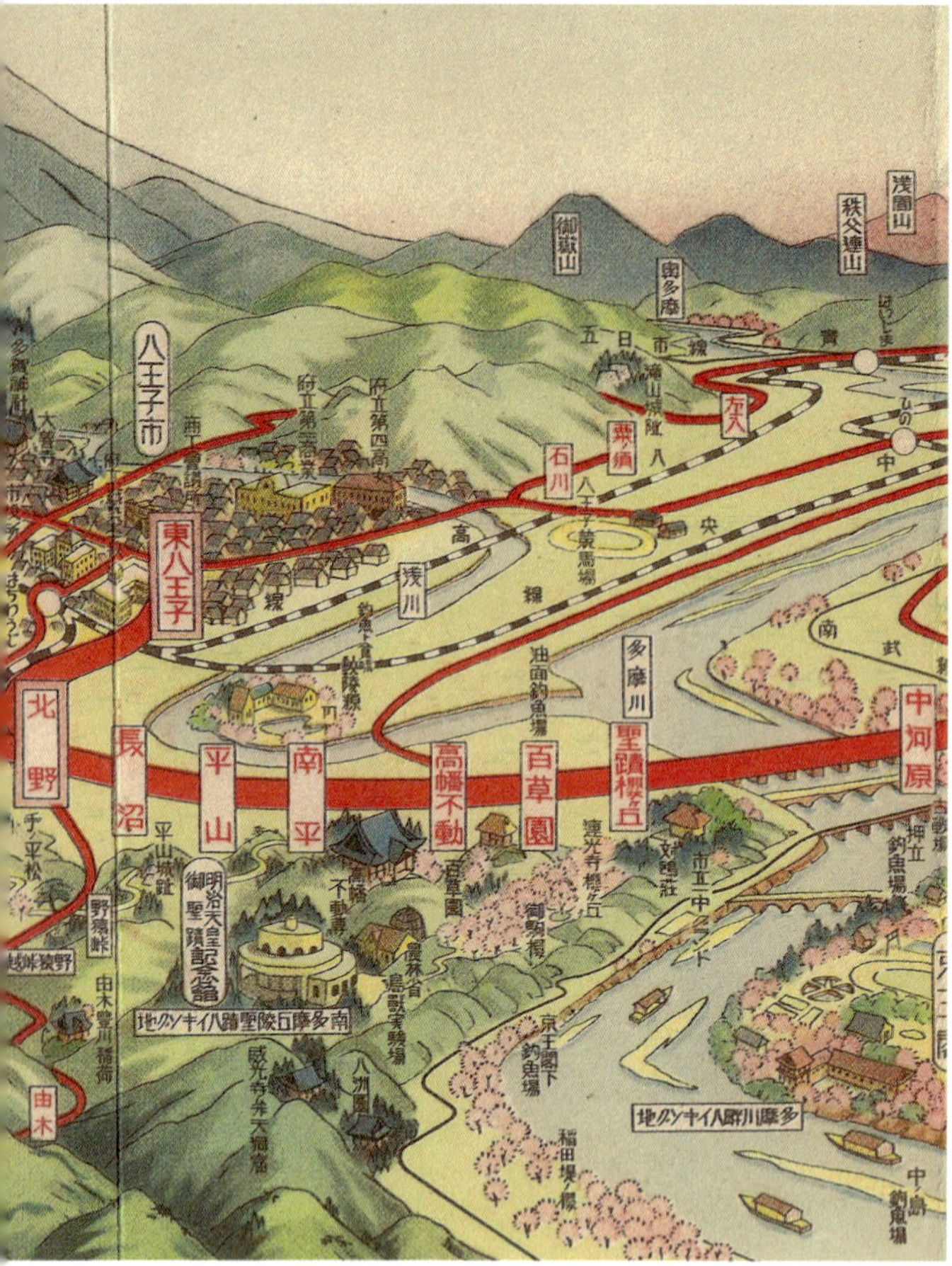

留場を含む京王駅前（東八王子）～浅川（現・高尾）駅前の8・0キロを開業している。この電車はその社名が語るように将来は所沢《ところざわ》を経て大宮まで延伸するという大風呂敷なプランを持っていたが、結局は経営難で京王に吸収され、昭和14年（1939）には全線廃止された。今では八王子市民でも知らない人が多い短命の路面電車である。

　さて時代は戻るが、京王電気軌道では終点の東八王子駅から市街地の北側を経由して御陵に至る新線建設を計画した。大正天皇の「大喪《たいそう》の礼」が行われた昭和2年の12月には軌道敷設特許を得ているから、だいぶ迅速な対応である。途中駅は元横山町《もとよこやまちょう》、大横町《おおよこちょう》、本《ほん》郷横町《ごうよこちょう》、元本郷町の4駅で、線路に近く交通が便利になる川口《かわぐち》村や元八王子村などは歓迎したが、八王子市議会では「線路が市街地を分断する」として反対意見が多く、結局は賛成7に対して反対が23と圧倒的な差でこのルートは否定されてしまう。

　そこで京王は東八王子駅のひとつ手前の北野《きたの》駅で分岐し、市街の南側を迂回して御陵前（後に多摩御陵前）に至る路線変更を申請、許可を得ることができた。全長6・4キロメートルの御陵線は着工からわずか10か月で完成、昭和6年（1931）3月20日に開業した。途中駅は片倉《かたくら》（現・京王片倉）、山田《やまだ》、横山（後に武蔵横山）の3つで、休日には四谷《よつや》新宿（新宿追分を改称）から直通電車が65分で結んでいる。

昭和15年（1940）『京王電車沿線案内』部分：京王が観光客誘致に力を入れていた多摩御陵をはじめ、高尾山、南多摩丘陵聖蹟ハイキング地などが描かれている。『京王電車沿線案内』より

昭和6年（1931）御陵前駅：銅色瓦葺き神殿造り風の駅舎だった。写真提供：京王電鉄

京王御陵線から高尾線へ

①昭和 4 年：多摩御陵の造営後まもなくして武蔵中央電気鉄道が甲州街道に開業した。
1:50,000「八王子」昭和 4 年鉄道補入　78%

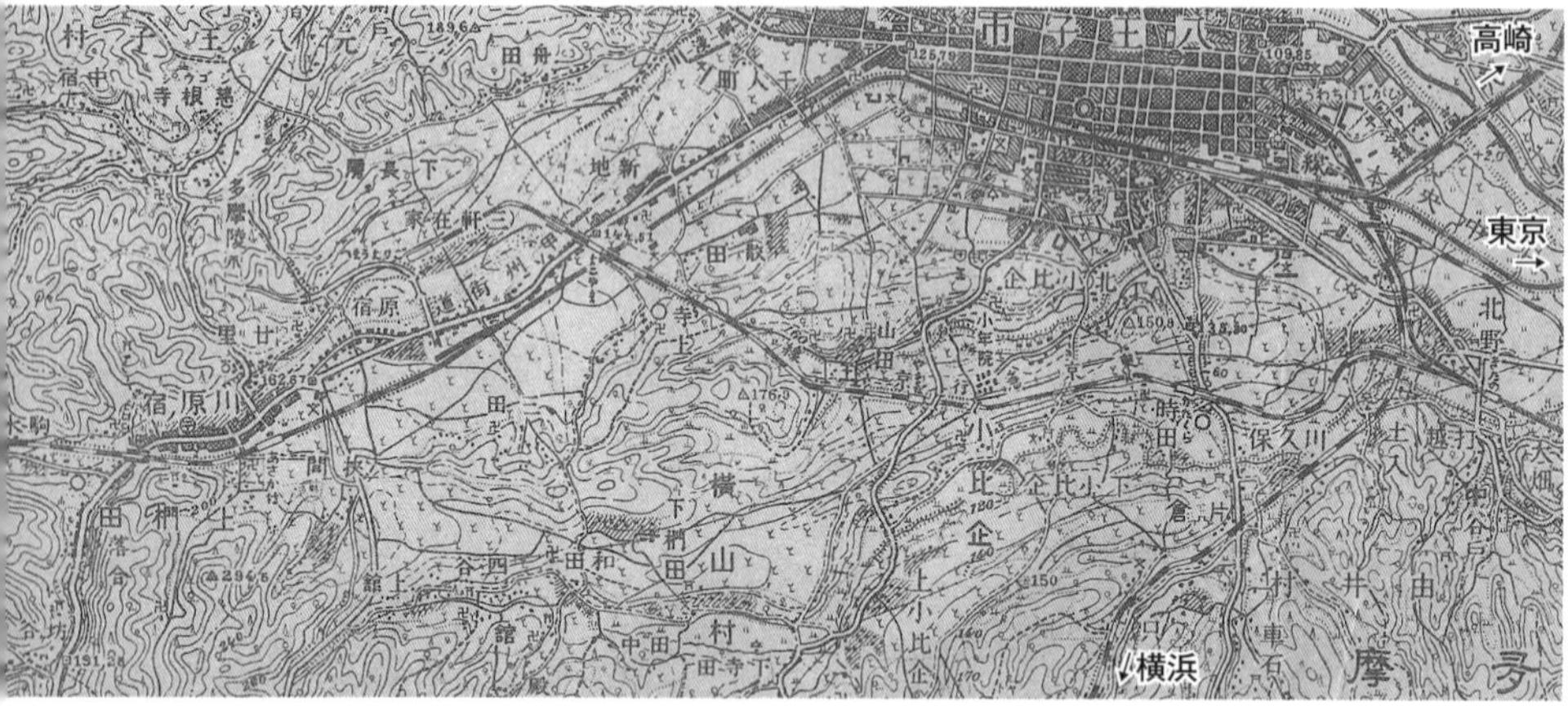

②昭和 20 年：京王御陵線はわずか 14 年足らずで「不要不急線」とされ、休止となった。
1:50,000「八王子」昭和 20 年部分修正　78%

③平成 19 年：御陵線の一部を復活させ、高尾山口までを加えて昭和 42 年に高尾線が開業。
1:50,000「八王子」平成 19 年修正　78%

昭和初め 多摩御陵：明治天皇の伏見桃山陵にならった、上段が円形、下段が方形の上円下方墳。所蔵：東京都立中央図書館

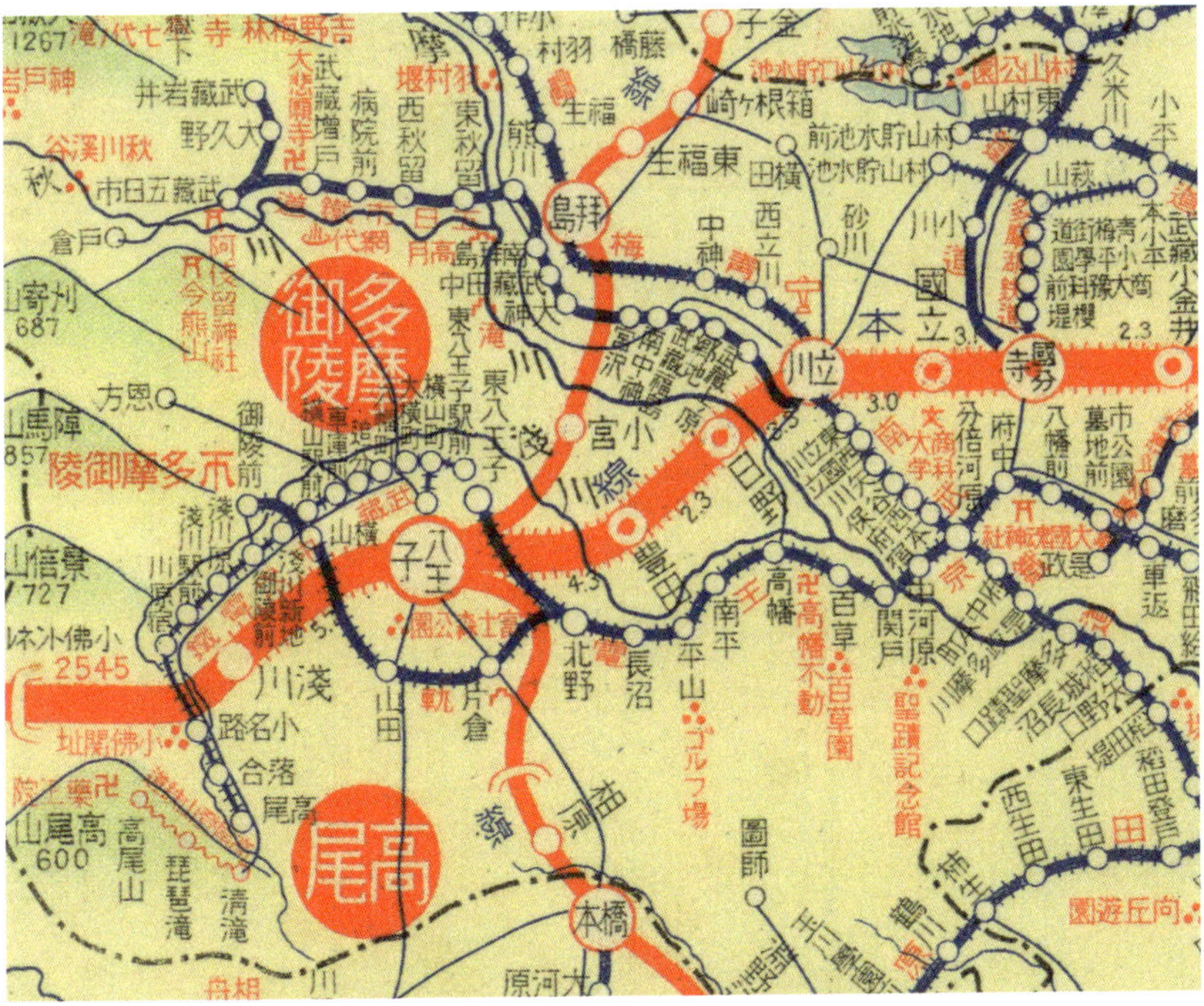

昭和 10 年（1935）『最新鉄道旅行図』 部分：御陵線が健在だった頃の路線図。終点は昭和 12 年（1937）に「多摩御陵前」と改められた。三省堂『最新鉄道旅行図』より

参拝からハイキングへ

しかしこの参拝路線にも戦争が影を落とした。いよいよ物資不足が極限状態となっていた昭和20年（1945）の1月21日、北野～多摩御陵前間の御陵線は運行休止となる。政府によって「不要不急線」に指定され、撤去したレールを他の重要線区に回すためだ。戦後はしばらく休止のまま事実上の「廃線跡」をさらしていたが、20年ほどの後にこの路盤の一部（北野～山田の少し先まで）を利用して高尾線が建設されることとなる。併せて京王直営の大規模な「めじろ台」の宅地分譲も高尾線の開業と同日に始まった。単に観光路線としてではなく、日常的な沿線の利用者増も狙った戦略である。

昭和42年（1967）10月1日、高尾線の一番電車が走り始めた。沿線の「観光」の形態は戦前の御陵参拝から高尾山のハイキングへ明確にシフトし、

昭和22年（1947）休止中の御陵線：営業休止のまま終戦を迎えた御陵線がくっきりと写っている。米軍撮影空中写真 USA-R556-No1-174 より。写真は国土地理院所蔵

御陵線の線路も復活に際してそのまま使われることはなく、途中で向きを山の方へ曲げたのである。大袈裟かもしれないが、これも戦後の価値観の変化のひとつの表われと言えるかもしれない。

昭和44年（1969）高尾山口駅：看板で大きくうたう「新宿直通45分」により高尾山がいっそう身近なものとなった。写真提供：京王電鉄

昭和47年（1972）京王線特急：右奥手の高尾山口駅を出発し新宿へ向かう。使用車両は5000系電車。写真撮影：安田就視

昭和42年（1967）　めじろ台駅：ホームには周辺の住宅地の看板も立つ。写真提供：京王電鉄

駅名こぼれ話

観光客を誘致するために改称した駅

私鉄の沿線案内を見ると、乗客に訪れてほしい観光地が目立つように描かれている。目的地が駅名になっていればわかりやすいので、「観光の時代」の進展とともに改称が増えた。たとえば京王電気軌道（現京王電鉄）は昭和12年（1937）9月1日に上高井戸↓芦花公園、関戸↓聖蹟桜ヶ丘、百草↓百草園、高幡↓高幡不動という具合に一斉に改称しているが、いずれも地元の地名から観光施設などを前面に出した駅名に変貌している。同年7月1日には小田急も新座間駅を座間遊園と改称。文字通り遊園地を作るつもりだったが、これは事情により断念、同16年には現在の座間に改めている。戦後に東武鉄道が杉戸↓東武動物公園と改めたのも同様だ。

7

貨物を運ぶはずが人間を運ぶことに…

首都圏貨物線の大変貌

横須賀線の品川～横浜間はわざわざ遠回りのルートをたどる。武蔵野線や京葉線は高架線やトンネルの目立つ路線だ。その理由は首都圏貨物線の激動の歴史がこたえてくれる。

消えた地名・蛇窪の分岐点

「蛇窪《へびくぼ》」と聞いてピンと来る人は鉄道マニアか、そうでなければ地元・品《しな》川《がわ》区に昔からお住まいの人であろう。地名としては84年も前に消えているのだが、かつての荏原《えばら》郡荏原町大字下蛇窪に設置された旧信号場の名称として今は知られている。公式な開業は昭和9年（1934）12月1日となっているが、昭和4年（1929）修正の地形図にはすでにこの分岐点は掲載されているので、その頃から機能していたことは間違いなさそうだ。

蛇窪という地名は江戸後期の地誌『新編武蔵風土記稿《しんぺんむさしふどきこう》』に、「此辺《この》湿地なれば蛇の多くすめるによりて村に名づけしにや」とする、村人から聴き取ったらしい説が収められているが、東京市への編入に際して「ヘビは嫌だ」と、上蛇窪・下蛇窪の大字を神明《しんめい》神社（現天祖《てんそ》神社）にちなんで上神明町・下神明町に改めたものだ。その町名もその後さらに豊《ゆたか》町や二葉《ふたば》町などに再度変更されて今はない。東急大井町《おおいまち》線の駅名に下神明は残っているけれど。

信号場としては昭和40年（1965）に廃止されてからは「大崎《おおさき》駅構内」の扱いとなっているが、現在では横須賀《よこすか》線の電車と湘南新宿《しょうなんしんじゅく》ラインの電車が分岐・合流する場所として「撮り鉄」の皆さんにはお馴染みであろう。下り列車で言えば、品川から来る横須賀線が、大崎から来た湘南新宿ラインとここで合流して横浜方面へ向かう。

両者とも複線で15両編成の長い電車が頻繁に通る地点なのに、今も横須賀線の下り列車と湘南新宿ラインの上り列車が平面で交差するため、ダイヤが少しでも乱れると信号待ちを余儀なくされる。

昭和54年（1979）蛇窪の分岐点：新幹線の下を交差して東急大井町線が走っている。そのすぐ下、写真の奥の分岐が、蛇窪の分岐点。右の品鶴線（横須賀線の電車が走る）と左の大崎支線（湘南新宿ラインの電車が走る）に分岐している。写真提供：しながわweb写真館（品川区）

平成26年（2014）蛇窪の分岐点付近の3段立体交差：上から東海道新幹線、東急大井町線、品鶴線（走るのは湘南新宿ラインの電車）。壮観ではあるが、この高架が重なる構造が、蛇窪の分岐点を立体交差化できない要因となっている。写真提供：しながわweb写真館（品川区）

蛇窪の分岐点の変遷

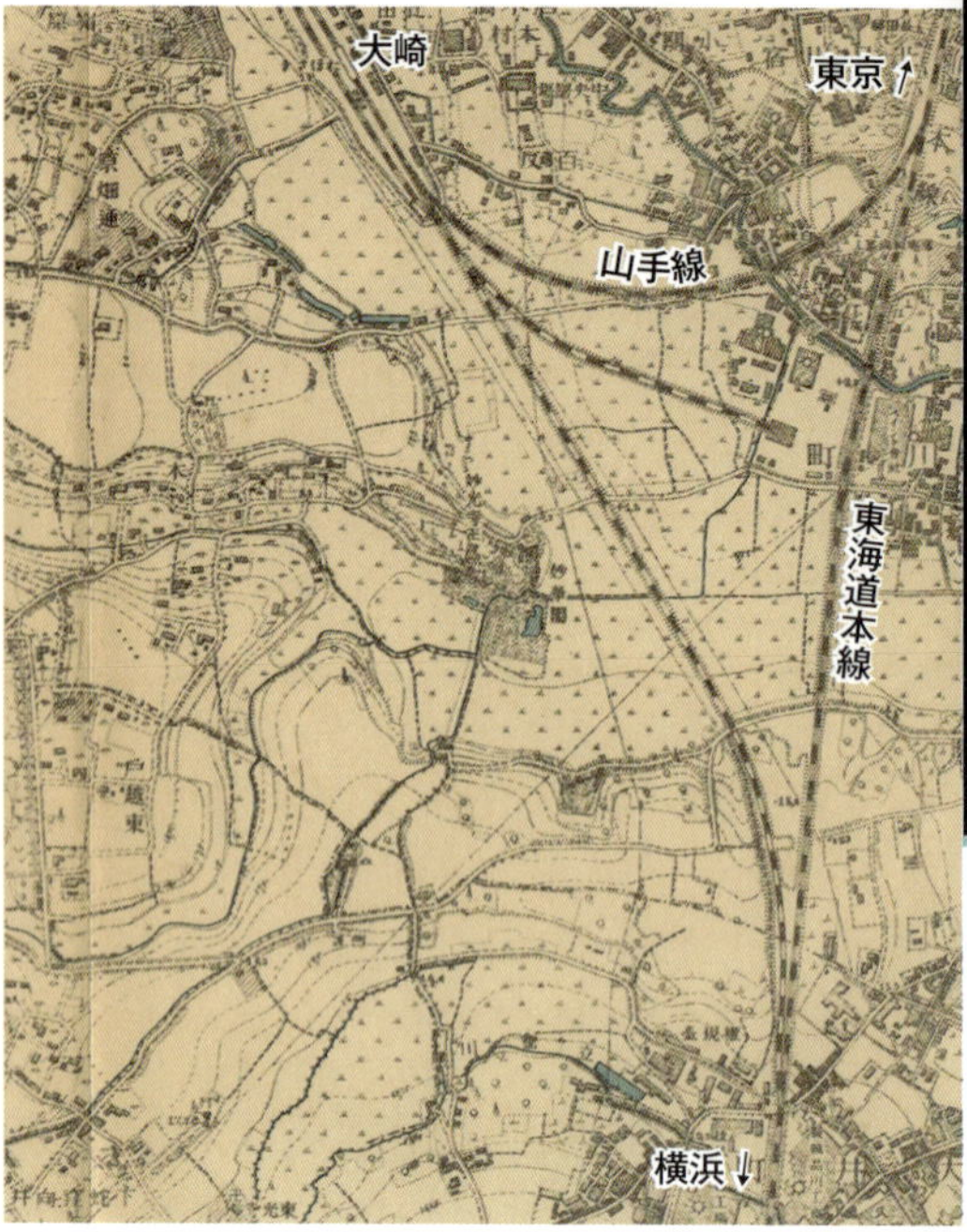

①明治42年（1909）大崎駅付近：東海道本線と山手線に加え、大井聯絡所（現大井町駅）～大崎間の山手線支線が見える。日清戦争中の明治27年（1894）に軍用短絡線として建設され、明治34年に貨物列車が走りはじめた。1:10,000「品川」明治42年測図　50%

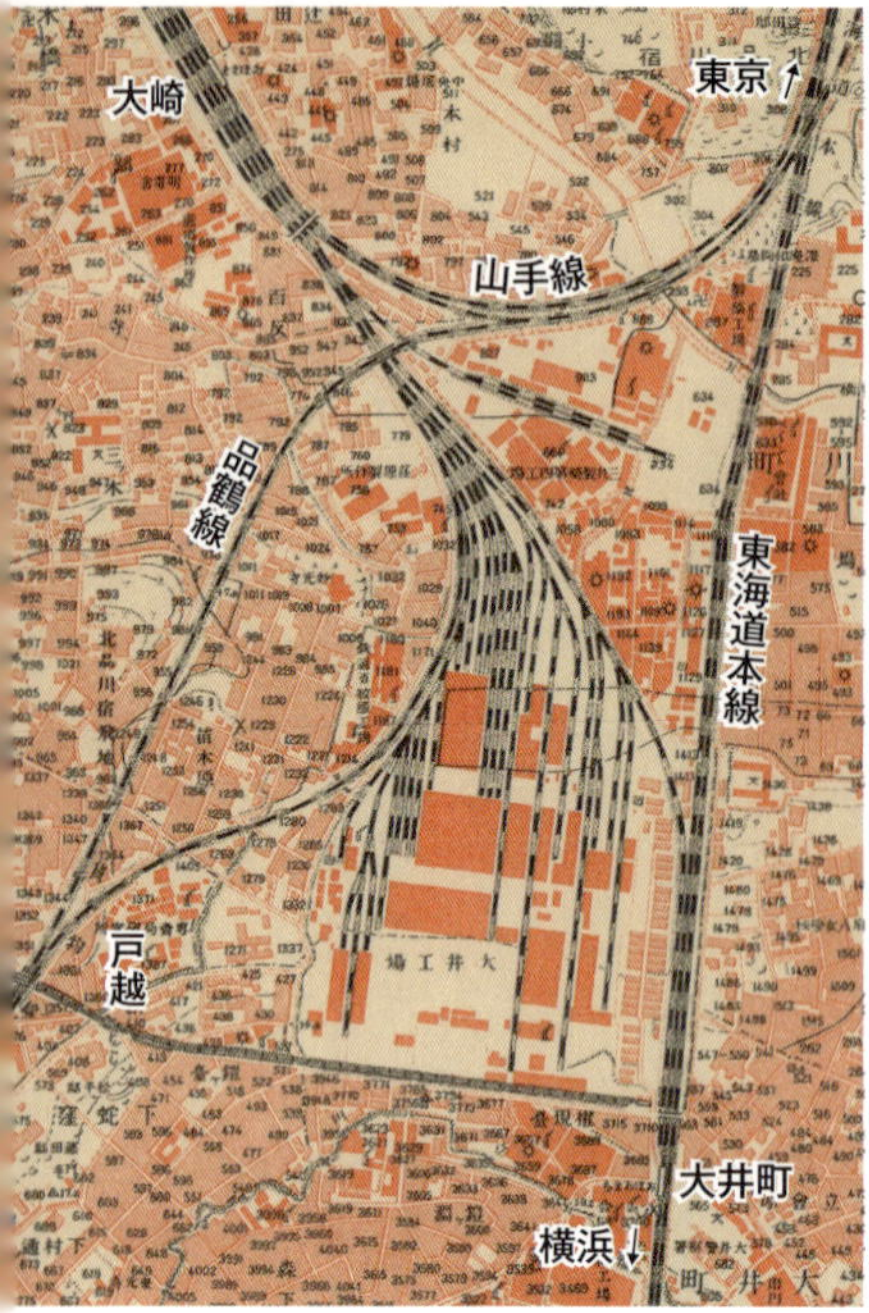

②昭和4年（1929）蛇窪信号場（公式には未開業）付近：品鶴線（東海道貨物線）が開業。高架の目黒蒲田電鉄（現東急）大井町線の下をくぐった左下端あたりが蛇窪信号場だが、「下蛇窪」の地名は3年後に消滅。大井町線の戸越駅は現下神明駅。1:10,000「品川」昭和4年修正　50%

平成30年（２０１８）に予定されている相模《さがみ》鉄道からＪＲへの直通電車がこれに加われば、さらに状況は厳しくなるだろう。平面交差が解消できない理由は、品《ひん》鶴《かく》線の上を東海道新幹線の高架が重なり、ちょうど合流地点のすぐ南側を東急大井町線が上を跨《また》いでいるためだ。

このあたりは配線が複雑なので、図①～③を見ながらたどってみよう。まずこの近所に初めて鉄道が通ったのは明治5年（１８７２）にできた新《しん》橋《ばし》～横浜《よこはま》間の官営鉄道（現東海道本線）である。その後同18年には日本鉄道山ノ手《やまのて》線（現山手線・埼京《さいきょう》線の各一部）が赤羽《あかばね》から品川を結んだ。日《にっ》清《しん》戦争の開戦翌月にあたる明治27年（１８９４）8月には山ノ手線の大崎から東海道本線の大井町（どちらの駅も開業前）に至る軍用短絡線が建設され、これが後に正式に山手線の支線となった（現在では東京総合車両センター内の線路の一部に継承）。

輸送量増大に伴う駅の貨客分離

大正期に入ると、全国的に鉄道による旅客・貨物双方の輸送量急増に伴って駅の「貨客分離」が行われるようになる。『帝国鉄道年鑑』（昭和3年版）によれば、全国の鉄道貨物輸送量を示す「延べ噸哩（トン×マイル）」は大正元年度（1912）の26・9億噸哩から同14年度（1925）の72・3億噸哩へ約2・7倍に増加しており、特に大都市の駅では抜本的な輸送体制の見直しが求められた。

現在では駅といえば旅客駅を指すのが普通だが、明治以来そもそも「停車場」は旅客と貨物の双方を扱うのが標準で、昭和40年代頃までの一般的な地方の駅では旅客ホームの傍らに必ず貨物ホームがあり、隣接して倉庫が建ち並んでいた。そして隣または向かいに日本通運の事務所というのが定番だったものである。

貨客分離の対象となったのはまず大都市の主要駅である。明治5年（1872）以来ずっと東海道本線（官営鉄道）のターミナルであった新橋駅は、大正3年（1914）12月20日に旅客専用の東京駅が開業すると同時に貨物専用の汐留《しおどめ》駅となった。その前年には京都駅の西側に貨物専用駅として梅小路《うめこうじ》駅が開業、少し遅れて大阪駅もその北側に梅田《うめだ》貨物駅を昭和3年（1928）に開業している。名古屋でも昭和4年（1929）には南側に貨物駅を独立させ、同12年（1937）には貨物専用の笹島《ささしま》駅として改めて分離独立した。

東海道本線では東京〜横浜（桜《さくら》

③平成11年（1999）蛇窪の分岐点付近：すでに大正4年（1915）に開設していた大井工場の東隣に昭和42年（1967）山手線の車両基地が開設。この後平成16年（2004）に両者が合併して東京総合車両センターとなった。1:10,000「品川」平成11年修正　50%

木《ぎ》町《ちょう》）間に京浜《けいひん》電車（現京浜東北線）を運転するのに伴って大正３年（１９１４）に複々線化を完成、中・遠距離輸送を担う「汽車」と電車を分離していたが、その後の客貨双方の輸送量増加により、さらにもう１つの複線が必要となった。これに加えて従来は客車と貨物双方の操車業務を行ってきた品川駅構内が手狭になったこともあり、貨物の操車を神奈川県内の新操

昭和 32 年（1957）汐留駅：鉄道開業時の新橋駅が大正３年（1914）に貨物専用の汐留駅となった。全国から貨物が運び込まれる日本有数の貨物駅だったが、昭和 61 年（1986）に廃止。その機能を東京貨物ターミナル駅に譲った。写真提供：JTB パブリッシング

昭和 27 年（1952）新鶴見操車場：何本もの線路に分かれて延びている全景（右）。カーリターダー（上）は後方ビルの操作室から遠隔操作する。写真提供：JTB パブリッシング

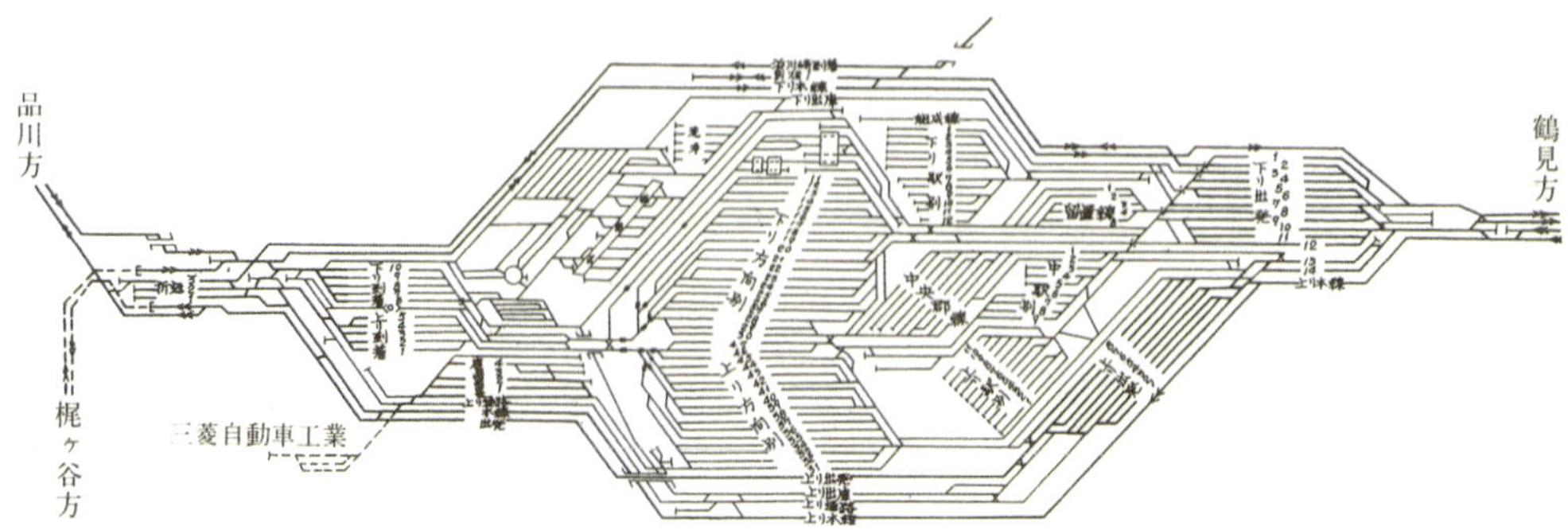

昭和 55 年（1980）新鶴見操車場配線略図：貨車を長大な貨物列車に組んだり、列車から貨車をほどいたりするため、ヤードは広大だった。貨物列車が入線すると貨車が行き先別にほどかれ、改めて行き先別に貨物列車に仕立てられた。『全線全駅鉄道の旅３関東』より

車場に移すこととなったのである。これが橘樹《たちばな》郡日吉《ひよし》村の鹿島田《かしまだ》（現川崎市幸《さいわい》区）を中心とする82・2ヘクタールの広大な敷地に建設された新鶴見《つるみ》操車場だ。ここでは貨車の仕分け自動化のため日本で初めてカーリターダー（英 retard＝遅くする）が導入された。これは操車場内に設けた坂阜（ハンプ）から重力によって自走してくる貨車を適宜減速させる線路側の装置である。

品鶴線に「省線電車」が走る

品川から新鶴見操車場を経て鶴見で在来線に合流する貨物新線は内陸側を通る別線となったが、その背景には大正期に急激に沿線人口が増加した荏原郡の品川町から蒲田《かまた》町にかけて新たな線路敷を確保する困難さも背景にあったと思われる。品川～鶴見間は内陸へ回り道をしている関係で17・8キロと、在来線の14・9キロより約2割増となった。

品川～鶴見間の変遷

昭和９年（1934）東海道本線品川～鶴見間：さらに貨物専用の上下線が敷かれたが、内陸側に大きく迂回し（品鶴線）、鹿島田に新鶴見操車場が設けられた。右の図から20年が経ち、京浜間の都市化は急激に進んだ。1:200,000「東京」昭和９年修正　106％

大正３年（1914）東海道本線品川～鶴見間：もともとの上下線（中・長距離輸送を担う「汽車」が走る線）に隣接した同一ルートで上下線（電車が走る線）を敷き、複々線が完成。京浜電車（現京浜東北線）が運転を開始した。1:200,000「東京」大正３年製版　106％

品鶴線の開業は昭和4年（1929）8月21日で、品川〜鶴見間の本線に加えて前述の蛇窪信号場から大崎駅に至るいわゆる大崎支線の2・0キロである。山手線の品川〜田端《たばた》・田端操車場間は大正14年（1925）には複々線化が完成しており、これによって山手貨物線〜品鶴線（東海道貨物線）がスムーズに接続できる構造となった。

鉄道旅行のガイドブックとして昭和11年（1936）に発行された『旅窓に学ぶ』（東日本篇）では完成から7年後の品鶴線について次のように説明している。

（品川から）左側の貨物線は漸次《ぜんじ》上り勾配《こうばい》となり、やがて山手線が右方に分れ、その貨物線も本線上を斜めに渡つて右方へ行く。此《こ》の線は本線の複々線をなすもので、品川、荏原、大森《おおもり》各区の西辺を繞《めぐ》り、丸子《まるこ》付近で多摩川《たまがわ》を渡つて横浜市鶴見区で本線と連絡する。延長十七粁《キロ》八分の貨物専用、品鶴線と称されるのであるが、最近その沿道が飛躍的に発展して、いづれは省線電車が貨車の間々に走ることとなるであらうと云《い》はれてゐる。

いずれは省線電車がここを走る、というこの筆者の予想は的中するが意外に遅れ、開業から約半世紀後の昭和55年（1980）、横須賀線の電車が東海道本線から独立してここを走るようになってからのことだ。その後は平成13年（2001）12月に湘南新宿ラインが運転を開始、東北・高崎《たかさき》両線と東海道・横須賀の両線相互が直通するようになる。強力なライバル出現の少し前にあたる同年3月、東急東横《とうきゅうとうよこ》線では特急の運転が始まった。

湘南新宿ラインの運転系統は、品鶴線の蛇窪（旧信号場）から大崎支線で大崎駅へ出て、そこからずっと山手貨物線を北上、新宿、池袋《いけぶくろ》を経て赤羽で東北本線に合流する形であるが、池袋〜赤羽間には赤羽線（埼京線のルート）の複線しかないため、山手貨物線で駒込《こまごめ》の先の中里《なかざと》トンネルから王子《おうじ》経由で赤羽へ向かうので、三角形の2辺を通るかなり遠回りのルートとなっている。

昭和50年（1975）東京外環状線の略図：「武蔵野線」と「小金線」は現在の武蔵野線。「京葉線」は現在の東海道貨物線・東京臨海高速鉄道りんかい線・京葉線・京葉臨海鉄道のそれぞれ一部に当たる。日本鉄道建設公団『国鉄新線建設の概要』（昭和50年）より

5方面幹線を結ぶ「外環道」

このように旅客列車の系統を増やすことができたのも、貨物列車が都心の山手貨物線をあまり通らなくなったからであるが、少し時代を遡って戦後の鉄道貨物輸送を抜本的に改革するための、いわば「鉄道版外環道」の構想について触れておこう。

東海道本線と山手線に貨物専用の複線が整備されたのは昭和4年（1929）という早い時期であったが、戦後の高度経済成長期にはさらに貨物輸送量が伸び、既存の路線では早晩パンクするという危機感が関係者にはあった。戦後の日本の鉄道貨物輸送量を見ると、昭和25年度（1950）に約333億トンキロだったのが同30年度には約426億トンキロ、同40年度に約564億トンキロ、45年度には約624億トンキロと経済成長に伴って順調に増えている（『鉄道要覧』昭

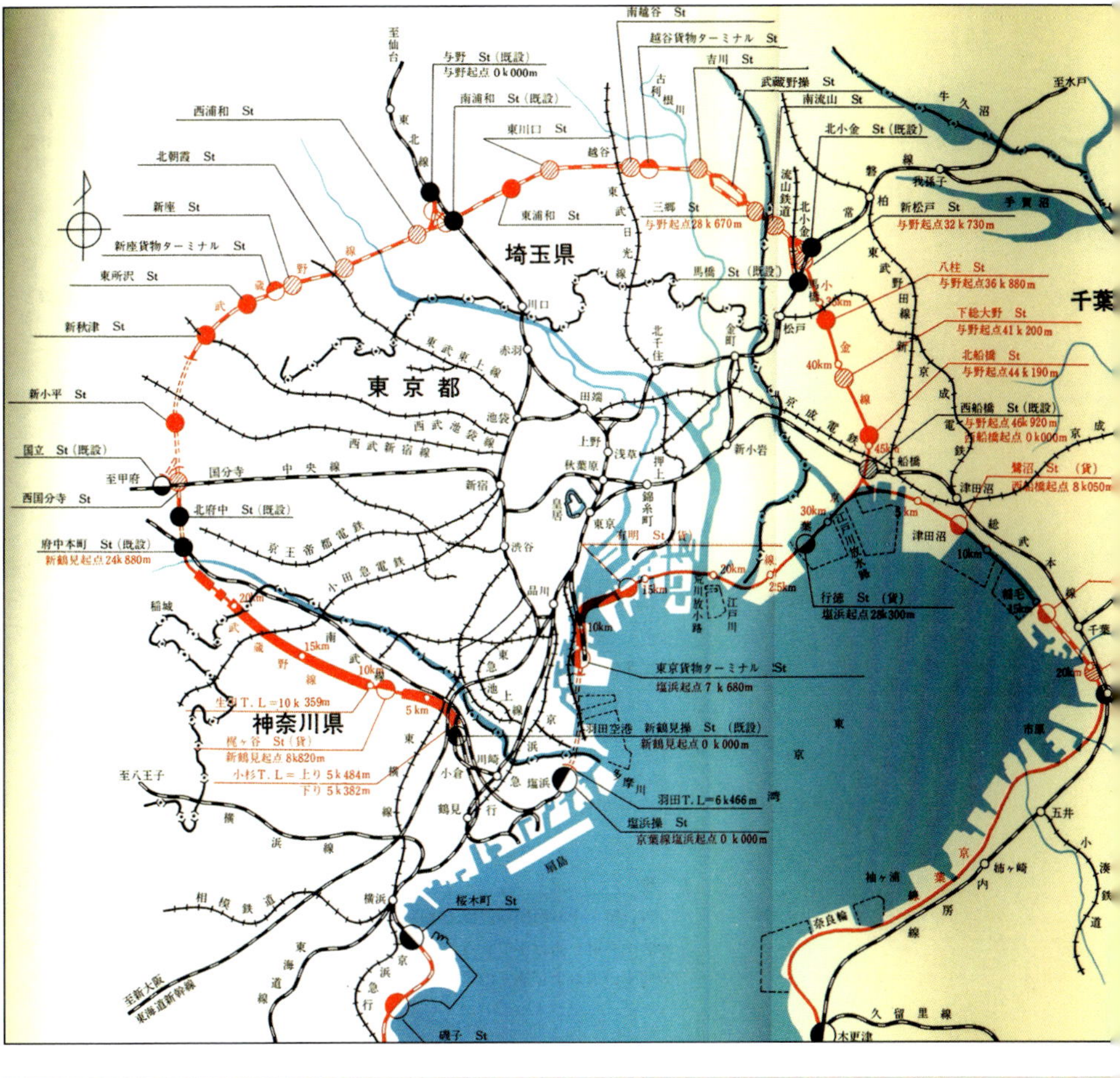

和56年版より)。
そこで首都圏の鉄道貨物をスムーズにさばくために構想されたのが武蔵野《むさしの》線である。『日本国有鉄道百年史　第13巻』によれば同線は次のように位置づけられていた。なお文中の自治体名は昭和49年（1974）に同書が刊行された当時のものだ。

〔昭和〕32年、国鉄は我孫子《あびこ》から大《おお》宮《みや》に至る区間の建設認可を受け、その後の延長線を本格的に調査を行なっていたが39年鉄道建設公団発足によって公団がこの建設を行なうこととなった。

東京周辺の国鉄の線路網は山手環状線とこれに連絡する東海道・中央・東北・常磐《じょうばん》・総武《そうぶ》の各線の放射幹線によって形成され、東京外環状線《そとかんじょうせん》はさらに、東京都の外周内陸部において、これら放射幹線と環状に結合する武蔵野線・小金井《こがねい》線〔小金線の誤りと思われる〕および最近開発のめざましい東京湾岸沿いの川崎港・東京港・船橋《ふなばし》港・千葉港・木更津《きさらづ》港の埋立地帯を連絡する京葉《けいよう》線によって構成され、総延長は200キロメートルに及ぶ新線である。

〔中略〕

国鉄第3次長期計画と合わせて、東京周辺の鉄道輸送改善をはかり、1日百数十回に達する貨物列車を都心部の山手線からはずし、外回りにすることによって、在来の都心部の貨物線を旅客輸送に利用できるようになり、また放射幹線相互の連絡がよくなり通勤輸送の混雑緩和に及ぼす効果も多大である。

また外環状線は、東京近郊地域にありながら国鉄輸送の利便を受けることの比較的少なかった船橋市・市川《いちかわ》市・松戸《まつど》市・流山《ながれやま》市・三郷《みさと》町・吉川《よしかわ》町・越ケ谷《こしがや》市〔越谷市が正しい〕・川口《かわぐち》市・浦和《うらわ》市・朝霞《あさか》市・新座《にいざ》市・清瀬《きよせ》市・所《ところ》沢《ざわ》市・東村山《ひがしむらやま》市・小平《こだいら》市・国分寺《こくぶんじ》市・府中《ふちゅう》市・稲城《いなぎ》町・川崎市等多数の地区を通過するため、都心への過度集中を歯止めし、近郊都市を開発するものである。

さらに、また、川崎港をはじめ東京湾岸沿いの各港の広大な埋立地帯を通過するため、それぞれの港湾機能の増進に威力を発揮するとともに埋立地の利用効果を著しく高めるものである。

連絡線はインターチェンジ構造

武蔵野線はまず府中本町《ふちゅうほんまち》~新松戸間の57・5キロが昭和48年（1973）4月1日に開業、3年後の同51年3月1日には鶴見~府中本町間（貨物線）が、次いで新松戸~西船橋間を同53年10月2日に開業した。ちなみに工事線名では武蔵野線が鶴見~新松戸、小金線が新松戸~西船橋と分かれていた。小金線の小金は常磐線北小金駅を指し、南流山駅からの連絡線が接続している。

その後は武蔵野線と一体の構想で建設された京葉線の西船橋~南船橋間お

昭和 46 年（1971）建設中の武蔵野線：常磐線と立体交差。環状線である武蔵野線は、放射状に郊外に延びる既存の各線と交差することになった。『日本国有鉄道百年写真史』より

昭和 54 年（1979）西船橋駅：武蔵野線と京葉線の接続駅。高架下では総武線が交差する。現在では地下鉄東西線と東葉高速鉄道の接続駅でもある。写真撮影：安田就視

平成11年（1999）西国分寺駅付近：西国分寺駅をかすめる武蔵野線新小平方面と中央本線国立方面との連絡線は大半がトンネル。武蔵野線は連絡線も含めてほぼ複線だが、ここと西武池袋線への連絡線のみが単線となっている。1:10,000「国分寺」平成11年修正　49%

平成8年（1996）武蔵浦和駅付近：武蔵野線西浦和方面・南浦和方面と東北本線与野方面との連絡線が武蔵野線とデルタ線を形成。それをかすめるように昭和60年（1985）埼京線が開業し、武蔵野線との交点に武蔵浦和駅を設置。1:10,000「浦和」平成8年修正　40%

よび市川塩浜《いちかわしおはま》方面へ向かって乗り入れ、現在では同線東京駅までの直通運転が行われている。武蔵野線と接続する5つの放射幹線のうち、途中の中央・東北・常磐の各線とは、貨物列車を直通させるための連絡線（一部デルタ線を含む）が設置され、さながら高速道路のインターチェンジのように方向転換なしに相互に乗り入れできる形状となったのが特徴だ。具体的には新小平から中央本線の国立《くにたち》方面、西浦和・武蔵浦和（駅設置は昭和60年）から東北本線の与野《よの》・大宮操車場方面、南流山から常磐線の北小金・馬橋《まばし》への連絡線である。

これに加えて、西武《せいぶ》鉄道との交差地点付近の新秋津《しんあきつ》駅からは所沢駅へ通じる連絡線も設けられ、武甲山麓《ぶこうさんろく》からのセメント輸送（平成8年まで）を行っていた西武鉄道の貨物列車が武蔵野線へ乗り入れられるようになった。また西船橋以南は京葉線であるが、事実上は旅客列車ともども一体の運用が行われ、二俣本町《ふたまたほんまち》駅付近にはデルタ線も設けられて千葉・東京双方への直通が可能な構造となっている。

線内要所には、当時の最新技術を導入した武蔵野操車場（現新三郷駅付近）をはじめ、梶ケ谷《かじがや》、新座、越谷の各貨物ターミナルも設置された。このうち武蔵野操車場は見渡す限りの水田であった吉川〜三郷間に新鶴見操車場をしのぐ1平方キロ（100ヘクタール）という巨大な敷地を確保し、コンピュータ制御を導入して極限まで自動化、1日に4400両という処理能力を持つ最新鋭操車場として登場した。

平成10年（1998）新松戸駅付近：武蔵野線南流山方面と常磐線北小金方面・馬橋方面との連絡線は、常磐線と合わせてデルタ線を形成。そのまん中を串刺しするように総武流山電鉄（現流鉄）流山線が単線で通っている。1:10,000「新松戸」平成10年修正　46%

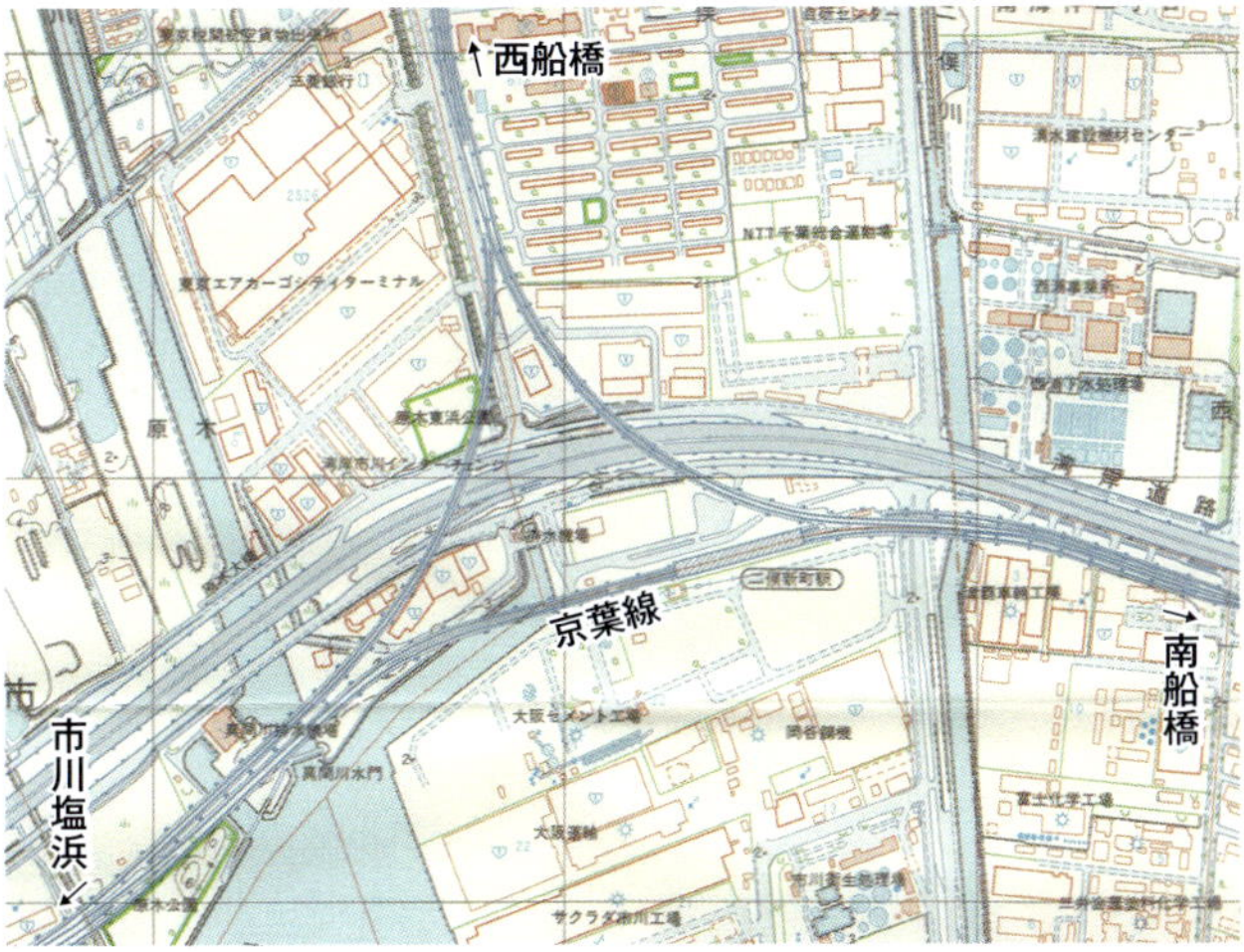

平成6年（1994）二俣新町駅付近：京葉線西船橋方面・市川塩浜方面・南船橋方面をそれぞれ結ぶデルタ線。東京駅を発着する武蔵野線の電車は、西船橋方面と市川塩浜方面との連絡線を使って京葉線と直通している。1:10,000「船橋」平成6年修正　56%

しかしその後はトラック輸送の急伸と自家用車の普及もあって国鉄の経営悪化が進行し、合理化のために貨物列車は従来型の「車扱《しゃあつか》い貨物」からコンテナ輸送中心に大幅に転換された。このため「車扱い」の列車を組成するための操車場は不要となり、完成からわずか10年後の昭和59年（１９８４）には無用の長物となってしまった。関係者にとっては、最新鋭の巨大操車場がこれほど短命に終わるなど夢想だにしなかったに違いない。

貨物主体から旅客へのシフト

鉄道貨物の輸送量はこの武蔵野操車場が着工される3年前にあたる昭和45年度（１９７０）の約６２４億トンキロをピークに減少を始めており、さらに労働運動の激化による「順法闘争」を代表とするストライキの頻発に起因する荷主離れも響き、鉄道貨物は斜陽の色を濃くし始めていた。その後は同50年度４７１億トンキロ、同60年度には約２１９億トンキロとピークの３分の１近くまで急落、その後は多少の増減はあるものの、現在に至るまでほぼ２００～２６０億トンキロを上下する程度に縮小している。トンキロベースでの国内貨物輸送の鉄道のシェアは、平成21年度（２００９）でわずか３・９パーセントである（自動車63・9パーセント、内航海運32・0パーセント、航空0・2パーセント）。

鉄道貨物の凋落とは裏腹に沿線人口は武蔵野線の開業で急増した。埼玉県北葛飾《かつしか》郡三郷町は、武蔵野線開業前年の昭和47年（１９７２）に5万人弱で市制施行しているが、操車場が機能停止した翌年の同60年（１９８５）には10・8万、平成27年（２０１５）12月1日現在では13・8万人にまで増加している。

人口増加が続いていた三郷市内では、5・2キロも離れていた吉川～三

鉄道貨物の輸送量の推移（輸送トンキロ）

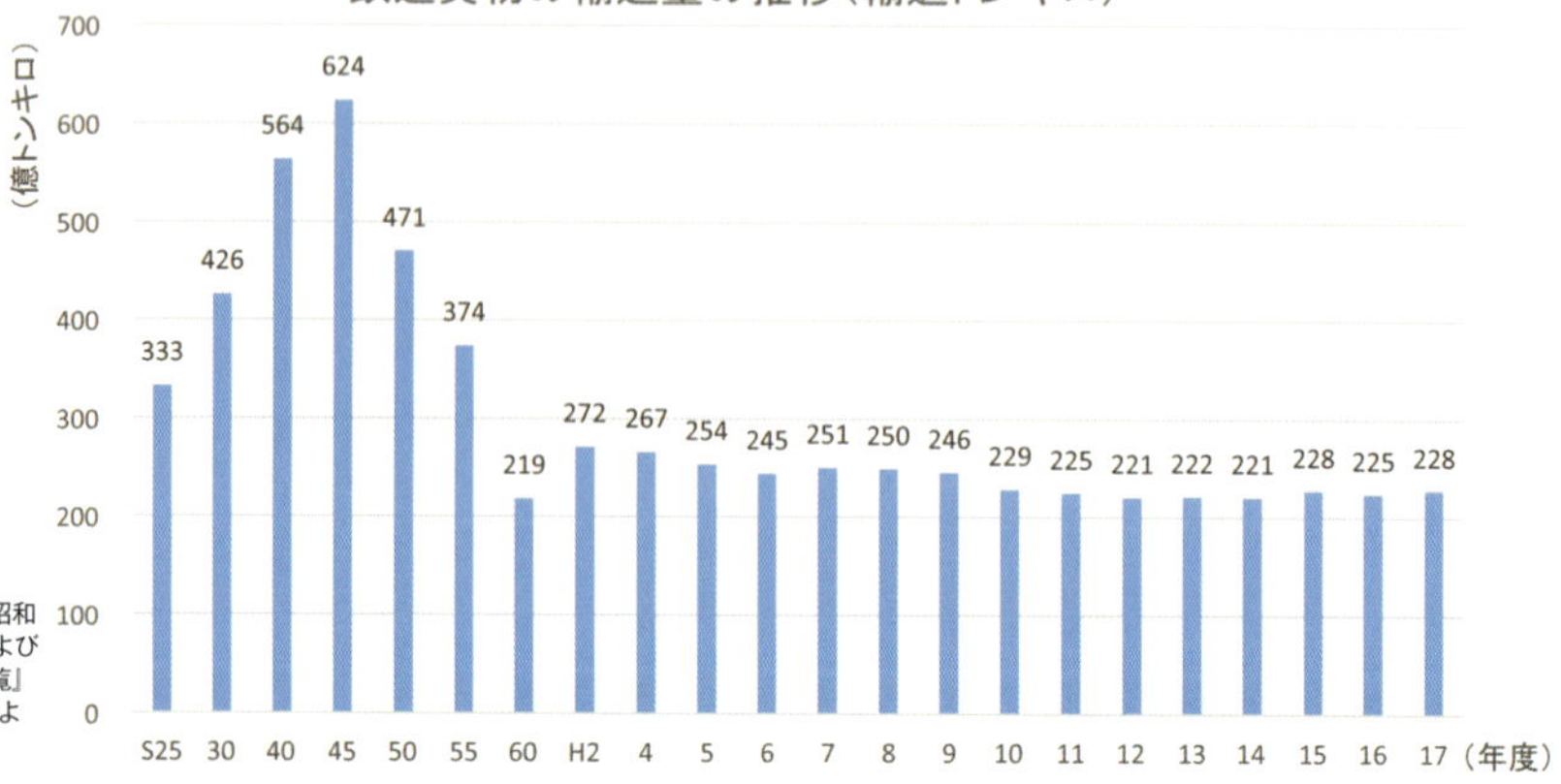

『鉄道要覧』昭和56年度版および『陸運統計要覧』平成18年版より作成

郷間に新三郷駅が設置されることになったが、この間には武蔵野操車場があり、当然ながら上下線がこれを挟む形で通っている。上下線のホームが約250メートルほど離れており、鉄道マニア的に見れば「上下線が離れた珍駅」として知られていたが、その後は操車場跡地の再開発も決まり、結局は下り線（東側）の方に統合して現在に至っている。

　跡地には現在、ショッピングセンターの「ららぽーと新三郷」「COSTCO（コストコ）」「IKEA（イケア）」が駅前に陣取り、その周辺をマンションや戸建て住宅が取り囲んでおり、これだけの商業集積もあって駅利用者は隣の三郷駅より多くなった。ちなみに新三郷駅の所在地は再開発地の名をとった「新三郷ららシティ二丁目」である。

　話が前後するが、当初の武蔵野線の主体はあくまで貨物輸送であり、旅客輸送は従。昭和48年（1973）の開業時のダイヤを見ると、昼間は30〜40分間隔つまり1時間に1〜2本しか走っていなかった。これが今では昼間でも10分間隔で1時間に6本と、まさに隔世の感がある。大宮へ直通する「むさしの号」を除けばすべて各駅停車であるが、府中本町〜西船橋（71・8キロ）の平均駅間距離が2・9キロと長く線形も良好なので、表定時速は55キロ台（全線78分）と速い。これは私鉄でいえば「急行レベル」に相当するスピードだ。

　武蔵野線は既存の国鉄線だけでなく、郊外へ延びる多くの私鉄とも交差している。ただし既存の駅周辺はおおむね市街化していたため既存の駅と駅の間で交差することになり、そこに駅が新設され、接続する私鉄はそこに後から開業というパターンが目立った。

　府中本町から下り方向で見ていくと、まず京王《けいおう》線や西武新宿線は地下区間なので連絡駅はなく、西武池袋線

昭和59年（1984）北朝霞〜西浦和間を行く武蔵野線電車：当初は貨物輸送が主だった武蔵野線は、駅間距離も長く線形は良好なので、スピードは私鉄の急行レベルに相当する。写真撮影：安田就視

昭和 45 年（1970）建設中の武蔵野操車場：操車場予定地には、広大な空き地が広がっていて、周辺はまだ水田が目立つ。三郷は昭和 47 年（1972）に市制施行される前で「三郷町」となっている。1:50,000「野田」昭和 45 年編集　85%

昭和 49 年（1974）開設された武蔵野操車場：長さ約 5.2 キロ、最大幅約 300 メートルという広大な敷地だった。最新鋭の技術が導入されたものの、昭和 59 年（1984）に機能停止。さらに昭和 61 年に廃止となった。1:50,000「野田」昭和 52 年編集　85%

昭和 60 年（1985）機能停止中の武蔵野操車場：沿線人口増加により新三郷駅が開業。上下のホームはすでに機能停止していた武蔵野操車場をはさんで離れていた。同年開通の常磐道は操車場の下をトンネルでくぐっている。1:50,000「野田」平成２年修正　85%

平成 17 年（2005）廃止後の武蔵野操車場：上下線が離れていた新三郷駅は平成 11 年（1999）に下り方にまとめられた。その後平成 18 年頃から再開発が進み、現在では巨大なショッピングセンターやマンション等が建ち並ぶ。1:50,000「野田」平成 17 年要部修正　85%

秋津駅の近くには新秋津駅が設置された（町中を通る徒歩連絡）。東武は東上線《とうじょう》・伊勢崎《いせさき》線との交差地点にそれぞれ北朝霞・南越谷の両駅が設けられたが、いずれも開業翌年の昭和49年（1974）に東武は朝霞台・新越谷の新駅を設置している。事実上同じ駅にもかかわらず駅名が違うのは利用者にはわかりにくい。新京成電鉄（八《や》柱《ばしら》駅）との交差地点には新八柱駅が設置された。こちらは国鉄がわざわざ違う駅名を付けている。

武蔵野線より後に開業した鉄道との交差地点にも新駅が設置されたが、昭和60年（1985）には埼京線との接続駅・武蔵浦和駅が、千葉ニュータウンへ向かう北総《ほくそう》鉄道との交差点には東松戸駅が新設された。他にも既存の武蔵野線の駅には、つくばエクスプレス（首都圏新都市鉄道）が南流山駅、埼玉高速鉄道（東京メトロ南北線に直通）が東川口駅で接続している。このように首都圏各地から都心部以外への移動にとって、「すべて急行電車」である武蔵野線は実に使い勝手の良い路線として親しまれるようになった。原則として貨物列車のみが走る鶴見～府中本町間も、京王相模原《さがみはら》線稲城駅、小田急線生田《いくた》駅、東急田園都市線宮崎台《みやざきだい》駅、東急東横線・南武《なんぶ》線の武蔵小杉《むさしこすぎ》駅の各駅にほど近い地下を経由しているので、旅客線転用の機会があれば便利な接続駅となる可能性は秘めている。

昭和54年（1979）朝霞台駅と北朝霞駅：手前を行き交う東武東上線の電車の奥が朝霞台駅。その上の左右にのびる高架線が武蔵野線で、北朝霞駅が見える。写真撮影：安田就視

都内の「京葉線」はりんかい線に

武蔵野線とともに「東京外環状線」の一部として位置づけられた京葉線だが、現在運行されている電車は千葉県方面から都心へ向かう際に新木場《しんきば》駅の先で大きく右カーブして東京駅へ向かう。しかし本来計画された「京葉線」の「本線」は線形からわかる通り、りんかい線東雲《しののめ》駅へ向かう方で、現在の

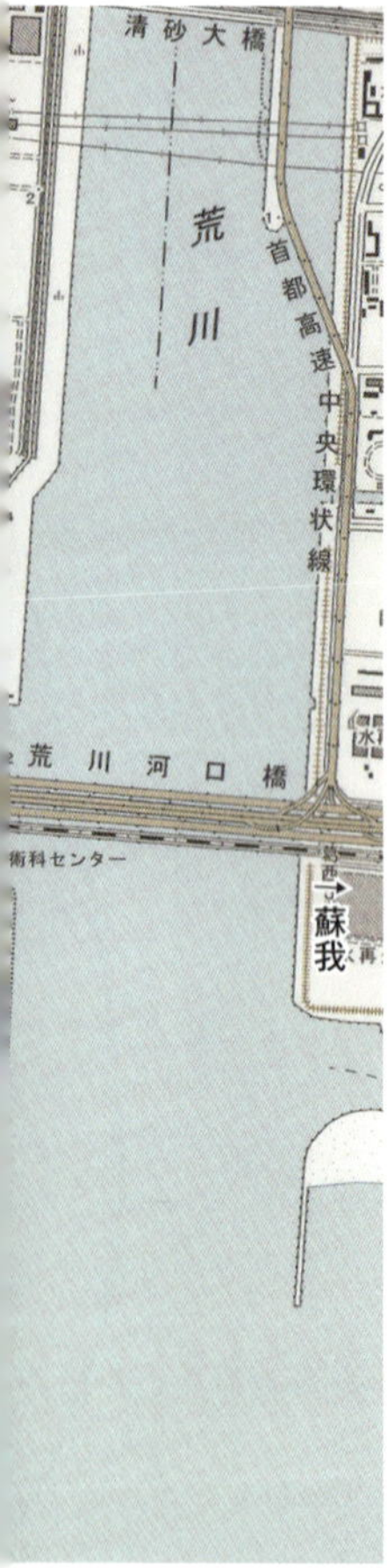

平成18年（2006）新木場駅付近：京葉線はここから大きく右カーブして東京駅へ向かう。本来計画されていた新木場以東の「京葉線」は東京臨海高速鉄道りんかい線として開業。埼京線に直通し、臨海部と新宿方面を結ぶ足となっている。1:25,000「東京南部」平成18年更新　73%

臨海副都心・東京テレポート駅などを経て大井埠頭《おおいふとう》にある東京貨物ターミナルに接続、さらに羽田《はねだ》空港の脇をかすめて多摩川をくぐり、川崎貨物ターミナルへ、南武支線（浜川崎～尻手《しって》）に沿って八丁畷《はっちょうなわて》の手前から鶴見に至るというルートが「完成形」であった。この区間の線路は現在すべて敷かれてはいるものの、本来の形では繋がっておらず、貨物列車がこの全区間を走ることはない。

京葉線の電車は、かつて「成田新幹線」として確保していたスペースなどを利用して東京駅まで乗り入れているし、りんかい線の方は新木場から天王《てんのう》洲《ず》アイルの手前（品川埠頭分岐部信号場）までは当初計画のルートを走行しながら、そこからは新たに敷設された線路を通って大井町を経由、大崎駅で地上に出て山手貨物線と接続した。りんかい線は埼京線と一体の系統で新木場～大崎～池袋～武蔵浦和～大宮～川《かわ》

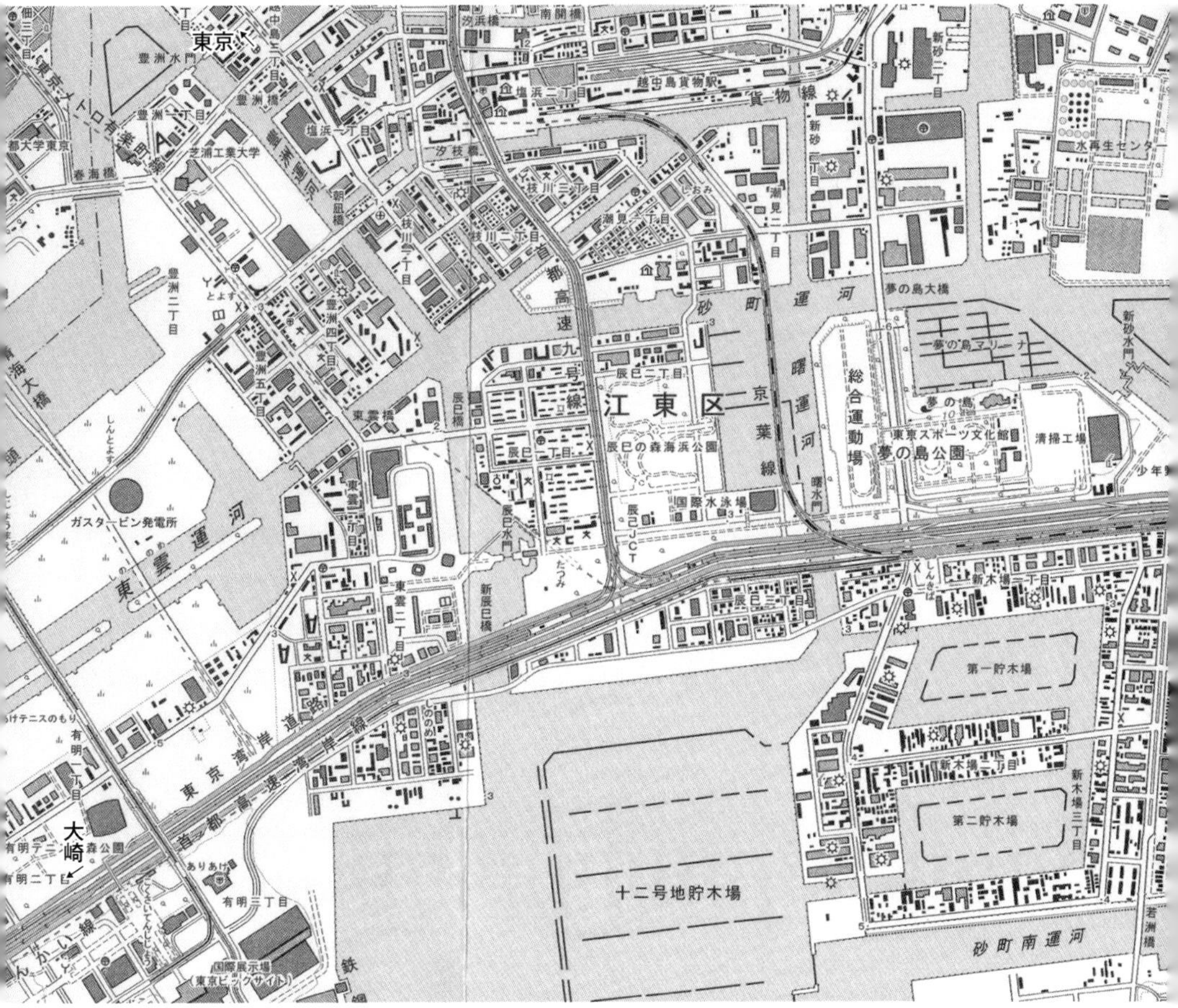

越《ごえ》という運行を行っている。東京貨物ターミナルから南は実際に貨物線が運転されているが、この線とりんかい線を結ぶ品川埠頭内の線路は、りんかい線の車庫線として使われている。思えばりんかい線ー埼京線のラインは新木場～池袋間のかなりの割合が「貨物線ルート」によって形成された。

このように首都圏の貨物線の歴史を振り返ってみると、大正時代に始まる日本の長期的な「高度成長」に対応すべく時代を逐って計画されてきたことがわかる。ただしそれは必ずしも計画の通りに使われたわけではなく、戦後の鉄道貨物の「想定外の斜陽」と、首都圏郊外の「想定外の人口急増」を背景に、貨物から旅客への大きなシフトを余儀なくされた。それでも大都市における貴重な鉄道インフラとして、時代に適合した形に巧妙に変身しながら、低成長の現在に至るまで高度に利用され続けていることは事実である。

平成14年（2002）大崎駅でのりんかい線出発セレモニー：新木場から平成8年（1996）東京テレポートまで、平成13年天王洲アイルまでと順次開業したりんかい線が大崎まで到達し、全線開業。埼京線との相互直通運転を開始した。写真提供：しながわweb写真館（品川区）

駅名こぼれ話

時代が反映された東京臨海部の駅名

埋立地の地名は比較的自由に命名されているので、駅名にも時代の空気が反映されていて興味深い。りんかい線の東雲《しののめ》駅は駅の開業こそ平成8年（1996）と新しいが戦前の埋立地で、町名は昭和13年に命名されたものだ。いかにも戦前らしい感覚だが、これに対してディズニーリゾートの京葉線舞浜駅は現代風。町名は昭和50年（1975）、駅は同63年の誕生である。新埋立地にはカタカナ施設を反映した東京テレポート（りんかい線）、テレコムセンター（ゆりかもめ）などの駅名も。東京モノレール他の天王洲アイル駅は和洋折衷的だが、駅ができるずっと前の昭和42年（1967）に失われた天王洲町が採用された珍しい例（現在は東品川二丁目）。

明治42年地形図図式
1:10,000「品川」
大正5年修正より

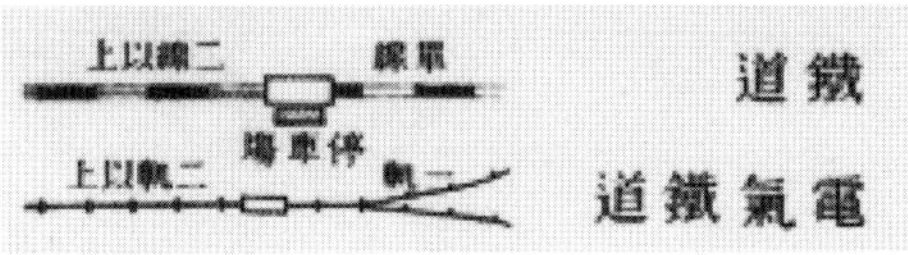

大正6年地形図図式
1:10,000「蒲田」
昭和3年修正より

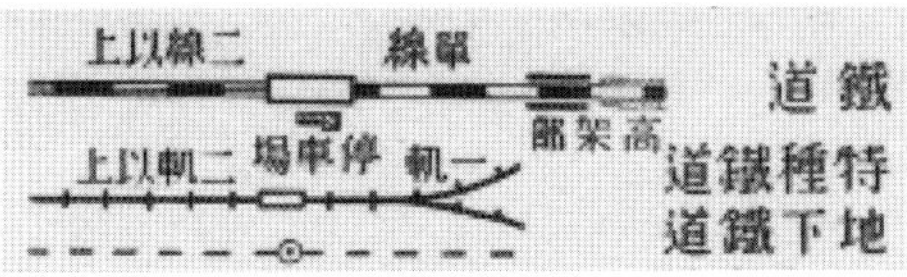

昭和24年地形図図式
1:10,000「品川」
昭和30年修正より

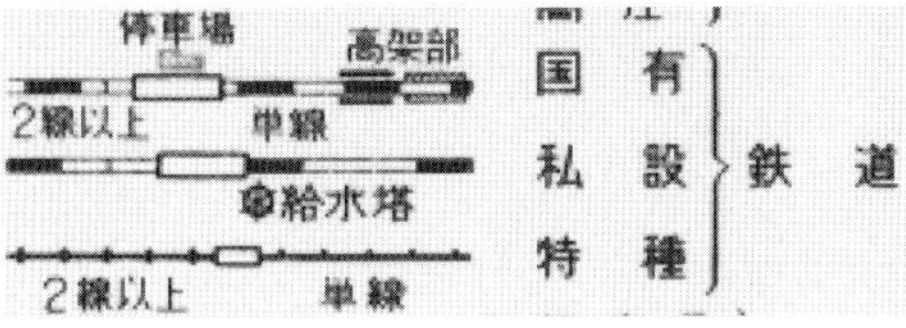

地図で鉄道を読むために

　明治5年（1872）旧暦9月12日、日本初となる新橋《しんばし》～横浜《よこはま》間の鉄道が開業式を迎えて以来、文明開化《ぶんめいかいか》の時代の進展に伴ってその整備は急速に進められていった。もちろん交通だけでなく、地租改正《ちそかいせい》などの土地・租税体制の確立をはじめ、商工業の振興や教育の普及などさまざまな分野における近代国家の枠組みの立ち上げが、まさに走りながら行われていった時代である。時に旧体制から脱皮する痛みを伴いながらもようやく軌道に乗った頃、鉄道の建設もブームを迎えていく。

　首都圏で新橋～横浜間の官営鉄道の後に続いたのは私鉄、といっても半官半民の日本鉄道であった。「中仙道線《なかせんどう》」を想定した上野《うえの》～熊谷《くまがや》間の開通が明治16年（1883）、それと官営鉄道を結ぶ連絡線たる山手線が同18年に開通しているが、明治20年代に入ると各地で鉄道建設がいよいよ本格化していく。

　まずは明治22年（1889）の甲《こう》武《ぶ》鉄道（現中央本線）を始め、同27年11～12月には総武《そうぶ》鉄道（現総武本線）、青梅《おうめ》鉄道（現青梅線）、川越《かわごえ》鉄道（現西武《せいぶ》鉄道）の3線が一斉に開業、同32年には東武《とうぶ》鉄道（伊勢崎《いせさき》線）が続く。また同年には関東初の電車となる大師《だいし》電気鉄道（現京浜《けいひん》急行）も加わり、同36年には東京馬車鉄道の線路上に架線を張って電車（都電のルーツ）が走り始めた。その後も明治末から大正にかけて京王《けいおう》、京成《けいせい》、玉川《たまがわ》、王子《おうじ》（都電荒《あら》川《かわ》線の前身）などの各電鉄が次々と登場し、汽車と電車は首都圏の日常の足としての地位を確立していく。この頃に今の「大手私鉄」という役者がすべて出揃った。もちろんまだ通勤・通学輸送が一般化するのは大正も半ば、第一次大戦後の話ではあるが、この先は各章の記述に譲ろう。

地形図における鉄道・軌道の記号

　鉄道の発達とともに普及が進んだの

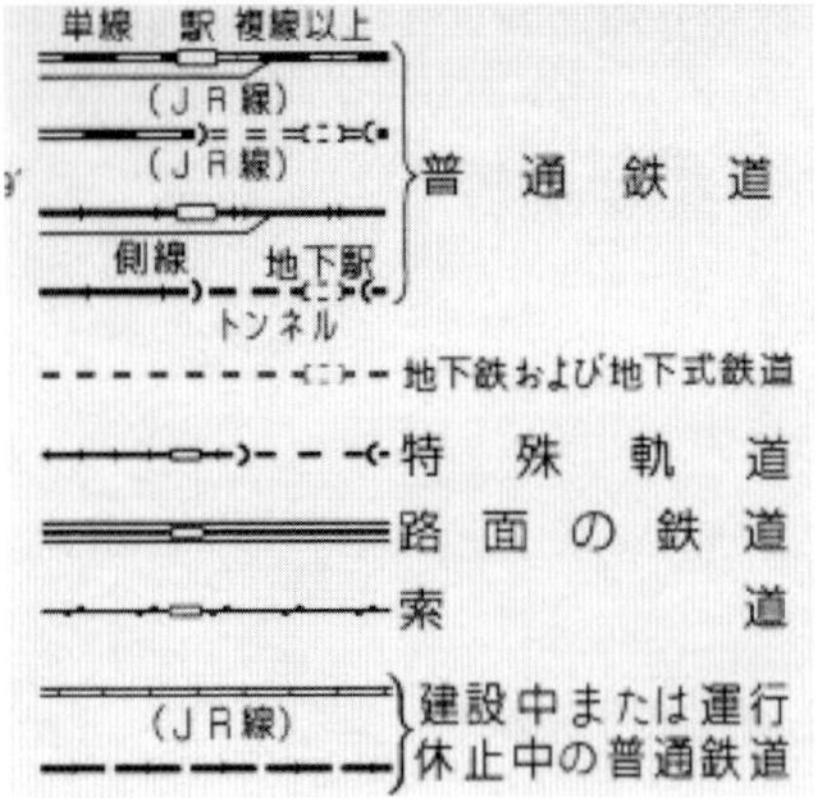

平成元年地形図図式
1:50,000「八王子」平成19年修正

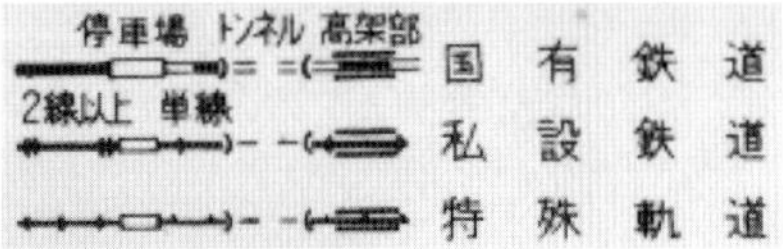

昭和30年地形図図式
1:50,000「小田原
昭和33年要部修正より

が地形図であった。他の省庁の組織と同様にめまぐるしい改組《かいそ》を経て陸軍に陸地測量部が創設されたのは明治21年（1888）であるが、その前段階の同13年から整備が始められた2万分の1迅速《じんそく》図を皮切りに、現在に続く「地形図」のシリーズが確立し、記号体系である「図式」も徐々に洗練されていった。敷設されたばかりの鉄道は、迅速図の図式では単なる二条線で示されたが、後にハタザオと呼ばれる黒白に塗り分けた、現在お馴染みの国鉄（JR線）記号が生まれた。

　一方で明治36年（1903）に馬車鉄道の線路上に架線が張られて電車が走るようになった東京市内、それに一足先の大師電気鉄道など主に路面を走る電車を表わす記号も、迅速図の時代にはなかったが（図式に定められたが実際にはほとんど用いられず）、後に定められている。太い線にトゲが出た線で、現在のいわゆる私鉄記号（JR以外の鉄道）に似たものであるが、ハタザオ線と同じくドイツから直輸入された。トゲが片方なら単線、両側に出ていれば複線以上を意味する。ついでながらハタザオで表わされる鉄道の複線は白い部分を縦割り2等分した表記が行われていた。現在のJR線では横割り2等分が複線以上である。

　現在では「普通鉄道」としてJR線がハタザオ記号、それ以外の民営鉄道（私鉄）と公営鉄道が両側にトゲ記号になっている（トゲの間隔は前述の軌道記号より広く、複線以上ならトゲを二重にする）のだが、戦前の図式では蒸気機関車が牽引するいわゆる「鉄道」はハタザオ記号、主に道路を走る軌道条例（後の軌道法）由来の軌道には短い間隔のトゲ記号が用いられていた。

　もちろん国鉄の軌道はないので、軌道のトゲ記号はいわゆる私鉄か市電などの公営軌道であるが、「鉄道」の方は国鉄（鉄道院・鉄道省など）であろ

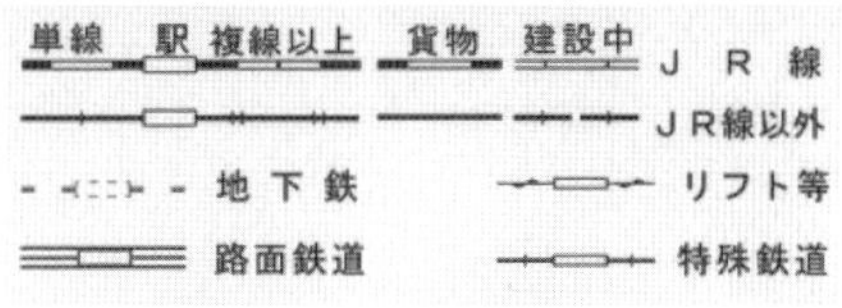

平成14年地形図図式
1:25,000「真鶴岬」平成20年更新より

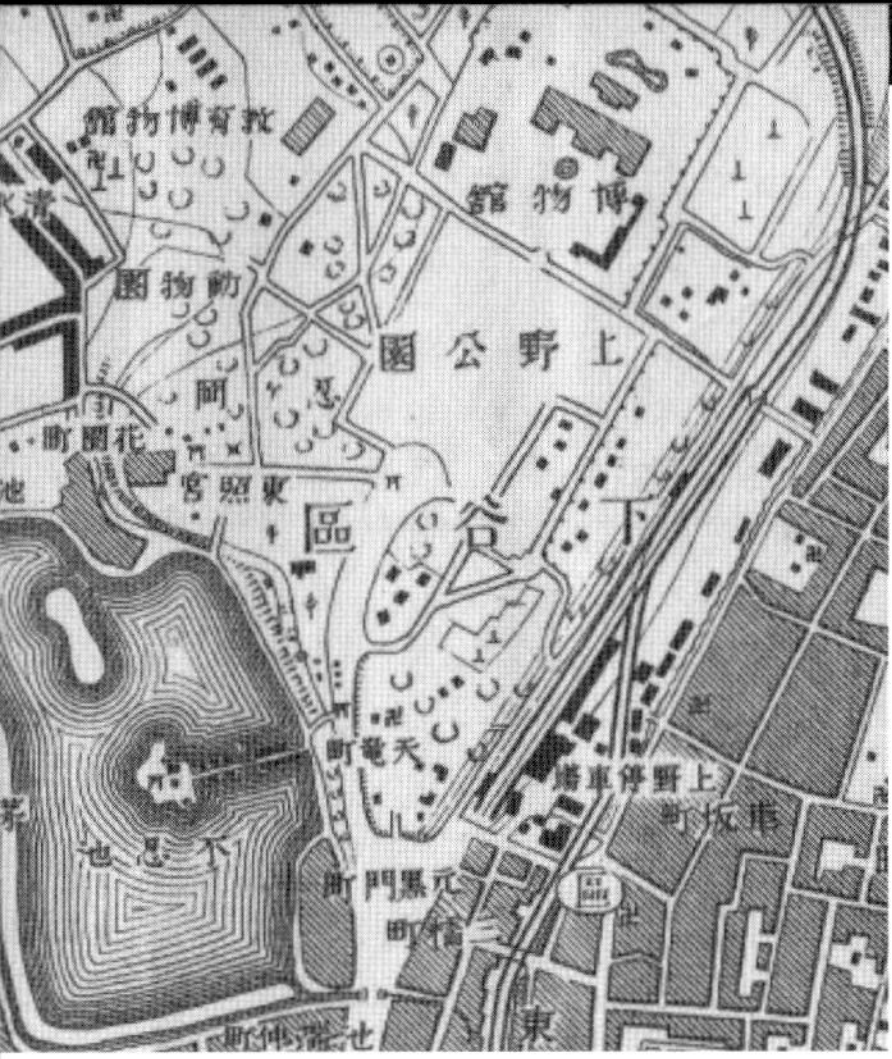

迅速測図の鉄道記号。二条線が単線で、まん中に1本入ると「複線以上」という表現になる。1:20,000迅速測図「下谷駅」明治30年修正　114%

うが私鉄であろうが、ハタザオが使われていた。ただし「軌道由来」の電車が徐々に高速化し、輸送量や速度で鉄道と遜色ない高性能になった軌道については、陸地測量部では昭和の初期頃から鉄道記号を準用しているので、隣接する地形図をつなぎ合わせるなどの場合、同じ電気鉄道なのに両側で記号が異なることは珍しくない。また私設鉄道に白の部分が長いハタザオ（元は軽便鉄道用）が用いられていたこともあり、記号体系は小さな改変も頻繁なので厳密に知るのは大変だが、適用はそれほど厳密でないので、あまり考えなくても支障はない。

路線名と駅名の表記

現在では東海道《とうかいどう》線（時刻表など慣例に従って「東海道本線」と称することも多い）、山手線、常磐《じょうばん》線と路線名が決められているが（系統名と食い違って複雑なものもある）、明治42年（1909）に国鉄が「線路名称」を一斉に定められるまでは、いわゆる正式名称がなく、時刻表でも「直江津《なおえつ》新《にい》潟《がた》間・北越《ほくえつ》鉄道」「米原《まいばら》富山《とやま》間・官営鉄道」などと記されていた。このため地形図に記された「線名」もまちまちな印象がある。

明治20年代にはまだ正式に「東海道本線」となっていないので、迅速図などの地図には「東海道鉄道」と表記されるのが一般的であったし、山手線など「自品川《しながわ》至赤羽《あかばね》鉄道（品川より赤羽に至る鉄道）」といった表記も見られた。明治27年（1894）の時刻表に載っている日本鉄道の広告では「山ノ手線」とある。当時はそれほど厳密でなかったのだろう。欧州では今でも「○○線」という呼称がある方が珍しい。明治30～40年代の地形図では川越鉄道を「川越線」などとする表記も一般的で、ハタザオ線で描かれていることもあり、当時これが国鉄であったか

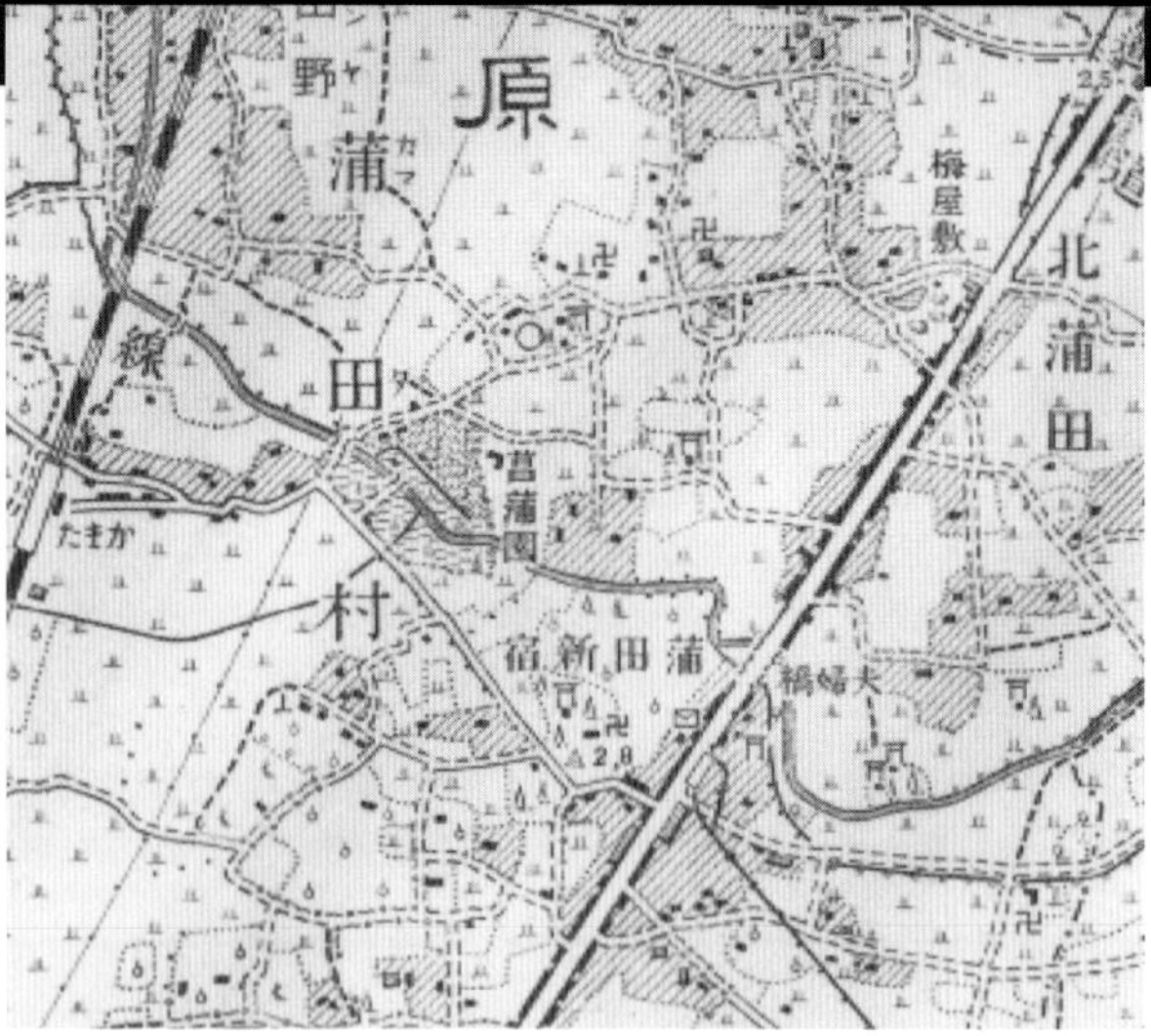

正式地形図の鉄道記号。西端は東海道本線で、白い部分に縦線が入っているのが複線の記号。東側の旧東海道の「梅屋敷」で北から合流してくるのが京浜電気鉄道の複線。当時は市街地の併用軌道は記号を描かない決まりで、街道上に一部記号のない区間がある。「蒲田新宿」から南東へ分岐するのは専用軌道（単線）の穴守線。1:20,000正式地形図「大森」明治39年測図　128%

のように誤解してしまわないよう注意が必要だ。

大正時代の地形図には「武蔵野《むさしの》線」とある鉄道が池袋《いけぶくろ》から西へ行っているが、これもやはり武蔵野鉄道、つまり現西武池袋線である。ついでに言えば、線名や区間が時代によって変更になることも珍しくない。たとえば西武鉄道では西武新宿駅が開業した際に大々的に線名を変更した。それ以前は高田馬《たかだのば》場《ば》～東村山《ひがしむらやま》～村山貯水池（戦前は村山貯水池前）間が村山線、現在の池袋線が前述のように武蔵野線、国分寺《こくぶんじ》～東村山～川越（現本川越）が川越線であった。

駅名の表記に限らず、戦前の図式は横書きの場合は右から左へ読む「右書き」である（戦後も一部については昭和40年代頃まで存続）。ひらがなで表示される駅名は当然ながら歴史的仮名遣いなので、有楽町《ゆうらくちょう》は「いうらくちやう」、田園調布《でんえんちょうふ》は「でんゑんてうふ」などとなっている（明治大正期にはこ→古、し→志など一部変体仮名も含む）。オーと読む駅名は現在では「おお」「おう」の2種類に過ぎないが、かつては大阪（おほ）、八王子《はちおうじ》（わう）、扇町《おうぎまち》（あふ）、青梅（あを）、奥羽《おうう》（あう）など多岐にわたった。それだけ複雑なので図上の仮名遣いがたまに間違っていることもあり、当時の人が使い分けに苦労していた証拠かもしれない。難しいのは八幡を実際に「やわた」「やはた」のどちらで読んだのか区別できないということだ（旧仮名はいずれも「やはた」）。

地形図における鉄道表記の誤り

明治以来、国の正式な基本図ということで信頼が篤かった地形図であるが、当然ながらたまには間違うこともある。たとえば駅名の改称が反映されていなかったり、複線化されたはずなのに単線のままといった修正漏れは、戦前・

電気鉄道の記号は時代によって異なる。東西に走る「特殊軌道」の線は地方鉄道法による電気鉄道（目黒蒲田電鉄大井町線）だが、路面電車と同じ記号が用いられた。線路の両側に高架線を示す記号が添えられている。1:10,000地形図「品川」昭和４年修正　96%

戦後を通じてかなり目につく。中には逆に単線なのに図上では「未来志向」で複線化させられていることもあるので、地形図だけで鉄道の姿を即断してはいけない。

立体交差が平面交差になっていることもあれば、地下化が反映されない場合もたまにある。たとえば京王八王子駅は平成元年（１９８９）４月に地下駅となったのだが、平成3年部分修正では直らず（部分修正なのでこれは免責だろうが）、同5年修正版には同4年の空中写真を用いているはずなのに地上のままで、ようやくその次の平成10年（１９９８）修正で地下線・地下駅として表記された事例もある。

地形図の精度については、戦前は主に平板測量が主力であるため相対的に低く、傾向としては線路のカーブがおおむね急に描かれる傾向にあるから、曲線半径を地形図で測って現在と比べ、これをもってカーブの緩和を論じてはいけない。また昭和10年より以前にはよく刊行されていた「鉄道補入版」は、従前の地形図に取り急ぎ鉄道だけを描き入れたもので、その他の市街や土地利用の状況はほぼ前の版のままである。補入された新しい鉄道の駅前にアクセス道路も店も家も何もない状況が描かれていても、実際には何軒かの家屋があったかもしれない。

また、精度とは別に転位や総描《そうびょう》が行われることも知っておきたい。たとえば谷間の川沿いを新国道と旧道、それに鉄道が併行しているような場合、縮尺通りに描いてしまうと線が重なり合ってしまうので、意図的に左右に広げて表示する「転位」が行われたり、側線も線路が多数ある場合は適度に間引き、また家屋などをまとめて面で表示する総描がそれだ。これらは縮尺に応じて行われる表現上の工夫、いわば縮めることに伴う必然的な操作であり、縮尺通りになっていないことをもって

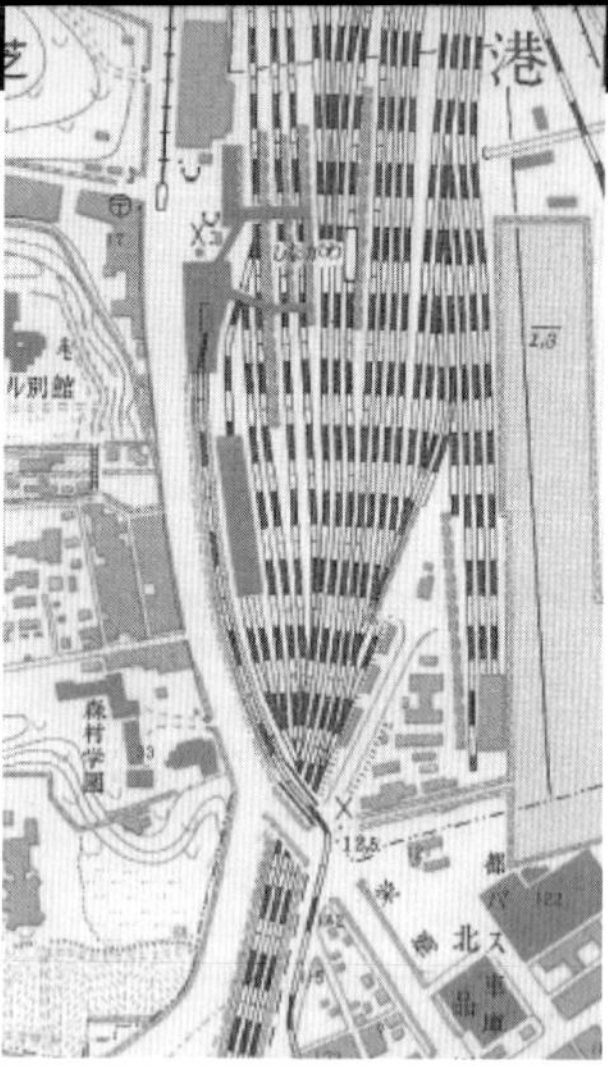

「私設鉄道」の記号が国鉄と区別されている昭和24年図式。黒白ハタザオ線の白い部分が国鉄より長いのに注目。なお複線表示は国鉄も含めて白い部分を横に割る形となった。これは現在まで引き続き用いられている。品川駅前から北へ伸びるのは都電の路線で、これは従来の「特殊軌道」記号。1:10,000地形図「品川」昭和30年修正 83%

不正確だ、などと断じてはいけない。これが地図の「お約束」である。

地形図・地勢図における修正等と発行年

地形図や地勢《ちせい》図（戦前は帝国《ていこく》図）には、それぞれ図の欄外に測量や修正等が行われた年号などを記した「図歴」が記載されている。民間会社が発行する市街地図などの場合はたいてい発行年のみが記され、地図の内容はその直近のデータが用いられていると判断するのがふつうだが、地形図の場合は測量または修正から発行まで数年かかる場合がある。特に戦前期には5年程度の時間差があるため、図の内容は最後に記された「修正」などの年号に注目する必要がある。

本書に掲載した地形図類はすべて最後の修正年などを記したが、たとえば2万5千分の1地形図「八王子」で「昭和5年鉄道補入《ほにゅう》」とあっても、実際の地形図の図歴欄には「大正十年測《そく》図《ず》昭和二年部分修正測図同五年鉄道補入」と記されている。これは最初にこの縮尺のために測量が行われたのが大正10年（1921）であり、昭和2年（1927）に部分的に修正が行われ、その後昭和5年（1930）になって、それ以降に開業した鉄道、具体的には武蔵中央電気鉄道（甲州《こうしゅう》街道を走っていた路面電車）と建設中の八高《はちこう》南線（現八高線）を描き入れた状態にした、という意味である。このため植生などはおそらく大正10年版から変わらず、市街地や道路の様子などは最新でも昭和2年時点、それに加えて昭和5年現在の鉄道の状況がアップデートされた状態、と読むのが適切だ。

国土地理院の前身である陸地測量部は、特に昭和10年代に入ると中国や南方などの地図（いわゆる外邦図《がいほう》）作成の比重が高まったため国内の地形図等の修正がおろそかになり、特に戦争前後にあたる昭和15年から25年頃までは

1万分の1地形図の昭和58年図式では国鉄（JR）とその他の私鉄、路面電車の区別がなく、側線のみ細い線で描かれる。1:10,000地形図「品川」平成11年修正 86%

修正がまともに行われていない。昭和16年（１９４１）には全地形図の自由な発売が停止されたため、戦後にそれが解禁された際にも、戦前期の図から消滅した軍の施設等を削除しただけの「戦後版」が昭和22～24年頃にかけて刊行された。

　このため、たとえば「昭和五年修正同二十二年発行」の図には空襲《くうしゅう》による市街地の焼失などはまったく反映されていない。都市によっては昭和20年頃の修正による「焼け野原」の状態が生々しく描かれた名古屋、大阪などの事例もあるが、東京の場合は空襲による延焼《えんしょう》を防ぐために行われた建物疎《そ》開《かい》が描かれた段階（昭和19年、20年修正）にとどまっている表現が戦後に刊行されたので、このあたりは注意が必要だ。

　さらに昭和12年（１９３７）の軍機保護法の改正で、同年以降に刊行された図、もしくは重版された図（昭和12年以前発行の図も含む）については、軍施設や軍需工場、鉄道操車場や線路の立体交差、造船所、発電所、貯水池など戦略的に重要な施設を他のもの、たとえば住宅地や農地、森林等に擬装《ぎそう》する「戦時改描《かいびょう》」が行われたものもあるため、資料として使うには十分な注意が必要だ。その詳細については拙著『地図で読む戦争の時代』（白水社）などを参照いただきたい。

　地形図の測量や修正などの「図歴」にまつわる用語はかなり多岐にわたるが、その中から主なものを紹介しておこう。

【測図】測量に同じ。戦前から昭和20年代頃にかけて用いられた用語。当該地域でその縮尺で最初に測量が行われたことを指す。

【測量】測図に同じで、明治期と昭和30年代以降に用いられている。

【発行】文字通り発行だが、翌年以降

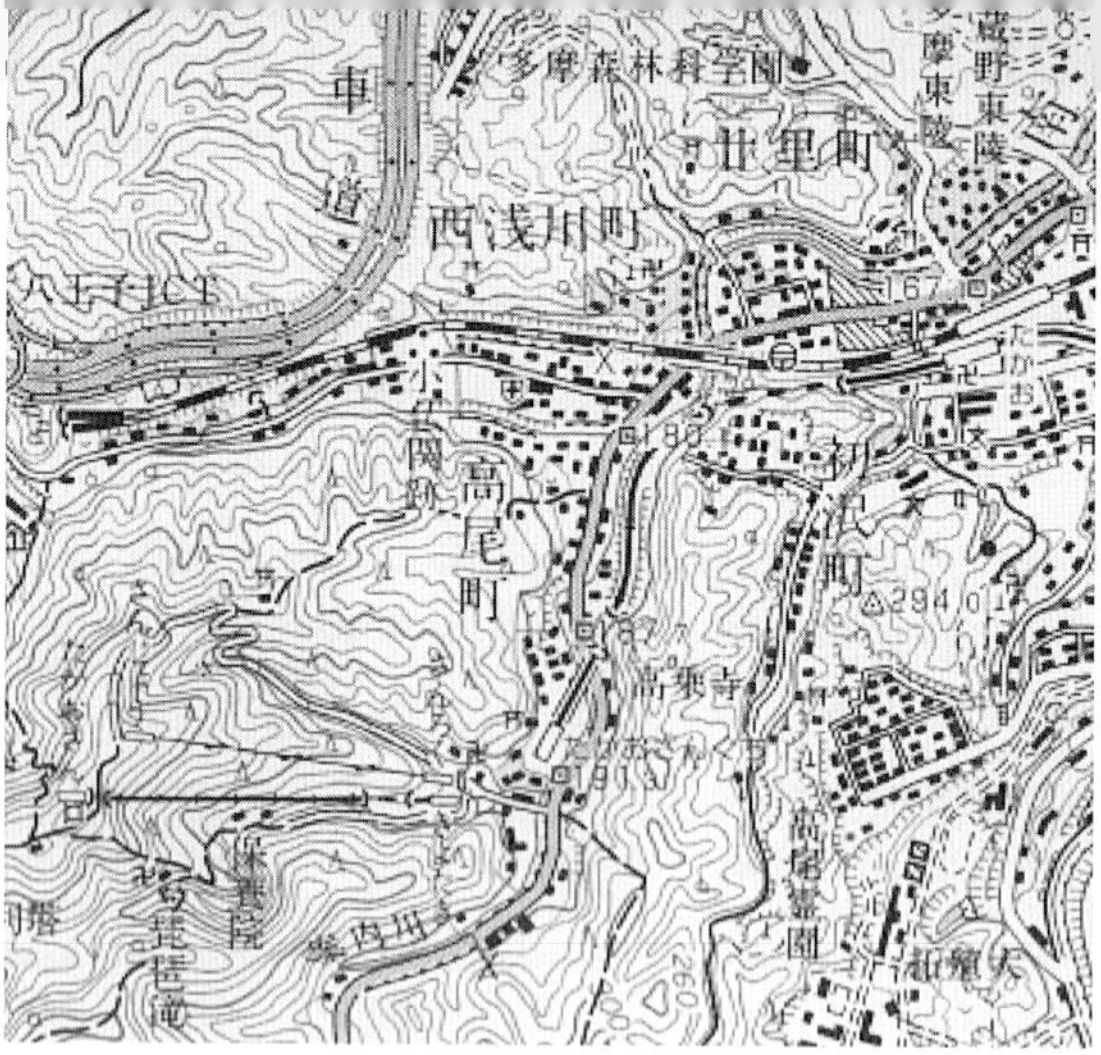

5万分の1地形図は平成元年図式が最後となった（現在更新は行われていない）。鋼索鉄道（ケーブルカー）は私鉄と同じ記号が本来であるが、昭和50年代頃までは「索道」記号で描かれることもあった。高尾～高尾山口間の複線表示は誤り。1:50,000地形図「八王子」平成19年修正　130%

に重版した場合も原則として初版の発行年月日が記される。

【修正】図の全面が修正されたもので、陸地測量部〜国土地理院の地形図では数年から十数年程度の間隔で行われている。もちろん市街地では短く、農村部や山間部などが相対的に長いが、時期によっても異なる。紙の地形図が現在よりはるかに売れていた時期、たとえば昭和40年代には市街地では2〜3年の間隔で刊行されていたこともあった。もちろん高度成長期で都市やその近郊で実際の変化が大きかったのも頻度の高かった理由である。

【部分修正】文字通り部分的に修正が行われたもの。全面的に修正するほどの変化はないが、重要な鉄道や高速道路等が開通した時などに刊行される。

【要部修正】5万分の1地形図や20万分の1地勢図で用いられる語で、基本的に部分修正と同じ。

【資料修正】昭和20〜30年代に多い。実際に現地の測量を行うのではなく、道路などを資料に基づいて加えたり、市町村名やその境界が変更になった際に資料のみで修正が行われたもの。

【応急修正】戦後の占領期に米軍が日本中をくまなく撮影した空中写真を用いて、特に市街地や道路、鉄道などの状況を応急に修正したもの。同じ応急修正年でも異なる発行年に刊行されており、それぞれ部分修正されているので内容は異なり、応急修正の場合のみ特に発行年が重要になる。

【改測】主に戦後の版。精度のより高い図化機を用いたり、新たに空中写真から等高線を描き直すなどして、ほぼ新規に地形図を作成したもの。

【更新】平成14年以降の2万5千分の1地形図における修正または部分修正。

【調整】電子国土基本図から当該地形図の範囲を切り出して平成25年以降の図式（多色刷りの最新図式）で作成したもの。

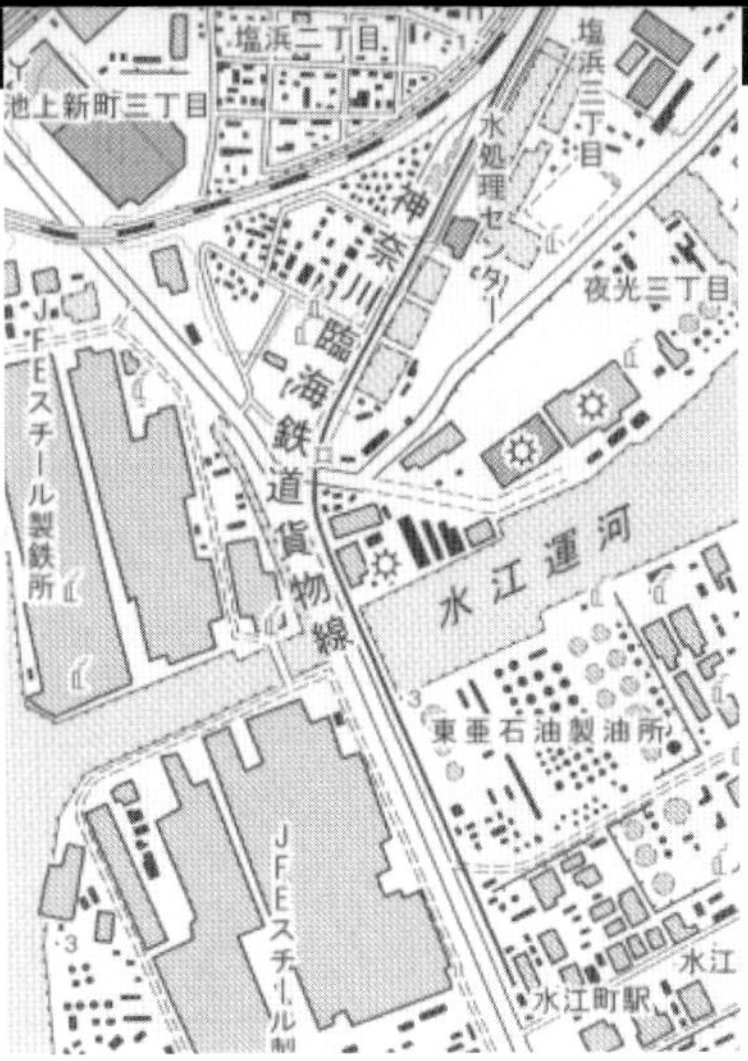

2万5千分の1地形図は平成14年図式で貨物専用鉄道(JR以外)の記号が新たに定められた。短い「トゲ線」がない、一条線の道路記号に似た線である。1:25,000地形図「川崎」平成20年更新 原寸

空中写真の活用

地形図では判断できない、たとえば線路の接続の具合などを調べたい場合は、昔の空中写真の活用をおすすめしたい。国土地理院では現在、戦前に日本陸軍が撮影したものから戦後昭和20年代前半の占領期に集中して撮影された米軍による空中写真、それ以降は国土地理院による撮影の膨大な写真の集積があり、その多くを国土地理院のホームページで閲覧することができる。紙焼きを1枚ごとに注文しなければならなかったひと昔前に比べるとはるかに手軽に利用できるようになった。

特に現在走っていない路線、廃線や未成《みせい》線(工事が中断されて開通しなかった路線)を調べる際にも空中写真は地形図より多くの痕跡《こんせき》が読み取れるのでおすすめだ。修正の年代の都合により地形図に一度も載ることのなかった鉄道(専用線など)も、写真によっては米軍の空中写真に載っていることがある。

国土地理院サイト→「地図・空中写真・地理調査」→「地図・空中写真閲覧サービス」→日本地図を拡大して目的地に到達し、写真を選択する。

旧版地形図・地勢図の入手方法

拙著に掲載した地図はすべて著者が古書店やネットオークション等で長年かけて入手したものであるが、一般には古書店で目指す図に行き当たる確立は非常に低いため、国土地理院関東地方測量部(九段下《くだんした》駅下車。東京都千代田区九段南1-1-15 九段第2合同庁舎9階)のパソコン画面で閲覧するのが現実的だ。同所では謄本(コピー)も1枚500円で請求できる(収入印紙による支払い)。インターネットによる申し込みで郵送してもらうことも可能だ。詳細は国土地理院のサイトを参照いただきたい。

東京の主要私鉄と都電の系譜

西武鉄道に至るまでの系譜

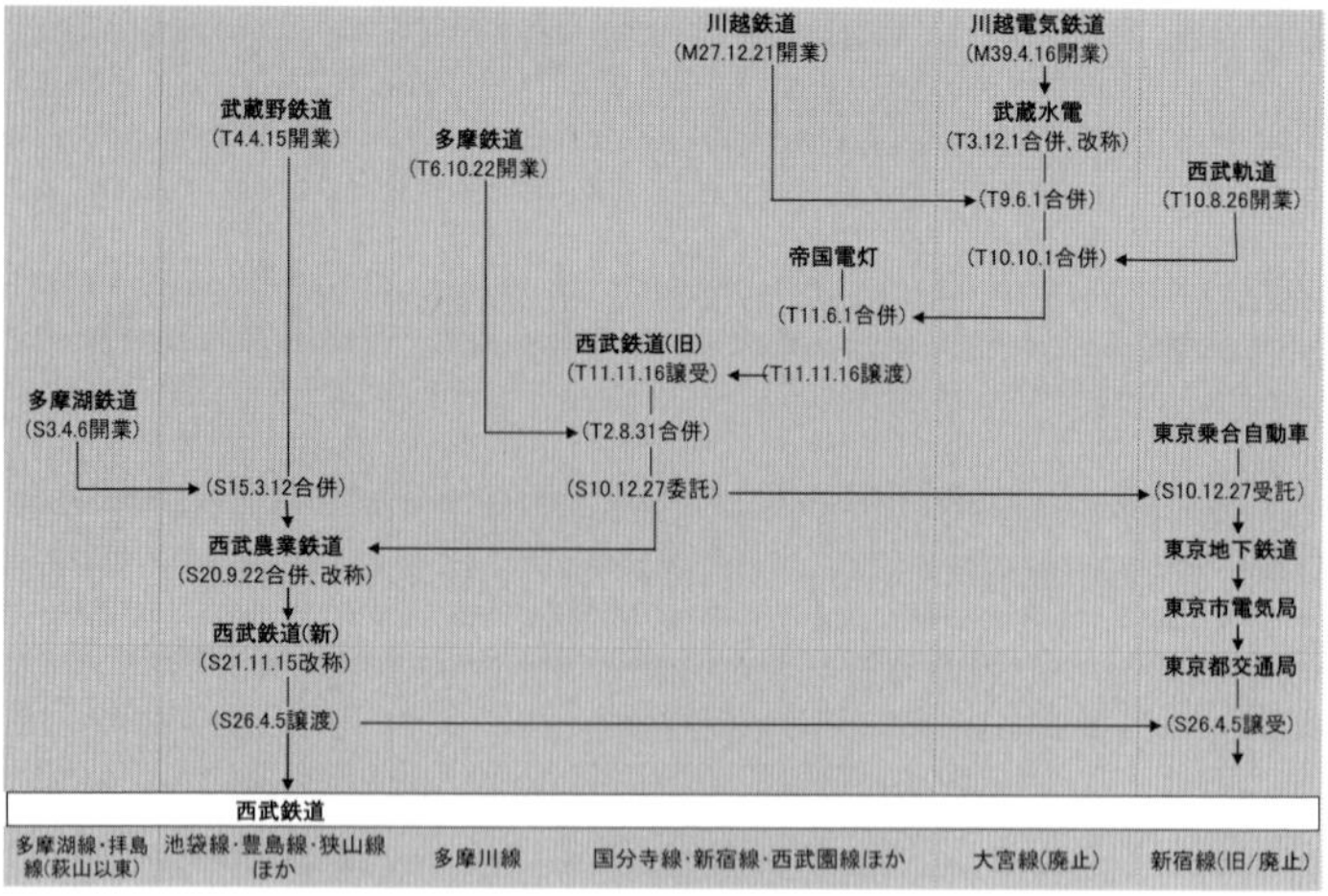

東京都交通局（都電）に至るまでの系譜

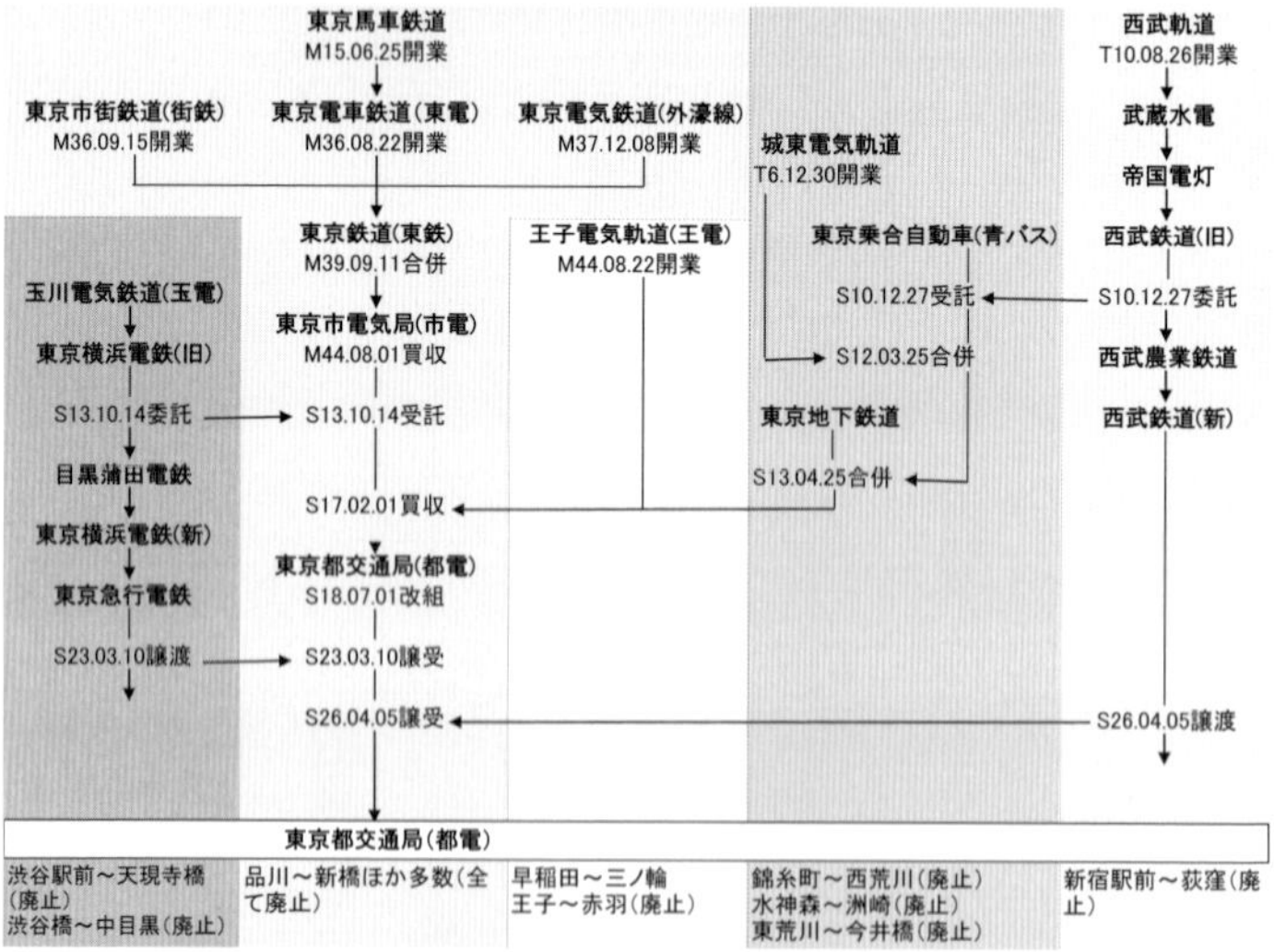

京成電鉄に至るまでの系譜

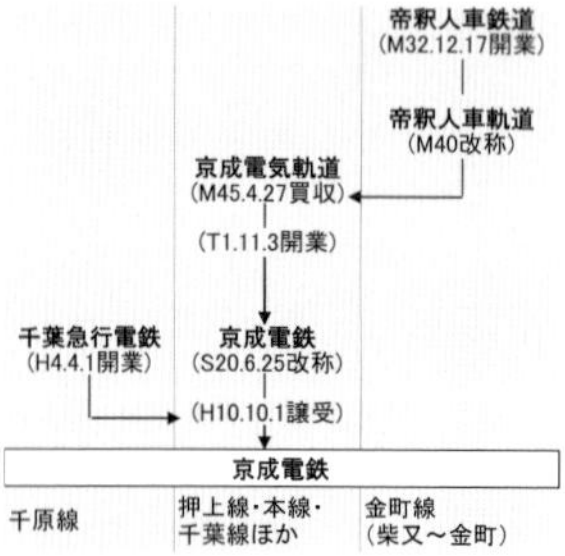

● Mは明治、Tは大正、Sは昭和、Hは平成を示す。

● 現在の会社名は各系譜下方に□で囲んでいる。

● 現在の会社名の下に掲載した現在の路線名は（一部廃止線を含む）、系譜中の旧会社と上下で対応する。たとえば系譜中の京王電鉄の最も左側の井の頭線は、もとは帝都電鉄で、その後合併により小田原急行鉄道→改称により小田急電鉄→合併により東京急行電鉄→分離により京王帝都電鉄→改称により京王電鉄の路線と変遷し現在に至ることがわかる。

京浜急行電鉄・東京急行電鉄・小田急電鉄・京王電鉄に至るまでの系譜

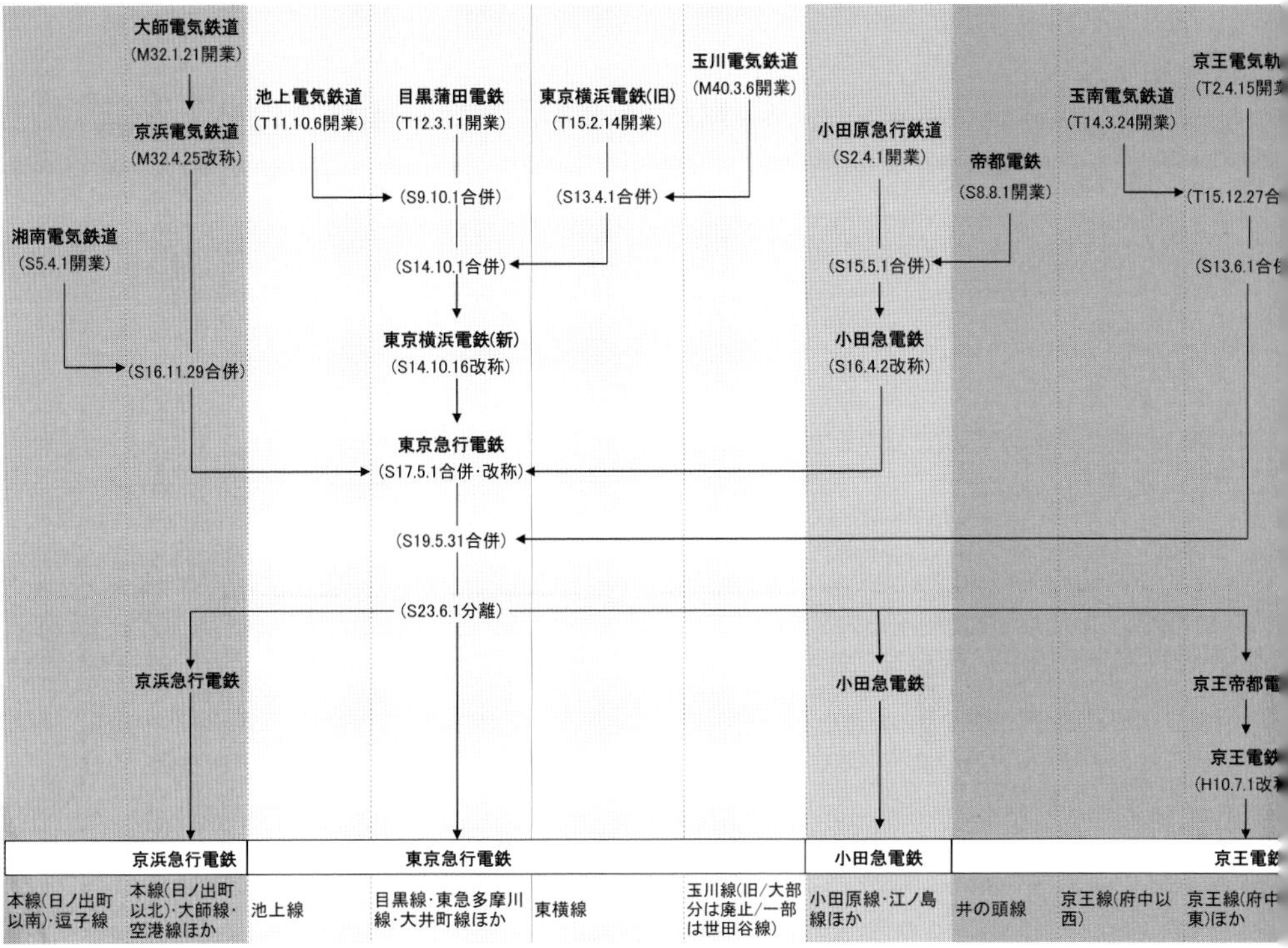

大師電気鉄道
(M32.1.21開業)
京浜電気鉄道
(M32.4.25改称)
湘南電気鉄道
(S5.4.1開業)
(S16.11.29合併)
池上電気鉄道
(T11.10.6開業)
目黒蒲田電鉄
(T12.3.11開業)
(S9.10.1合併)
東京横浜電鉄(旧)
(T15.2.14開業)
玉川電気鉄道
(M40.3.6開業)
(S13.4.1合併)
(S14.10.1合併)
東京横浜電鉄(新)
(S14.10.16改称)
東京急行電鉄
(S17.5.1合併・改称)
(S19.5.31合併)
(S23.6.1分離)
小田原急行鉄道
(S2.4.1開業)
帝都電鉄
(S8.8.1開業)
(S15.5.1合併)
小田急電鉄
(S16.4.2改称)
玉南電気鉄道
(T14.3.24開業)
京王電気軌
(T2.4.15開業
(T15.12.27合
(S13.6.1合
京浜急行電鉄
小田急電鉄
京王帝都電
京王電鉄
(H10.7.1改
京浜急行電鉄
東京急行電鉄
小田急電鉄
京王電鉄
本線(日ノ出町以南)・逗子線
本線(日ノ出町以北)・大師線・空港線ほか
池上線
目黒線・東急多摩川線・大井町線ほか
東横線
玉川線(旧/大部分は廃止/一部は世田谷線)
小田原線・江ノ島線ほか
井の頭線
京王線(府中以西)
京王線(府中以東)ほか

東武鉄道に至るまでの系譜

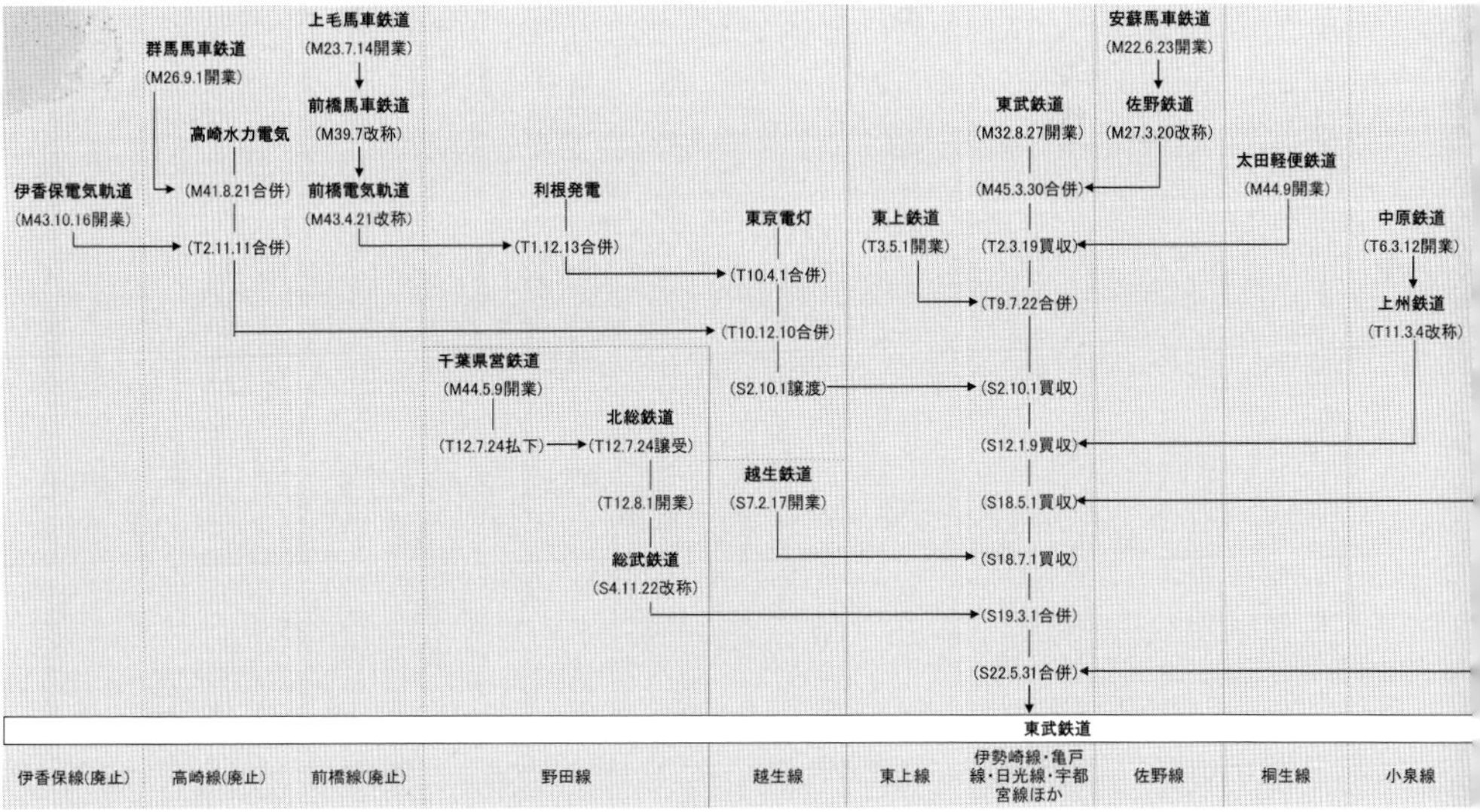

上毛馬車鉄道
(M23.7.14開業)
群馬馬車鉄道
(M26.9.1開業)
前橋馬車鉄道
(M39.7改称)
高崎水力電気
伊香保電気軌道
(M43.10.16開業)
(M41.8.21合併)
前橋電気軌道
(M43.4.21改称)
(T2.11.11合併)
利根発電
(T1.12.13合併)
東京電灯
(T10.4.1合併)
(T10.12.10合併)
千葉県営鉄道
(M44.5.9開業)
北総鉄道
(T12.7.24払下)
(T12.7.24譲受)
(T12.8.1開業)
総武鉄道
(S4.11.22改称)
(S2.10.1譲渡)
越生鉄道
(S7.2.17開業)
東上鉄道
(T3.5.1開業)
安蘇馬車鉄道
(M22.6.23開業)
東武鉄道
(M32.8.27開業)
佐野鉄道
(M27.3.20改称)
(M45.3.30合併)
太田軽便鉄道
(M44.9開業)
(T2.3.19買収)
中原鉄道
(T6.3.12開業)
上州鉄道
(T11.3.4改称)
(T9.7.22合併)
(S2.10.1買収)
(S12.1.9買収)
(S18.5.1買収)
(S18.7.1買収)
(S19.3.1合併)
(S22.5.31合併)
東武鉄道
伊香保線(廃止)
高崎線(廃止)
前橋線(廃止)
野田線
越生線
東上線
伊勢崎線・亀戸線・日光線・宇都宮線ほか
佐野線
桐生線
小泉線

あとがき

ここ数年、皇居のお濠に面した国立公文書館で「鉄道省文書」の閲覧を続けている。主に明治・大正・昭和戦前期の私鉄の許認可に関する文書を読みながら、関東の8つの大手私鉄の歩みをたどる試みを、白水社のインターネット連載で続けてきた。これを3冊にまとめたのが拙著『地図と鉄道省文書で読む私鉄の歩み（関東1～3）』である。

公文書館に収蔵された膨大な簿冊を少しずつ閲覧するうち、驚いたことがある。綴じ込まれていた大正初期の京成電気軌道の列車ダイヤが、平日にもかかわらず朝と昼の列車の運転間隔が同じだったことだ。電車は原則1両編成なので定員はせいぜい80人程度、現在とは比べものにならないほど輸送力は少なかったが、それは別として「ラッシュアワー」というものが見事に存在しなかったことを知らされたのである。

朝の電車といえば、サラリーマンたちが電車にぎゅうぎゅうに押し込まれるのが当たり前という「常識」を漫然と信じていたわけだが、大雑把な言い方をすれば、当時は郊外から都心へ通うサラリーマンはいなかった。思えば日本の工業生産力が飛躍的に上がったのは大正3年（1914）から7年にかけて、遠い欧州で起きた第一次世界大戦の頃からである。

あちらの工業生産が軍事に大きくシフトした結果、東洋の新興工業国であった日本がそこへ参入したのである。生産力が上がるということは会社や工場の大型化が進むことで、ある程度の距離を通勤する「職住分離」の生活

スタイルが一般化するということだ。会社が大きくなれば管理職も必要となり、彼らを養成すべき高等教育機関（旧制中学から大学、専門学校等）の需要も高まり、そこへ通う生徒も急増していくことになる。

郊外における住宅地の需要は増大し、本文で何か所も触れたことだが、これに呼応して鉄道の新線は郊外へ延びていく。会社員が増えれば現金収入のある人が増えるから、従来は村の中で何でも済ませていた人が都市へ買い物に出かける。また休日には遊園地や、たまには少し遠くまで観光に行く。待たずに乗れる便利な電車がそこにあれば、それを使わない理由はない。需要が電車を増やし、増えた電車がまた需要を喚起する。従来は別の目的で——たとえば織物の生産物を大都市へ運んだり、神社仏閣への参拝客をこまめに運ぶなどのために敷設された鉄道や軌道も、必然的に生まれ変わらざるを得ない。まさに好循環である。

首都圏の場合は、東京市（旧15区）の近郊に広がっていた農村地帯が急速に「郊外化」していくが、この傾向は大正12年（１９２３）の関東大震災が強い力で後押しした。たとえば東急の前身である田園都市会社は、数年前に台地を区画して入居が始まったばかりの分譲住宅の無事を確認し、ほっと胸をなで下ろすと同時に、「理想的な郊外居住」をさらにアピールし、やがてそれは世の中の常識となった。

郊外はまたたく間に市街化し、戦後はさらにその外側へと郊外化は進んでいく。遠方から都心へ通う多くの通勤通学客を運んだのは、やはり圧倒的に鉄道であった。各社とも急増する乗客を目の当たりにしながら、毎日の尻押しの傍ら複線化、複々線化、車両の増結に励み、一方では地下鉄との相互乗り入れという新手も編み出した。もちろん、「痛勤」と揶揄されるラッシュの大混雑に無言で耐えた行儀の良い乗客の協力も忘れてはならないが、その結果、戦前とは桁違いの、海外のどこにも類例がないほどの輸送実績を積み重ねていった。

考えてみれば、東京の鉄道の歩みをたどることは、首都圏の住人の暮らしがどう変わったかをトレースすることに通じる。本書では7つのテーマに絞って、それぞれの方角から鉄道の歩みをたどってみたが、その目的が達成できたかどうかは読者の判断に委ねたい。それはともかく、この近現代史を描写するのに大いに役立ったのが、多数掲載した地形図類である。以前から私はあちこちで「地形図は景色が見える地図！」と宣伝し続けてきたが、洗練された記号体系を持ち、職人技に支えられた精緻な地形図を多用したことにより、各地域のそれぞれの「時代の景色」をリアルにお見せすることに関しては、成功したのではないだろうか。

最後になるが、この企画を提案され、なかなか執筆の「表定速度」が上がらない筆者の原稿を辛抱強くお待ちいただいたＪＴＢパブリッシングの小室博一さん、多くの貴重な写真や図版等の手配に尽力されたヴィトゲン社の畠山和久さん、それら多くの図版を的確に配置していただいたデザイナーの三木和彦さん、今昔が一目でわかる魅力的なイラストで表紙カバーを飾っていただいた鳥瞰図絵師の村松昭さんに、特に御礼申し上げる次第である。

平成28年（２０１６）1月大寒　今尾　恵介

主要参考文献

「鉄道省文書」（当該各薄冊）国立公文書館蔵
『帝国鉄道年鑑　昭和三年版』帝国鉄道協会編　帝国鉄道協会　昭和 3 年（1928）
『国鉄統計ダイジェスト　鉄道要覧　昭和 56 年版』日本国有鉄道編　日本国有鉄道
昭和 56 年（1981）
『京浜電気鉄道沿革史』京浜急行電鉄編　京浜急行電鉄　昭和 24 年（1949）
『日本国有鉄道百年史　第 9 巻』日本国有鉄道　昭和 47 年（1972）
『日本国有鉄道百年史　第 12 巻』日本国有鉄道　昭和 48 年（1973）
『日本国有鉄道百年史　第 13 巻』日本国有鉄道　昭和 49 年（1974）
『京王帝都電鉄三十年史』京王帝都電鉄総務部編　京王帝都電鉄総務部　昭和 53 年（1978）
『京浜急行八十年史』京浜急行電鉄社史編集班編　京浜急行電鉄　昭和 55 年（1980）
『小田急五十年史』小田急電鉄社史編集事務局編　小田急電鉄　昭和 55 年（1980）
『日本鉄道請負業史　昭和（後期）篇』日本鉄道建設業協会　平成 2 年（1990）
『東武鉄道百年史』東武鉄道社史編纂室編　東武鉄道　平成 10 年（2008）
『大東京概観』東京市編輯　東京市　昭和 7 年（1932）
『東京馬車鉄道』（都史紀要 33）東京都公文書館編　東京都情報連絡室都政情報センター管理部
平成元年（1989）
『地図でみる大田区（２）』社会教育部社会教育課文化財係篇　大田区教育委員会
平成元年（1989）
『川崎の町名』日本地名研究所編　川崎市　平成 3 年（1991）
『帝釈人車鉄道』（かつしかブックレット 15）葛飾区郷土と天文の博物館企画
葛飾区郷土と天文の博物館　平成 18 年（2006）
『旅窓に学ぶ　東日本篇』ダイヤモンド社　昭和 11 年（1936）
『日本の私鉄』和久田康雄　岩波新書　昭和 56 年（1981）
『民鉄経営の歴史と文化　東日本編』青木栄一・野田正穂・老川慶喜編　古今書院
平成 4 年（1992）
『多摩の鉄道百年』野田正穂・原田勝正・青木栄一・老川慶喜編　日本経済評論社　平成 5 年(1993)
『地図と鉄道省文書で読む私鉄の歩み　関東 1　東急・小田急』今尾恵介　白水社
平成 26 年（2014）
『地図と鉄道省文書で読む私鉄の歩み　関東 2　東武・西武・京王』今尾恵介　白水社
平成 26 年（2014）
『地図と鉄道省文書で読む私鉄の歩み　関東 3　京成・京急・相鉄』今尾恵介　白水社
平成 27 年（2015）
「ハワードの田園都市思想と都市形成の変遷－イギリス・レッチワースを例として－」堀江興
『新潟工科大学研究紀要』第 6 号　平成 13 年（2001）12 月

＊この他に各種鉄道時刻表、市街図・地形図・地勢図（帝国図）等の地図を参照しました。

「この地図は、国土地理院長の承認を得て、同院発行の 20 万分 1 地勢図、20 万分 1 帝国図、5 万分 1 地形図、2 万 5 千分 1 地形図、2 万分 1 迅速図、2 万分 1 仮製図、2 万分 1 正式図及び 1 万分 1 地形図を複製したものである。（承認番号　平 27 情複、第 1069 号）」

今尾恵介【いまおけいすけ】

1959年横浜市生まれ。中学生の頃から国土地理院発行の地形図や時刻表を眺めるのが趣味だった。音楽出版社勤務を経て、1991年にフリーランサーとして独立。旅行ガイドブック等へのイラストマップ作成、地図・旅行関係の雑誌への連載をスタート。以後、地図・鉄道関係の単行本の執筆を精力的に手がける。膨大な地図資料をもとに、地域の来し方や行く末を読み解き、環境、政治、地方都市のあり方までを考える。（一財）日本地図センター客員研究員、（一財）地図情報センター評議員、日本地図学会「地図と地名」専門部会主査、日野市郷土資料館協議会委員。

主著に『日本鉄道旅行地図帳』『日本鉄道旅行歴史地図帳』（いずれも監修）『地図と鉄道省文書で読む私鉄の歩み1～3』『地図入門』『鉄道でゆく凸凹地形の旅』『地図で読む戦争の時代』『地図で読む昭和の日本』『地図で読む世界と日本』『日本地図のたのしみ』『路面電車』『地図の遊び方』『地形図でたどる鉄道史（東日本編・西日本編）』など多数。

地図で解明！ 東京の鉄道発達史

2016年2月15日　初版印刷
2016年3月1日　初版発行

著者　今尾恵介
発行人　秋田　守
発行所　JTBパブリッシング
印刷所　大日本印刷

図書のご注文は
JTBパブリッシング　営業部直販課　☎03-6888-7893

本書の内容についてのお問い合わせは
JTBパブリッシング　出版事業本部　企画出版部　☎03-6888-7845
〒162-8446　東京都新宿区払方町25-5
http://www.jtbpublishing.com/

Printed in Japan　806910
ISBN　978-4-533-10954-6 C0065

●本書の情報は2016年2月現在のものです。
●各種データを含めた記載内容の正確さは万全を期しておりますが、お出かけの際は、電話などで事前に確認されることをお勧めします。本書に掲載された内容による損害などは、弊社では補償いたしかねますので、あらかじめご了承ください。

●本書の編集にあたり、関係各位に多大なご協力を賜りました。厚く御礼申し上げます。

写真・資料提供

国立国会図書館・
東京都立中央図書館・
葛飾区郷土と天文の博物館・
横浜開港資料館・東急電鉄・
中央区立京橋図書館・
横浜都市発展記念館・
大田区立郷土博物館・
めぐろ歴史資料館・
くにたち郷土文化館・共同通信社・
新宿区立新宿歴史博物館・
小田急電鉄・
調布市郷土博物館・
京王電鉄・東村山ふるさと文化館・
練馬区立石神井公園ふるさと文化館・
所沢市生涯学習推進センター・
さいたま市立博物館・
しながわweb写真館（品川区）・
小平市立喜平図書館・村多正・
岩堀雅己・小池伸明・安田就視・
高橋秀之・宮田憲誠

装丁・本文デザイン

アンパサンド・ワークス

編集協力

ヴィトゲン社

図版制作

来夢来人（伊藤亜希子）

単行本
806910